MIJN LEVEN ALS VERRAADSTER

Met liefde en respect draag ik dit boek op aan mijn vriend Akbar Mohammadi. Hij was veel moediger dan ik en dat heeft hem het leven gekost.

Zarah Ghahramani
met Robert Hillman

MIJN LEVEN ALS VERRAADSTER

STAATSLIEDENBUURT

the house of books

Oorspronkelijke titel
My life as a traitor
Uitgave
Scribe Publications, Carlton North, Melbourne, Victoria, Australia 3054
Copyright © 2007 by Zarah Ghahramani and Robert Hillman
Copyright voor het Nederlandse taalgebied © 2008 by The House of Books,
Vianen/Antwerpen

De citaten op de bladzijden 151, 152-153 en 154 zijn afkomstig uit: *De Rozentuin* van Saadi, uitgegeven door Uitgeverij Bulaaq te Amsterdam, tweede druk
2005, en uit het Perzisch vertaald door J.T.P. de Bruijn.
Het kwatrijn op bladzijde 154 onderaan is afkomstig uit: *Rubaiyat/Kwatrijnen*,
vertaald door Johan van Schagen; Uitgeverij Kairos, Soest, 1995.

Voor toestemming tot overname van deze teksten zijn wij beide uitgevers zeer
erkentelijk.

Vertaling
E. Braspenning
Omslagontwerp
Mariska Cock
Omslagfoto
© Manca Juvan/Corbis
Opmaak binnenwerk
ZetSpiegel, Best

ISBN 978 90 443 2140 1
D/2008/8899/67
NUR 302

'Geen verrader wordt meer gehaat dan hij die de menselijkheid verraadt.'
— James Russell Lowell,
On the Capture of Certain Fugitive Slaves

Hoofdstuk 1

De blinddoek zit strak. Mijn bewustzijn is opgesplitst tussen de duisternis die mijn ogen trachten te doorboren en mijn panische angst. Wanneer de blinddoek wordt weggehaald, is het eerste wat ik zie het gezicht van de man die me gaat ondervragen. Hij staat en ik zit, en mijn blik gaat instinctief omhoog, naar zijn gezicht. Het is geen aantrekkelijk gezicht. Ik besef onmiddellijk dat hij heel goed weet welk effect zijn uiterlijk heeft op een jonge vrouw – een kind eigenlijk – die zonder enige waarschuwing van de straat is gehaald. Hij weet alles over mijn doodsangst.

Hij is lang, dik, kaal en hij stinkt. Ik weet niet of alleen zijn adem stinkt of zijn hele lichaam, maar het is een walgelijke geur, als van rottend vlees. Hij lijkt me een jaar of vijftig en heeft een onverzorgde baard die is doorweven met grijs. Hij draagt een lang shirt over zijn broek.

Hij richt zich in zijn volle lengte op en kijkt op me neer, staart naar me alsof hij daarmee niet alleen zijn postuur maar ook de macht die hij over mijn leven heeft nog eens extra wil benadrukken. Ondanks mijn angst besef ik dat de man hier plezier in heeft en dat dit nog maar het begin is van dat plezier. Hij heeft me al beoordeeld: een verwend nest uit een gegoede familie, een studente die in protest-demonstraties tegen de regering doet alsof ze iets van politiek weet. Voor hem ben ik een stuk speelgoed. Misschien haat hij me ook, maar belangrijker dan zijn haat is het plezier dat hij aan me zal beleven. Ik kan natuurlijk alleen maar raden naar zijn mening over mij; de enige dingen waarvan ik zeker ben, zijn mijn angst en mijn heftige verlangen naar veiligheid, naar geborgenheid bij mensen – mijn vader, mijn moeder – die me precies het tegenovergestelde toewensen dan wat deze man voor me in petto heeft.

Ik weet waar ik ben, althans, het is niet moeilijk te raden: de Evin-gevangenis in het noorden van Teheran, op een paar kilometer afstand van mijn ouderlijk huis dat in een van de buitenwijken staat die het dichtst rond het centrum van de stad liggen. Ik ken deze gevangenis van horen zeggen. Iedereen kent hem van horen zeggen, al mijn vrienden van de universiteit. We weten dat het een plek is waar je niet bij in de buurt moet komen, net zoals de goede personen in sprookjes weten dat ze niet in de buurt van het kasteel van de boze reus moeten komen. Ik had nooit gedacht dat een goed mens – ik! – hier terecht zou kunnen komen.

Waar heb ik dit aan verdiend? Wat heb ik helemaal gedaan? Mijn mening geuit, wat petities verspreid, met mijn vrienden meegedaan aan protestdemonstraties. Ik heb niemand kwaad gedaan, nooit een pistool afgevuurd, nooit een steen gegooid. Dit was de schokkende contradictie van mijn situatie: ik wil de wereld laten weten dat ik een goed mens ben, iemand die houdt van vrede, van boeken, van gesprekken met vrienden, maar dat interesseert de man die nu voor me staat absoluut niet. Als hij opdracht had gekregen me te vermoorden, zou hij dat gedaan hebben. De wereld waarin hij leeft, is wreed en primitief. Hij heeft niets waarop ik een beroep kan doen. Helemaal niets.

De ondervrager laat goed tot me doordringen in welke situatie ik me bevind. Hij gaat tegenover me achter een bureau zitten en zegt een hele tijd niets. Dan richt hij zijn blik op de paperassen die op het bureau liggen. 'Zarah Ghahramani, geboren in 1981, geboortecertificaat nummer 843, uitgegeven in Teheran, studente aan een vertaalopleiding. Klopt dat?'

'Ja,' antwoord ik zachtjes.

Hij slaat zo hard met zijn vlakke hand op het bureau dat ik van schrik bijna overeind spring. Ik had mijn ogen van hem afgewend en half gesloten, maar nu sper ik ze wijd open – zo wijd als ik kan.

'Sprak je ook zo zachtjes toen je op de universiteit de toekomst van het land wilde veranderen?' schreeuwt hij.

Ik geef geen antwoord. Een halve seconde sluit ik mijn ogen en bid haastig tot God om in te grijpen en me in veiligheid te brengen.

De ondervrager slaat nogmaals op de tafel, even hard als de eerste keer. Ik verroer me niet.

'Als ik je iets vraag, geef je antwoord. Begrepen?'

'Ja,' antwoord ik. Mijn stem lijkt van heel ver te komen, ver van de plek waar ik zit.

De ondervrager leunt achterover op zijn stoel en trekt aan de ongelijke punten van zijn baard.

'Hoe heet je?' vraagt hij, nadat hij me een tijd heeft laten sudderen.

'Zarah Ghahramani,' antwoord ik.

'Details!' schreeuwt hij.

Ik slik om het brok van angst in mijn keel weg te krijgen.

'Zarah Ghahramani,' antwoord ik, niet te zacht, om de man niet weer boos te maken, en niet te hard, want dan kom ik misschien uitdagend over. Ik probeer me zo snel mogelijk aan de wensen van de man aan te passen, te leren welke uitdrukking, welke toon, welke houding hem voldoende zal kalmeren om geen nieuwe woedeaanvallen op te wekken. 'Geboren in Teheran, geboortebewijs 843, studente Vertaalopleiding, studiejaar 1377.'

Eerst reageert hij niet. Zijn vlezige handen spelen met een pen die op het bureau ligt. Mijn blik blijft gericht op de spelende bewegingen van zijn handen, alsof de macht die hij over me heeft daarin geconcentreerd ligt. Ik denk aan wat zijn handen me kunnen aandoen, zonder te weten dat die vlezige handen een blijvend beeld zullen worden in de nachtmerries die me nog wachten, zonder te weten dat wat ik van die handen vrees, werkelijkheid zal worden.

Ik leg zelf ook mijn handen op de tafel. Ik doe bewust een poging iets van mijn zelfbeheersing terug te krijgen. Ik probeer eruit te zien als iemand die gereed is om een redelijk, logisch gesprek te voeren. Tegen beter weten in zal ik die afgrijselijke man tegemoet treden alsof hij tot mededogen in staat is. Ik zal met hem praten alsof hij zich om mijn situatie bekommert, ook al is dat niet zo. Louter bravoure, ik weet het, maar ik moet íéts. Ik moet in elk geval proberen van het gevoel van vernedering af te komen, al is het maar een paar minuten.

Hij houdt me scherp in de gaten zonder rechtstreeks

naar me te kijken. Wanneer hij ziet dat ik mijn handen op de tafel leg, zegt hij: 'Ben je er klaar voor?'

Prompt verlies ik de moed weer.

'Klaar? Waarvoor?'

Hij kijkt me onheilspellend aan.

'Alleen ík stel hier vragen!' zegt hij. 'Begrepen?'

'Ja.'

Plotseling barst hij zonder enige reden in lachen uit. Zijn lach doet me denken aan de sjofele oude man in *The Blind Bat*, een Iraanse roman van Hedayat. Volgens Hedayat lacht de sjofele oude man in het verhaal op een manier 'waar je nekharen van overeind komen'. Als ik niet zo bang was, zou ik smalend tegen mijn ondervrager zeggen dat hij wel erg veel clichégedrag van de slechteriken uit boeken en films heeft overgenomen.

'Weet je waarom je hier bent?' vraagt hij.

Ik geef geen antwoord.

'Nee,' beantwoordt hij zijn eigen vraag, 'dat weet je niet. Je moet hier blijven omdat ons land geen behoefte heeft aan uitschot als jij.'

Ik schud mijn hoofd ontkennend. Ik wil alleen maar zeggen dat ik geen uitschot ben, in de verste verte niet. Dom genoeg vraag ik: 'Maar waarom?'

Abrupt komt hij achter zijn bureau vandaan en buigt zich naar me toe met zijn gezicht zo dicht bij het mijne dat we elkaar bijna raken.

'Heb ik niet gezegd dat ik de enige ben die hier vragen stelt?'

Ik sluit afwerend mijn ogen, alsof ik me voorbereid op een klap in mijn gezicht. Ik doe ze weer open en voel zijn speeksel op mijn wangen. En die stank! Ik moet er bijna van overgeven, en zou het ook hebben gedaan ware het niet dat ik al dagen niets te eten heb gekregen en dus niks ik mijn maag heb.

Hij gaat weer zitten en bekijkt me laatdunkend. Hij wacht, terwijl ik ben overgeleverd aan mijn doodsangst. God, wat bezielde me? Dacht ik werkelijk dat deze man op een intelligente, redelijke manier met me zou praten en naar mijn kant van het verhaal zou luisteren?

Hij begint me vragen te stellen over mijn familie. Hij praat op een bedrieglijk intieme manier, alsof hij een oude kennis is. Hoe is het me die, en met die? Ik weet donders goed dat hij probeert me te laten denken dat ik nu veilig ben, dat hij na zijn woede-uitbarsting is gekalmeerd en nu gevoeliger zal zijn. Ik wacht op de klap. Ik weet dat die zal komen. Deze weerzinwekkende man, die zijn ondervragingsmethoden heeft afgekeken van slechte films, is bezig de klap voor te bereiden en neemt daar alle tijd voor. Ik kan het niet uitstaan dat hij de namen van leden van mijn familie in zijn stinkende, ongewassen mond neemt. Ik vind het weerzinwekkend dat hij hun namen überhaupt noemt! Maar dat is niet de klap.

'Vertel eens,' zegt hij kalmpjes, 'hoe is het met de oude SAVAKI?'

Hij bedoelt mijn vader.

Dat is de klap.

Hoofdstuk 2

De ondervrager, die zelf een tirannie vertegenwoordigt, had de naam genoemd van een oudere tirannie. De SAVAK was de geheime dienst ten tijde van het bewind van Pahlavi – de man die tot twee jaar vóór mijn geboorte mijn land had geregeerd. De sjah van Iran, Mohammad Reza Pahlavi, was verdreven tijdens een van de kenschetsende gebeurtenissen van de twintigste eeuw, de Islamitische Revolutie van ayatollah Ruhollah Khomeini. De SAVAK was een gehate organisatie van de sjah geweest, een geheime politiemacht die gerechtigd was mensen naar willekeur te vermoorden, te martelen en op te sluiten. Zelfs vergeleken bij de weerzinwekkende methoden waarvan soortgelijke organisaties zich door de eeuwen heen bediend hebben, gold de SAVAK als bijzonder barbaars.

De agenten van de SAVAK werden SAVAKI genoemd, maar mijn vader was geen SAVAKI geweest. Hij was een hooggeplaatste officier in het leger van de sjah geweest – trouw aan Pahlavi, dat wel, maar geen fanaticus, geen bruut, geen moordenaar. Door mijn vader 'de oude SAVAKI' te noemen, wilde de ondervrager me schrik aanjagen; hij wilde me bang maken, me met walging vervullen, mijn weerstand tegen hem nog verder afzwakken. Hij zei hiermee eigenlijk: 'Je bent de dochter van een duivel, als ik dat zeg. De dingen die ik kan doen om je te kwellen, kennen geen grenzen. En niemand zal medelijden met je hebben.'

Hoewel ik ben geboren na Khomeini's triomfantelijke terugkeer naar Iran en opgegroeid onder het bewind dat hij voerde, ben ik opgevoed alsof Pahlavi nog aan de macht was of binnenkort weer aan de macht zou komen. De eerste vier, vijf jaar van mijn leven kende ik geen andere regels en beperkingen dan die mijn moeder en vader me oplegden: ik at netjes mijn bord leeg omdat elders in de wereld kinderen honger leden, ik herhaalde de woorden niet die mijn oudere broers en zusjes soms zeiden wanneer ze boos waren, enzovoort. Maar in 1986, toen ik vijf was, moet het tot mijn vader en moeder zijn doorgedrongen dat de fanatici die het bewind voerden over Iran niet zouden verdwijnen en moest ik noodgedwongen aan nieuwe regels en beperkingen wennen: de regels die het volk door de staat waren opgelegd.

Langzaam maar zeker leerde ik de regels van de 'primitievelingen' (zoals mijn vader de leiders van het regime en hun aanhangers noemde). Het had veel weg van de geleidelijke inwijding in de geheimen van een onbekende cultus. Nu is ieders kindertijd natuurlijk een periode van inwijdingen, van het proberen te doorgronden van een steeds ruimer wordende wereld. Men acht een kind op een bepaalde leeftijd gereed om iets meer te horen over hoe de wereld in elkaar zit, en daarna weer iets meer, en weer. Maar kinderen in gezinnen die behoorden tot de gegoede burgerij, kinderen die rond dezelfde tijd geboren waren als ik, moesten aan de ene kant nieuwe dingen leren die bij het leven thuis hoorden (ons 'ware' leven, om zo te zeggen), en tegelijkertijd gewend raken aan de nieuwe regels die golden voor buitenshuis.

De overheid verwachtte van me dat ik de wereld zou zien op de manier die werd voorgeschreven, maar thuis werd ik, vooral door mijn vader, aangemoedigd de wereld op een heel andere manier te bekijken. Afgezien van deze tweeledigheid werd er van me verwacht dat ik de ene zienswijze voor mezelf zou houden en er alleen thuis over zou praten, terwijl ik me in het openbaar moest gedragen alsof ik trouw was aan de staat. Je kon het vergelijken met twee talen leren en goed onthouden welke taal je thuis spreekt en welke op straat.

Op school leerde ik dat ik boven alles trouw moest zijn aan God, daarna aan de vader van de Islamitische Republiek, de ayatollah Khomeini, en aan de staat. Ik leerde niet alleen over God maar ook over duivels. Amerikanen waren duivels. Amerikanen waren verraderlijke wezens die geen geloof hadden. Amerikanen waren de trouwe vrienden geweest van een andere grote duivel, Pahlavi.

Thuis waren de Amerikanen geen duivels en werd Pahlavi (een beetje verontschuldigend) afgeschilderd als een goed mens, een man die was misleid door degenen die hem omringd hadden. Vrijheid en verdraagzaamheid stonden thuis hoog in het vaandel. Een meisje was net zo belangrijk als een jongen. Liefde was van primair belang. En Iran, mijn land, bevond zich in de greep van sinistere, onbuigzame figuren die de wereld in zwart en wit zagen, die geen kleur toestonden, geen schakeringen, geen nuances, geen schoonheid afgezien van de islamitische godvruchtigheid.

Het is voor een kind niet zo moeilijk om de talen, gewoonten en regels van twee werelden te leren, zoals ik dat heb gedaan. Er zijn kinderen aan wie veel grotere eisen worden gesteld. Maar de jaren verstrijken, en dan komt er een tijd dat het kind, nu een jonge vrouw, zich meer voor de ene wereld wil uitspreken dan voor de andere. En dat is wat mij gebeurde.

In 1987 werd ik zes. Ik had de twee talen geleerd, ik had geleerd dat er twee werelden bestonden. Maar er viel nog veel meer te leren, want Iran was al sinds mijn geboorte in oorlog met het Irak van Saddam Hoessein. Dat conflict kon niet netjes worden ingedeeld bij een van beide werelden. Saddam was de man die zijn vliegtuigen uitstuurde om Iraanse steden te bombarderen. Er was geen tweeledige denkwijze mogelijk over jonge Iraanse mannen die in deze oorlog sneuvelden; er is niets dubbelzinnigs aan sterven op het slagveld. Het conflict weersprak het bekende gezegde 'De vijand van mijn vijand is mijn vriend'.

Dat jaar, toen ik zes was geworden, had mijn vader zonder er goed over na te denken een paar roze schoentjes voor me gekocht. Ik was er verliefd op zodra ik ze zag. Het waren schoenen uit een sprookje, de magische schoentjes van een prinses. Het was de bedoeling dat ik ze op nieuwjaarsdag zou aantrekken, wanneer we traditiegetrouw naar het huis van mijn grootmoeder zouden lopen waar ik mijn cadeautje, een bepaalde som geld, in ontvangst zou nemen. Dat jaar was het echter niet mogelijk om die heerlijke gewoonte in ere te houden. Een neef van mijn moeder, een jongen van negentien, was in de oorlog gesneuveld en we waren in de rouw. In Iran geldt voor de naaste familie van een overledene een lange rouwperiode. Als teken van eerbied voor de ziel van de overledene onthouden we ons van alles waaraan we plezier of genot beleven. Soortgelijke rouwtradities kent men in de hele wereld, ongeacht religie of cultuur, maar in het Iran van de moellahs, in het bijzonder tijdens de oorlog met Irak, groeide deze rouwgewoonte uit tot zodanige proporties dat het niets meer te maken had met een normale menselijke behoefte, maar in plaats daarvan iets onvoorstelbaar neurotisch was geworden.

Bijvoorbeeld, toen de echtgenoot van een jonge vrouw die naast ons woonde op het slagveld sneuvelde, werd er van die arme vrouw verwacht dat ze nergens meer om zou glimlachen vanaf het moment dat het nieuws haar had bereikt tot een niet nader te bepalen datum in de toekomst, namelijk voor zolang de oorlog zou duren. Niet dat ze er behoefte aan had te glimlachen toen ze hoorde dat haar man was omgekomen, maar het verbod op glimlachen hield in dat ze zich jarenlang niet op een natuurlijke wijze zou kunnen gedragen. Ze zou zelfs niet naar haar kinderen mogen glimlachen. Verder mocht ze niet eens aan een nieuwe relatie dénken tot er een rouwperiode was verstreken die voor haar familie en de staat aanvaardbaar werd geacht; een nieuwe relatie zou trouwens niets anders inhouden dan instemmen in een huwelijk met een man die voor haar gekozen werd. Toen de vrouw uiteindelijk toestemming kreeg te hertrouwen, bleef ze gebrandmerkt en werd ze zowel door haar eigen familie als die van haar eerste man kil bejegend. Het was alsof iedereen behalve de jonge vrouw zelf vond dat ze zó diep in de rouw moest blijven dat gedachten aan hertrouwen niet eens in haar zouden opkomen. De oorlog droeg uiteraard bij aan deze waanzin; vanwege de oorlog werd het 'martelaarschap' een nationale fetisj.

Binnen mijn eigen familie werd de oorlog beschouwd als een ramp, en niets anders. Voor mijn vader was Saddam de agressor. Maar de jongemannen die met tienduizenden, zelfs honderdduizenden sneuvelden, werden geen 'martelaren' genoemd in de betekenis die in de Islamitische Republiek zoveel waarde had gekregen. Ze waren doodgewoon de slachtoffers van de strijd, en het was droevig dat ze hun leven hadden verloren. Dit was alweer zo'n onderscheid tussen de twee werelden waarin ik leefde. Op straat, op school, op alle openbare plaatsen werd de oorlog met Irak uitgebeeld met schaamteloze symbolen (zoals een kwijlende Saddam met de hoorns van een duivel), of met woorden die dezelfde functie hadden als die schaamteloze symbolen: het grote kwaad, martelaarschap, opoffering. Maar mijn vader en moeder waren intelligente, ontwikkelde mensen. Dankzij hun hoge opleiding en de bevoorrechte positie die ze hadden gehad in het Iran van vóór de revolutie begrepen ze de vele facetten van de wereld beter dan de meeste Iraniërs.

En zo voegde de oorlog nóg een moeilijkheid aan mijn leven toe, nóg een psychologische belemmering voor natuurlijk, spontaan gedrag in het openbaar, omdat het me niet was toegestaan de oorlog eenvoudigweg te beschouwen als een strijd tussen Goed en Kwaad: de heersers van Iran hadden er recht op tegen Saddam te vechten, maar ze waren zelf niet boven kritiek verheven. Juist aan een dergelijk complex gedachtegoed hebben dogmatici als de heersers van Iran zo'n hekel, net als dogmatici overal ter wereld. Ze willen dat je een cartoon of een karikatuur van de wereld accepteert, maar daar kun je je niet bij neerleggen. Je haat het valse karakter daarvan. Je wilt de vrijheid hebben om te denken wat je wilt.

Mijn roze schoentjes, die ik af en toe droeg nadat de rouwperiode voor mijn moeders neef naar behoren in acht was genomen, waren wat ik nu 'instappers' zou noemen – met platte zolen, zonder veters of knoopjes, een soort balletschoentjes. Op de neus zat een plastic bloem die eveneens roze was, maar een donkerder tint had dan de schoen zelf. Toen ik zeven was, zeiden die schoentjes meer over de wereld waarin ik wilde leven dan ik ooit in woorden had kunnen uitdrukken. En in zekere zin ben ik vanwege mijn liefde voor die schoentjes en mijn verlangen naar alle plaatsen die ik met die schoentjes aan zou bezoeken, na vele kronkels en bochten in een cel in Evin terechtgekomen.

Hoofdstuk 3

De ondervrager haalt een pakje sigaretten uit zijn broekzak. Ongehaast schudt hij er een uit het pakje, laat zijn aansteker klikken, houdt het vlammetje bij de sigaret. Ik ben dankbaar dat hij een man is die rookt. Ik ben meer dan dankbaar; ik ben dolblij. Want zolang hij bezig is met het opsteken van de sigaret, is er voor mij enig respijt van de vragen, insinuaties, beschuldigingen, dreigementen en vernederingen.

Hij weet dat uiteraard. Hij weet dat ik me opgelucht voel. Hij weet precies wat ik voel, de hele tijd. Hij heeft een baan die aansluit op zijn aangeboren sadisme. Hij heeft een baan in de hemel van de sadisten. Hij is een gelukkig mens. In een heel ver hoekje van zijn geest houdt hij misschien zelfs van me. Kijk eens wat ik hem schenk! De gelegenheid om zich te verlustigen, om te dreigen en te martelen. En wat een heerlijk object voor zijn sadisme ben ik: panisch van angst, met een smeekbede in mijn ogen.

'Je weet dus niet wat ik bedoel met "de oude SAVAKI",' zegt hij. Ik antwoord dat ik dat inderdaad niet weet, ook al weet ik het best. Ik leer gaandeweg steeds meer over mijn ondervrager. Ik leer dat ik alleen moet zeggen wat hij wil horen. Als hij iets wenst te horen over mijn vader, over mijn vaders politieke overtuigingen of zijn toekomstwensen voor Iran, zal hij dat aan mij vertellen, en niet andersom.

Hij bekijkt me aandachtig. Misschien vindt hij dat ik een beetje te snel leer. Hij maakt een gebaar met zijn hand – het is slechts een klein gebaar, maar het drukt minachting uit.

'Speel niet met me,' zegt hij dreigend. 'Je bent geen partij voor me. Ik krijg dagelijks mensen aan het praten in deze kamer. En sommigen van die mensen,' voegt hij er na een pauze aan toe, 'stuur ik naar het hiernamaals.'

Dat is bedoeld om me nog meer angst aan te jagen, maar vreemd genoeg moet ik er inwendig om lachen, alsof mijn gevoel voor humor een uitlaatklep nodig heeft. Ik lach niet hardop. Dat zou waanzin zijn. Dat zou uitlopen op straf of op iets ergers. Mensen van het gehalte van deze man zijn niet in staat te lachen om hun melodramatische taalgebruik, om hun eigen dwaasheden. Maar toch... 'Sommigen van die mensen stuur ik naar het hiernamaals'? Hij klinkt als een slechte acteur in een goedkope soap.

De stinkende adem van mijn ondervrager walmt naar me toe en raakt mijn gezicht als een vuistslag. Ik moet kokhalzen maar weet me te beheersen.

'Wat doet je vader tegenwoordig?' vraagt mijn ondervrager, een nieuwe fase van het verhoor inluidend.

'Hij heeft een winkel,' antwoord ik naar waarheid.

'En zijn vrienden? Zijn compagnons? Wie zijn dat?'

'Dat weet ik niet.'

Hij kijkt naar de documenten op zijn bureau, neemt er de tijd voor.

'Dat weet je niet?'

'Nee.'

Hij maakt een aantekening op de documenten die voor hem liggen. Hij legt daarbij zijn hand op de bovenrand van het stuk papier waarop hij schrijft, alsof hij wil voorkomen dat ik kan zien wat hij schrijft. Het doet me denken aan de brave kinderen op school die dezelfde strategie gebruikten als de ondervrager om te voorkomen dat iemand van hen afkeek. Wat denkt hij dat ik zal ontdekken als ik die domme aantekeningen van hem kon zien? Dat hij spelfouten maakt? Dat hij een lelijk handschrift heeft? Stel je voor dat ik zo moedig of zo dom was om een blik op de aantekeningen te werpen, vermanend mijn vinger op te heffen en te zeggen: 'Zo spel je "Verrader van de Revolutie" niet. Vijftig strafregels!'

'Je weet niet wie de compagnons van je vader zijn? Moet ik dat echt geloven?'

'Ja.'

Hij schudt minachtend zijn hoofd, herhaalt zijn vraag, en herhaalt hem nog een keer. De bewegingen van zijn hand en de laatdunkende uitdrukking op zijn gezicht verraden zijn ongeduld. Mijn hoofd begint te bonken. Waarom stelt hij vragen over mijn vader? Wat heeft dit met mij te maken? Is mijn vader soms het ware onderwerp van het verhoor? Ben ik slechts een pion? Ik kan niet meer helder denken. En in mijn hoofd klinkt een smekend stemmetje dat fluistert: *Laat me alstublieft gaan, laat me alstublieft gaan...* Wat een bravoure hadden mijn vrienden en ik over hoe we ons zouden gedragen, als we hoorden dat een medestudent door de politie was opgepakt en werd ondervraagd in een kamer als waar ik nu zit. Terwijl ik naar mijn ondervrager staar, denk ik aan wat ik nog maar een paar weken geleden heb gedacht: *Ik zal gewoon de waarheid vertellen. Ik zal me niet laten kennen, maar die idioten te schande maken door niet ineen te krimpen, niet te huilen, niet te beven.* In stilte berisp ik mezelf: *Ach, Zarah, wat een kind was je! Waar is je trotse houding nu?*

'Vertel eens, hoe denkt je vader over Khatami?'

'Khatami?' vraag ik, duf van vermoeidheid. Waarom stelt hij me vragen over de minister-president, een man die bekendstaat als een liberaal, een man die hij ongetwijfeld haat?

'Wat vond je vader ervan dat Khatami werd verkozen?'

'Dat weet ik niet.'

'Heeft hij op Khatami gestemd?'

'Dat weet ik niet.'

Alle kans dat deze dikke kerel met zijn stinkende adem en melodramatische manier van doen precies weet op wie mijn vader bij de laatste verkiezingen heeft gestemd. Ik denk niet dat hij vragen stelt waarop hij het antwoord niet al weet. Ik vind dit spel uitputtend. Wat moet ik hierop antwoorden? Kan ik zeggen: 'Nu u ernaar vraagt, mijn vader haat het bewind dat u vertegenwoordigt. Wanneer hij naar de nieuwsberichten op de radio luistert, gaat hij tekeer tegen de leugens en hypocrisie van de moellahs. Hij vindt dat u en uw meerderen al het leven uit Iran knijpen. Hij walgt van uw schijnheilige gedoe, van uw omkoopbaarheid. En hij vergelijkt het Iran van vandaag vaak met het Iran uit de tijd van Pahlavi. Misschien was het bewind van de sjah inderdaad zo verachtelijk, ontaard en wreed als u zegt, maar niet iedereen die de sjah diende was een misdadiger. Mijn vader is een goed mens. Hij zou nooit tegenover een doodsbang meisje gaan zitten om haar te intimideren, zoals u doet. En zijn adem stinkt niet zoals die van u, en hij zou ervoor zorgen dat zijn lichaam nooit zulke groteske vormen kreeg als dat van u.' Zoiets kan ik uiteraard niet zeggen. Maar wat zou ik het graag willen!

Mijn eerste verhoor eindigt met deze uitputtende vragen over mijn vader. De ondervrager wenkt een bewaker. Ik word weer geblinddoekt. De bewaker geeft me een duwtje. Ik word via een lange weg teruggebracht naar mijn cel.

O god, wat houd ik van deze cel! Het is er donker en koud en de muren zijn vochtig, maar ik vind hem geweldig! Ik ga op mijn deken zitten en geniet van doodgewoon ademhalen. Dan krijgt de angst weer vat op me. Ze zijn vast nog niet met me klaar. Zullen ze me nogmaals blinddoeken en naar die walgelijke kerel brengen? Was dit slechts de eerste van vele keren dat ik tegenover hem moet zitten en me moet inspannen om de regels van zijn vuige spel te leren? Ik weet wat de antwoorden zijn op de vragen die zich in mijn arme, vermoeide hoofd vormen: *Er zullen nog veel verhoren volgen, Zarah.*

Dat red ik nooit. Dat hou ik niet vol.

Hoofdstuk 4

Als kind had ik, zoals ik al heb verteld, een zwak voor dingen als mijn roze schoentjes. Ik hield van mooie spullen, van rode haarclipjes en de Koerdische halskettingen en armbanden van mijn moeder. Ik hield ook van de illegale westerse popmuziek die mijn zusjes in de bazaar kochten. Het zat er dik in dat mijn zwak voor dergelijke dingen me ooit zou opbreken in een land waar de overheid het volk een bijzonder strenge versie van de islam had opgelegd. Het gekke was dat ik niets tegen de islam had; integendeel, ik had bewondering voor de schoonheid van de geestkracht en de wezenlijke humaniteit ervan. Als volwassene ben ik de islam gaan zien als een diepzinnige expressie van de wens van de mens om het goddelijke tot zich te nemen. Maar in het Iran waar ik opgroeide waren respect voor de islam en bewondering voor de filosofische en spirituele kern ervan niet genoeg. Je diende je supervroom te gedragen. Als ik was opgegroeid in een calvinistisch land, een puriteins land, een fundamentalistisch protestants land, in elk willekeurig land waar men van het volk verwachtte het geloof voortdurend zichtbaar tot uitdrukking te brengen, zou ik dezelfde problemen hebben gehad.

Ik was geen frivool kind, maar hield van pret maken, van kleur, van de vreugde die alledaagse dingen je kunnen bezorgen, en ik slaagde er niet in mezelf ervan te overtuigen dat ik alleen verlost kon worden als ik me hield aan een reeks onbuigzame regels die alle vreugde en verwondering over het leven radicaal scheidden van mijn natuurlijke levenslust. Gezien het leven dat ik thuis leidde, was het geen wonder dat het leven buitenshuis – in elk geval het deel daarvan dat nauwlettend in de gaten werd gehouden door de moellahs, de politie en de *Basij* (de jeugdmilitie van het regime) – me verbaasde en verbijsterde, ook al zorgde ik ervoor dat ik de regels van kleding en gedrag nooit schond.

Dat de kleur zwart moest overheersen begreep ik ook niet. In de jaren tachtig, de beginjaren van de Islamitische Revolutie, bestonden er vrijwel geen variaties op het zwart waarin Iraanse vrouwen zich van top tot teen dienden te hullen. Aan meisjes onder de acht was iets meer vrijheid gegund, maar zodra een meisje acht jaar was geworden, was het alsof een door de staat aangestelde wachtpost voor de deur van haar huis kwam te staan om iedere dag de kleding te inspecteren waarmee ze zich op straat begaf – de kleding die ze opgelucht van zich af gooide zodra ze weer thuis was. De kledingregels beletten meisjes als ik te doen wat we zo graag wilden: flonkeren in het zonlicht.

Ondanks dat ik me aan de regels van de islam hield, was ik geen moslim. Mijn vader was een trouw aanhanger van de islam, zonder daarin fanatiek te zijn, maar mijn moeder was een volgelinge van het zoroastrisme en voedde me

26

op in haar geloof. Ze kwam uit Kermansjah, een stad circa vierhonderd kilometer ten noordwesten van Teheran, in een regio die al duizenden jaren de zetel en het heiligdom was van het zoroastrisme. Toen ik nog heel klein was, hooguit vijf, nam mijn moeder me al mee naar zoroastrische religieuze ceremonies, waar een vlam brandde als symbool van het stralende licht dat de kern vormt van al het leven op de wereld en daarbuiten. Ik leerde het licht te eerbiedigen, mee te doen aan de extatische dansen die eenheid van ziel en levenskracht tot stand brengen, en leerde de schoonheid van alles wat leeft en ademhaalt te vereren. Zelfs een klein meisje kan de invloed van haar ziel op haar leven voelen en beginnen de kracht daarvan te begrijpen.

De gebeden die mijn vader thuis tot Allah richtte, hadden hetzelfde oogmerk. Ook hij eerde het leven, het licht en de ziel. In ons gezin bestond geen enkele wedijver tussen de religies. Mijn vader respecteerde het geloof van mijn moeder en omgekeerd. Mijn broers, zusjes en ik vonden het heel gewoon om in een gezin te leven waar zowel Allah als Zarathoestra werd aanbeden. Dit is trouwens niet ongewoon in Iran, waar veel moslims (maar niet de fundamentalisten) een heimelijk respect koesteren voor de oudere religie.

Op mijn zesde mocht ik kiezen welke religie ik wilde volgen, hoewel ik moet toegeven dat ik vermoedelijk in elk geval voor mijn moeders geloof zou hebben gekozen, ongeacht welk dat was, omdat we zo'n nauwe band hadden en ik zoveel respect voor haar had. Ik kreeg uitgebreid uitleg over het zoroastrisme en de islam. Daarop volgde de eenvoudige vraag: Wat vind je, Zarah? Welke spreekt je het meest aan? Mijn kennismaking met het zoroastrisme leek een beetje op de manier waarop christelijke kinderen over Jezus leren. In de ogen van kinderen is Jezus het summum van alle goede mensen: zachtaardig, vriendelijk, verdraagzaam. Zarathoestra werd aan de kinderen van zijn volgelingen op een soortgelijke manier beschreven, al was hij niet een zoon van God die naar de aarde was gestuurd om ons te verlossen, maar iemand die voor zichzelf sprak, en die voor het Licht was en tegen de chaos van de Nacht. De nadruk lag op wat in feite een diepzinnige overtuiging van het geloof is, ook al klinkt het een beetje zoetsappig: goedheid, en meer in het bijzonder: goede woorden, goede daden en goede gedachten. Ik heb er geen behoefte aan uit te wijden over 'goedheid', ondanks de oppervlakkige bijklank ervan voor mensen die deze religie niet aanhangen. Aanhangers van het zoroastrisme vinden gewoon dat goedheid de beste weg is, en dat is wat ook ik ben gaan geloven.

Ik voelde me als kind volkomen thuis binnen de zoroastrische gemeenschap. Ik was dol op de kostuums (die veel leken op de oude Perzische klederdracht: ruimvallende zijden gewaden in prachtige kleuren, met sjaals en sierlijke muiltjes) en ik hield van de manier waarop de wisseling van de seizoenen werd gevierd. Het temperament van de mannen, vrouwen en kinderen maakte de aantrekkingskracht nog groter. Ze hadden geen greintje onbuigzaamheid in zich; niets dogmatisch. Het zoroastrisme is geen religie die probeert zieltjes te winnen (en dat is maar goed ook, want op pogingen mensen te bekeren tot een andere religie dan de islam staat in Iran de doodstraf); de eerbied voor het leven wordt in het zoroastrisme niet met woorden maar met daden uitgedrukt.

Mijn moeder vertelde me vaak over hoe het vroeger was

in Perzië (voor zover ze wist, natuurlijk, en ze idealiseerde het vast ook een beetje, omdat het Perzische Rijk en zijn invloed al duizend jaar niet meer bestaat) en over de vervolgingen van de aanhangers van het zoroastrisme sinds de overwinning van de Islamitische Revolutie. Haar klacht, die mijn klacht werd, was dat de oeroude godsdienst van Perzië niet werd onderdrukt door Perzen, maar door Arabieren, en ik neem aan dat je wel mag zeggen dat de islam van oorsprong de godsdienst is van Arabische volkeren.

Verwarrend? Dan kan ik beter even uitleggen dat Iraniërs en Arabieren in etnisch opzicht twee verschillende volkeren zijn. Arabieren zijn een Semitisch volk, afkomstig uit het Midden-Oosten, en Iraniërs zijn een Arisch volk dat ongeveer vierduizend jaar geleden naar het Midden-Oosten is getrokken vanaf het subcontinent en vanuit Anatolië. Ongeveer duizend jaar geleden hebben de islamitische Arabieren Iran veroverd en de islam opgedrongen aan het volk, dat diverse religies aanhing, waaronder het zoroastrisme. Ik geef toe dat ik vanwege dit vooroordeel van het zoroastrisme een erg Iraanse afkeer heb van Arabieren, ook al druist dat in tegen mijn geloof in verdraagzaamheid.

Toen ik nog klein was, begreep ik al dat er iets scheef zat, omdat de vrijheden die ik thuis genoot niet meer golden wanneer ik de deur uitging. Ik begon overal vraagtekens bij te zetten. Soms bracht ik mijn vragen onder woorden en vroeg ik mijn vader en moeder waarom iets zus of zo was. De antwoorden die mijn vader gaf, waren empathisch en politiek getint; de antwoorden van mijn moeder waren behoedzaam en bevatten altijd een waarschuwing. Dat was typerend, weet ik nu, voor de eeuwen-oude rollen van moeders en vaders. Mijn moeder wilde op de eerste plaats haar kinderen beschermen tegen alle kwaad; mijn vader zag het benadrukken van ongerechtigheid als prioriteit. Ik had geen prioriteit – ik vond het allemaal alleen maar vreemd en soms verbijsterend. Toen ik ouder werd, naar de middelbare school en daarna naar de universiteit ging, raakte ik echter steeds meer beïnvloed door de verontwaardigde houding van mijn vader dan door de behoedzame houding van mijn moeder.

Hoofdstuk 5

Ik zit in mijn cel, verstard van angst. Ik begin het gevoel te krijgen dat ik gek word of misschien al gek ben geworden. Ik weet het niet. Wie kan het me vertellen? Wie zal tegen me zeggen: 'Zarah, maak je geen zorgen. Je bent niet gek.'

Ik staar naar de deur van de cel, naar de sleuf waar de bewaker de blinddoek doorheen duwt wanneer hij me weer moet meenemen naar de ondervrager. Ik staar naar de vloer. Ik staar naar mijn voeten. In gedachten zie ik mezelf, hoe ik hier zit, mager, bleek, bevend, met gekromde schouders. Is dit nu het meisje dat zo'n bedreiging vormt voor het land?

Ondanks mijn erbarmelijke toestand probeer ik de situatie te begrijpen, vergelijkingen te trekken.

Ik ben ongeneeslijk ziek. Ik heb kanker. Ik zal lijden en dan doodgaan.

Is dat de juiste metafoor?

Is de nachtmerrie een betere metafoor? Ik droom, en het is een afgrijselijke droom. Kan ik mezelf dwingen wakker te worden? Zie ik dan dat ik thuis ben, in mijn eigen kamer? Kan ik iemand roepen? Mijn moeder? Zal ze bezorgd bij me komen? Zal ze haar armen om me heen slaan en troostende woordjes zeggen? Nee. Ik kan mezelf niet wakker maken. Het kwaad dat in mijn nachtmerrie rondwaart, zal met me doen wat het wil.

Is dat de metafoor die ik wil?

Ik test andere vergelijkingen, die allemaal benadrukken hoe machteloos ik ben. Ik haal me de hele gevangenis voor de geest, die zo groot is als een stad. In elk van de duizenden cellen zit iemand als ik, die net als ik zijn of haar best doet om nog enig zelfrespect te behouden; of eerder iemand als ik die niet zijn of haar best doet om nog enig zelfrespect te behouden, maar de woorden te vinden die haar of hem kunnen redden. Welke bekentenis willen de ondervragers horen? Ik ben bereid een bekentenis te doen. Welk document ze ook voor me neerleggen, ik zal het ondertekenen.

Het kost me te veel energie. Mijn geest dwaalt en doolt.

Dan merk ik dat ik naar een verhaal luister, of eigenlijk zie ik hoe het verhaal zich voor mijn ogen ontvouwt. Ik doe zelf mee in het verhaal. Ik ben vijf jaar oud en doe boodschappen met mijn moeder. De oorlog woedt in alle hevigheid in de Iraanse steden, vooral in Teheran; het is het midden van de jaren tachtig. Vanwege de voedseltekorten ligt er in sommige winkels niets meer op de schappen; bij andere winkels staan mensen uren in de rij om artikelen te kopen die moeilijk te krijgen zijn, zoals groenten, kruiden en bakolie. Het maakt niet uit hoe vroeg je naar zo'n winkel gaat; er zijn altijd anderen die nog eerder zijn gekomen. Sommige mensen nemen kussens, dekens en een mandje met proviand mee en overnachten voor de deur van de winkel.

Mijn moeder draagt een grote mand; met haar andere hand houdt ze mijn veel kleinere handje stevig omklemd. Ze moet goed opletten om haar plaats in de rij niet te verliezen. Het zou een ramp zijn als ik uit haar greep zou ontsnappen en ze naar me moest gaan zoeken. Er is maar een beperkte hoeveelheid rijst te koop in de winkel. Als mijn moeder haar portie vandaag misloopt, kan het maanden duren voordat er een nieuwe lading wordt aangevoerd. Dan moet ze rijst kopen op de zwarte markt, voor tien keer zoveel geld als in deze winkel.

De rij groeit en wordt steeds luidruchtiger. De dageraad kleurt de hemel boven Teheran. De straat vult zich met mensen en auto's. De uitlaatgassen werken steeds meer in op de luchtwegen en het onophoudelijk claxonneren wordt steeds luider. De vrouwen in de rij – de rij bestaat bijna geheel uit vrouwen – kwebbelen erop los. Ik hoor zielige verhalen; ik hoor verheugde verhalen over een man of een zoon die uit de oorlog is teruggekeerd met al zijn ledematen nog intact; ik hoor veel klachten. Ik ben gewend aan dergelijke samenscholingen van vrouwen, die onafgebroken praten, bij elkaar steun zoeken en elkaar troost bieden.

Mijn moeder praat met een andere vrouw, op zachte toon, soms fluisterend. Mijn moeder knikt instemmend om iets wat de andere vrouw zegt; het gaat waarschijnlijk om een klacht tegen de regering. Terwijl ze praten, kijken ze voortdurend naar elkaars gezicht. Het is vertrouwelijk, belangrijk. 'Ja, ja, ik begrijp wat u bedoelt,' zegt mijn moeder zachtjes en ze knikt erbij. Ik kijk scherp toe, spits mijn oren, gefascineerd door dit parlement van vrouwen. De menigte is nu zo groot dat ik word ingesloten, en de greep van mijn moeders hand rond de mijne en mijn greep rond die van haar zijn nu veel minder stevig. Plotseling golft een beweging door de rij – misschien probeerde iemand er dwars doorheen te komen – en als een grote zwerm vogels die verschrikt opvliegt en weer neerstrijkt slaken de vrouwen in de rij kreetjes, fladderen en worden heel even aparte personen, om zich dan weer bijeen te voegen tot een hechte massa.

Maar mijn moeder houdt nu mijn hand niet meer vast.

Ik ben verward, bezorgd, bang, en dat allemaal binnen een of twee seconden.

Ik sta verloren in de menigte.

Ik herken veel gezichten, maar zie dat van mijn moeder niet.

Ik hol in paniek van de ene naar de andere vrouw, mijn hart beklemd van verlangen om weer naast die ene vrouw te staan, mijn moeder.

Het begint te regenen, een zware bui. Binnen een paar seconden zijn mijn kleren en schoenen kleddernat.

Een stem in mijn hoofd zegt dat wat er is gebeurd, niet kan gebeuren, dat mijn moeder ergens dichtbij is, dat het niet mogelijk is dat ze me kwijtraakt, dat het niet mogelijk is dat ik zoekraak.

Ik denk aan het gezicht van de vrouw die met mijn moeder stond te praten, maar zie ook dat gezicht niet in de menigte. Het regent nu zo hard dat mijn haar aan mijn hoofd en gezicht geplakt zit; en ik heb het koud, koud, koud. Het puntje van mijn neus, mijn wangen en mijn oren voelen aan als ijs.

De angst slaat me om het hart, om mijn moeder en ook om mezelf. Wanneer mijn moeder erg bang is, beginnen haar lippen en handen te trillen. Ik beeld me in hoe bleek ze ziet terwijl ze naar me op zoek is, hoe snel haar hart klopt. Ik word nu veel banger om mijn moeder dan om mezelf. Ik barst in tranen uit, gooi mijn hoofd achterover en begin heel hard te huilen. Vreemde mensen proberen me te troosten: 'Wat is er, kleine meid? Waarom huil je zo?' Maar mama heeft me altijd ingeprent: *Je mag niet met vreemde mensen praten; als je verdwaalt, moet je naar een politieagent gaan.* Nu de vreemde mensen proberen me te helpen, ga ik steeds harder huilen en loop ik achterwaarts bij hen vandaan, waardoor de vreemde mensen denken dat ik geestelijk niet in orde ben en me laten huilen.

Ik dwaal vertwijfeld rond, bots tegen mensen op, kijk naar links en naar rechts en huil en huil tot ik mijn stem kwijt ben.

En dan, wanneer het niet langer mogelijk is dat het zal gebeuren, staat mijn moeder voor me. Haar mooie gezicht is vertrokken van verdriet en angst en verlammende paniek. Haar sluier is opzij gezakt en haar zwarte haar valt naar voren. Ze grijpt mijn schouders vast en drukt mijn hoofd tegen haar lichaam. Ik kan het bonken van haar hart horen, terwijl ik handenvol van haar kleding grijp en me dicht en nog dichter tegen haar aan druk. Ik wil één met haar worden en niet meer een aparte persoon zijn, een apart ding.

Ze maakt mijn hoofd van zich los en neemt mijn gezicht tussen haar handen. Tranen stromen over haar wangen, maar toch huilt ze niet. Abrupt geeft ze me een klap in mijn gezicht, een harde klap. Mijn gezicht is zo verdoofd van de kou dat ik het amper voel. Ik hoor alleen het geluid ervan. 'Ik heb je nog zo gezegd dat je bij me moest blijven!

Heb ik dat niet gezegd, Zarah? Als ik je nog één keer kwijtraak, zal het mijn dood zijn. Wil je soms dat ik doodga? Wil je dat?'

Wanneer ik die dreiging hoor, begin ik weer te huilen. 'In godsnaam, ga alstublieft niet dood!' smeek ik. 'Als u doodgaat, zullen al mijn vriendinnetjes wél een moeder hebben en ik niet!'

Mijn moeder laat haar woede varen. Ze beeft nog, maar er ligt een gepijnigde vreugde in haar ogen. Ze knijpt in mijn hand, strengelt onze vingers ineen. 'Beloof me dat ik je nooit meer zal kwijtraken,' zegt ze. 'Beloof me dat, Zarah.'

Ik beloof het.

In mijn cel sla ik mijn handen voor mijn gezicht.

Ik beloof het.

Hoofdstuk 6

Een neef van mijn moeder is in de oorlog tegen Irak gesneuveld toen hij bijna nog een kind was. Mijn moeder
heeft zich zijn dood erg aangetrokken. Soms zag ik haar
huilen wanneer ze voor de spiegel haar haren borstelde.
Als ze me in de gaten kreeg, glimlachte ze en deed ze net
alsof alles in orde was. 'Maak je niet ongerust, lieverd.
Het is niets.' Een broer van mama vocht ook in de oorlog,
en ik wist zeker dat ze zowel aan hem als aan haar neef
dacht wanneer de tranen over haar wangen stroomden. Ze
had de hele dag de radio aan en ijsbeerde zorgelijk als ze
naar het nieuws luisterde.

De oorlog was alomtegenwoordig. Je hoefde niet naar de
radio te luisteren om te weten dat er iets afschuwelijks aan
de hand was. Op de televisie werden foto's getoond van
'martelaren' – jongemannen met strakke gezichten, van wie
sommigen benauwd keken en anderen uitdagend. De foto's
waren genomen op de dag dat de jongemannen in het leger
waren gegaan. Uiteraard zagen we niet álle foto's van de
mannen die in de strijd sneuvelden; vaak waren het er op één
dag zo veel dat men ze onmogelijk allemaal kon laten zien.

Ik zag weduwen op straat, heel veel weduwen. Zelfs zonder uiterlijke kenmerken wist ik precies welke vrouw haar man of een zoon had verloren; het was te zien aan haar gezicht. Iraniërs beleven rouw heel intensief, ongeacht hun religie. Rouw zit diepgeworteld in ons Perzische verleden. De diepte van onze rouwgevoelens heeft te maken met de belangrijkheid van de liefde in de Iraanse cultuur. Dit klinkt misschien erg vreemd in de oren van mensen uit het Westen die worden aangemoedigd een cartoonachtige versie van de Iraniërs voor ogen te houden – zelfmoordterroristen, mensen die voortdurend op oorlog uit zijn, religieuze fanaten. Liefde is een veel belangrijker onderwerp voor wie een studie van Iraniërs maakt. En dat was zelfs al zo in het islamitische tijdperk van Perzië. Als westerlingen onze poëten nader zouden bestuderen, zouden ze een accurater en beter begrip krijgen van de Perzische gevoeligheid. Mijn moeder rouwde niet plichtmatig om haar jonge neef, niet omdat het zo hoorde. Ze had van haar neef gehouden. Ze hield van iedereen in haar familie. Een sterfgeval in de familie was een ramp.

De oorlog was ook alomtegenwoordig als we op bezoek gingen bij de familie van mijn moeder in Kermansjah, en bij de familie van mijn vader; ze kwamen allebei uit Kermansjah. Die stad ligt in het westen van Iran, op slechts honderd kilometer afstand van de grens met Irak. Het is de regio waar de meerderheid van de Iraanse Koerden woont en ook de regio waar het zoroastrisme de meest toegewijde volgelingen heeft. In veel opzichten is Kermansjah meer Perzië dan Iran. Wanneer je in Kermansjah bent, kun je je moeiteloos het oude koninkrijk inbeelden met de geurige tuinen, nachtegalen, sorbets en de muziek van het hakkebord. Althans, in vredestijd is het niet moeilijk je dit Perzische verleden voor te stellen. Gedurende de oorlog was het een hel. De stad lag binnen de actieradius van de Iraakse bommenwerpers en was een uitnodigend doelwit vanwege de nabijgelegen olievelden en raffinaderijen. We waren er een keer midden in de oorlog, in de zomer, toen de raffinaderijen door de Irakezen werden gebombardeerd. Ik hoorde de inslagen van de bommen en het geschreeuw van de mensen op straat. Door de vele branden werd de horizon oranjerood gekleurd. De raffinaderijen bleven een volle week branden als helse fakkels en het regende olie. De olie daalde niet op ons neer als slagregen maar als motregen. Een mist van druppeltjes bedekte alles met een glibberig laagje. De lucht stonk.

In de straten van Kermansjah en Teheran (en dit gold natuurlijk voor elke andere stad in Iran) zag ik oorlogsweduwen wanhopig zoeken naar voedsel om hun kinderen in leven te houden. Ondanks de onophoudelijke loftuitingen van de regering voor de 'helden en martelaars' van de oorlog dreigde voor de weduwen van die martelaren de hongerdood, nu de broodwinner er niet meer was. De sociale infrastructuur die in westerse landen steun biedt aan mensen die zichzelf niet kunnen redden of wie een ramp is overkomen, bestond in Iran niet, of was in elk geval nauwelijks ontwikkeld. Vaak gingen de weduwen uit bedelen of werden ze afhankelijk van de liefdadigheid van hun familie. In Iran zijn de familiebanden heel hecht en biedt men elkaar altijd steun, maar in veel families was de hulp die men kon bieden beperkt door armoede. De toestand van de weeskinderen was nog nijpender. Door het bombardement op Kermansjah had het land er in één nacht weer honderden weeskinderen bij.

Ik zag vaders die uit de oorlog terugkwamen en niets meer hadden omdat hun vrouw en kinderen bij een bombardement waren omgekomen. Soms konden krijgsgevangenen geen enkel spoor meer vinden van het leven dat ze jaren eerder hadden geleid. Maar mogelijk nog hartverscheurender waren de ervaringen van de krijgsgevangenen die na jarenlange gevangenschap terugkeerden en tot de ontdekking kwamen dat ze niet te boek hadden gestaan als krijgsgevangenen maar dat men had gezegd dat ze omgekomen waren. Ik kende en zag sommigen van deze beklagenswaardige mannen die op een golf van patriottisme de oorlog ingegaan waren, geprezen waren om hun toewijding aan de staat en de idealen van de revolutie, en nu te horen kregen dat hun vrouwen, vaak uit bittere noodzaak, waren hertrouwd en dat ze niet welkom waren; dat ze alleen maar in de weg zaten.

Iedereen in Iran, mijn familie incluis, raakte akelig vertrouwd met het fenomeen van mannen die uit de strijd terugkeerden met oorlogservaringen die hun geest zodanig hadden geschokt en verwrongen dat ze niet in staat waren zich ooit nog met iets of iemand verbonden te voelen. De ervaringen van deze meelijwekkende mannen waren in zeker opzicht te vergelijken met die van de Vietnamveteranen in Amerika en Australië. Het was alsof ze aan de rand van een diep ravijn hadden gestaan en in de diepte dingen hadden zien gebeuren die zo gruwelijk waren dat de morele waarden en de dogma's, die de fundering vormden van de maatschappij die ze hadden willen beschermen, in hun ogen opeens belachelijk en meelijwekkend waren geworden. Een van mijn oudere familieleden heeft alle acht jaren van de oorlog gevochten en is in die tijd voor de rest van de familie een volslagen vreemde geworden. Hij nam zelden verlof: slechts zes keer in acht jaar. Hij vond het niet prettig om verlof te krijgen; alleen wegens een verwonding of op uitdrukkelijk aandringen van hoge officieren (hij had zelf ook een hoge rang en was vaak onderscheiden) zag hij zich af en toe gedwongen het front te verlaten. Oorlog voeren ging voor hem boven alles. Je zou hem een geboren soldaat kunnen noemen.

Na de oorlog kon hij zich niet langer onttrekken aan het andere deel van zijn leven – het huiselijke leven waar hij, als militair, geen enkele band meer mee had. Toen hij terugkeerde, bleek zijn oudste zoon er vreselijk slecht aan toe te zijn: verslaafd aan heroïne, half krankzinnig, ziek, met een uitgemergeld gezicht en een opgejaagde blik in zijn ogen. We wisten geen van allen hoe we de zoon en de vader moesten benaderen. Mijn oom probeerde de tragedie te verdoezelen door normaal te doen tegen de vader en de zoon; op die manier poogde hij hen weer in de schoot van de familie te krijgen. Hij zei tegen de vader, de oorlogsheld: 'Noem je dat kinderen opvoeden? Je zoon komt nooit op bezoek en wil alleen maar pret maken met zijn vrienden.' De vader antwoordde met een wrange glimlach: 'Toen we aan het oorlog voeren waren om jou en je waardigheid te beschermen, verwachtten we van de mensen thuis dat ze zich om onze gezinnen zouden bekommeren. We hebben het land en jullie waardigheid intact aan jullie teruggegeven. We hebben jullie vertrouwen in ons niet beschaamd. Maar hoe zit het met ons vertrouwen in jullie?'

Klink ik vroegrijp als ik zeg dat de oorlog me afmatte, uitputte? Klinkt het in de oren van de lezer egoïstisch als ik zeg dat de oorlog mijn jeugd heeft vergald, me heeft gedwongen te snel volwassen te worden? Want is het niet zo dat de jongemannen aan het front die gedwongen werden mijnenvelden op te ruimen door er dwars doorheen te lopen, die de gruwelen van aanvallen met giftige gassen hebben ervaren, die dagenlang aan één stuk door bombardementen geteisterd werden, die half verhongerd moesten vechten, die werden opgeofferd in zelfmoordaanvallen over open terrein – is het niet zo dat deze Iraniërs en hun familieleden het meest te klagen hebben? Ja, dat is zo. Maar een oorlog eist zowel op het slagveld als aan het thuisfront slachtoffers. Iraanse kinderen van mijn generatie zijn secundaire oorlogsslachtoffers. We zijn opgegroeid zonder de genoegens van een onbezorgde jeugd te kennen. Wanneer we glimlachten, deden we dat schuldbewust. Wanneer we lachten, vond men dat onfatsoenlijk. Onze dagdromen werden bestempeld als onverantwoordelijk. De starre onverbiddelijkheid van het dogma van het regime werd nog eens benadrukt door de oorlogspropaganda. En de nissen waarin Iraanse kinderen hun natuurlijke levenslust nog hadden kunnen uitleven werden afgesloten, volgestort, dichtgemetseld. Wat niet al was vernietigd door de religieuze gedragsregels van de overheid, werd gesmoord door de misère van de oorlog. Kinderen van zeven en acht hadden de gelaatsuitdrukking van volwassenen.

Deze periode van mijn leven – de periode van mijn angstige kindertijd – heeft het verlangen in me opgewekt mijn eigen kinderen, die ik hoop ooit te zullen krijgen, een normale jeugd te geven. Hopelijk worden ze nooit gedwongen zwart te dragen, de kinderen naar wie ik zo vurig verlang. Hopelijk zijn ze in staat de hele dag hun gezicht aan de hele wereld te tonen en zullen ze vliegtuigen alleen maar beschouwen als praktische machines die mensen vervoeren naar andere steden, andere landen, en niet als machines die explosieven laten vallen op wijken vol angstige mensen. De verhalen die ik mijn kinderen zal voorlezen, zullen niet over martelaren gaan. De regels die ik hun zal opleggen, zullen niets te maken hebben met opofferingen, noch met een hiernamaals; de regels zullen alleen betrekking hebben op hoffelijkheid, op verdraagzaamheid. Hun plichten zullen bestaan uit het zoeken naar en behouden van geluk. Wanneer ik mijn baby de borst geef, hoop ik dat ik het kan doen zonder te luisteren naar het geluid van het luchtalarm, zonder te wachten op een ramp die is gewrocht door mannen met gezwollen ego's. En bovenal, moge er nooit van mijn kinderen worden verlangd dingen te begrijpen waar ze nog veel te klein voor zijn. Moge ze nooit hoeven horen dat die vrouw daar met het bleke, angstige gezicht zojuist heeft gehoord dat haar man een martelaar is geworden.

Hoofdstuk 7

Ik kan het verstrijken van de tijd min of meer bijhouden dankzij de oproep van de muezzin door de luidsprekers in de gevangenis. Ik weet, of denk te weten, dat het nu kort na middernacht is. Ik word door de bewaker door de gang geduwd. In Evin gaan de ondervragingen dag en nacht door. De ondervragers werken in ploegendienst en stoppen alleen om te bidden.

Ik ben geblinddoekt. De bewaker duwt me neer op een stoel in een kamer die volgens mij dezelfde verhoorkamer is waar ik eerder ben geweest. Ik verwacht dat hij de blinddoek zal afnemen, zoals tot nu toe steeds gebeurde. Maar de blinddoek wordt niet verwijderd.

Ik probeer me de kamer voor de geest te halen. Ik weet dat de kale houten tafel pal tegenover me staat. Hoog in de muur boven de tafel is een langwerpig, horizontaal raam, verduisterd met zwarte verf en tape. De deur aan de rechterkant is zwaar, gemaakt van metaal, bedoeld om elke gedachte aan een sprint naar de vrijheid de grond in te boren. De muren zijn grijs geschilderd en zitten vol krassen tot een hoogte waar een volwassen man kan reiken. Ik kan me wel voorstellen hoe die krassen er zijn gekomen.

Ik hoor het geluid van naderende voetstappen en weet vrijwel zeker dat het niet de voetstappen zijn van de dikke man. Hoe ik daarvan zo zeker ben, weet ik niet; ik heb niet met opzet het geluid van de voetstappen van de dikke man in mijn geheugen geprent. De geluiden die deze nieuwe man maakt terwijl hij door de kamer loopt, klinken akelig scherp in mijn oren. Zonder het te willen draai ik mijn hoofd heen en weer in een poging zijn bewegingen te volgen. Dit is blijkbaar een reflex: je wilt zien wat je vijand doet, ook al zit er een doek voor je ogen. Ik heb het idee dat de bewegingen van de ondervrager bedoeld zijn om me te kwellen. Ik weet zeker dat hij het grappig vindt me zo futiel naar hem te zien zoeken.

Je kunt je zo gemakkelijk inbeelden hoe al deze beulen, overal ter wereld, hun eerste stappen hebben gezet op de weg naar hun beroep door dieren te kwellen, de vleugels van vliegen uit te trekken, jonge poesjes te verdrinken in de badkuip. Eenmaal volwassen, behouden ze alle slechte trekken van de onaangename jongetjes die ze waren en gaan ze macht uitoefenen over machtelozen. Terwijl ik vecht tegen de angst die de tactiek van deze nieuwe ondervrager in me opwekt, neem ik me voor hem ooit, als ik weer op vrije voeten ben, publiekelijk te honen om zijn infantiele gevoel voor humor.

De bewegingen stoppen achter de stoel waarop ik zit. Mijn gehoor is zo overgevoelig geworden dat ik de ademhaling van de man hoor als door een versterker, ook al ademt hij niet hijgend of moeizaam.

'Waar ken je Arash Hazrati van?' vraagt hij.

Dit is een andere stem, een zachtere stem. Heel idioot denk ik bij mezelf: *O, ik hoop dat hij aardig is!* Waarom denk ik dat te kunnen hopen? Omdat zijn stem zacht klinkt? De gedachte is belachelijk, maar ik kan het niet helpen. Ik heb zo'n behoefte aan een dergelijk wonder: dat de nieuwe man een aardige man blijkt te zijn! Ik beloof hem in gedachten: *Als u aardig bent, zal ik u niet voor gek zetten. Nooit!*

Hij wacht op mijn antwoord, net zoals ik op zijn vraag had gewacht.

Arash is de leider van de verzetsbeweging op de universiteit en hij is een vriend van me. Hij is geen student, maar docent. Hij is al een paar keer gearresteerd en elke keer heeft hij maandenlang in Evin opgesloten gezeten. Wanneer ik hem zie en vraag hoe het met hem is, grinnikt hij en zegt: 'Ik mis Evin.' Hij heeft nooit veel verteld over wat hem hier is aangedaan, dus weet ik nu pas hoe dapper het van hem was dat hij er grapjes over kon maken. Vorig jaar studeerde hij rechten, maar hij kreeg geen toestemming af te studeren. Iedereen houdt van Arash – in elk geval iedereen van wie ik houd. Arash is een held, een leeuw, en de machthebbers kunnen hem niet uitstaan.

Ik koester nog steeds mijn kinderlijke hoop dat deze nieuwe man, deze nieuwe ondervrager, een aardige ondervrager is, een meelevende, vriendelijke, goedgemanierde man, een heer, een ridder.

In plaats van antwoord te geven, vraag ik of ik de blinddoek mag afdoen.

'Nee,' zegt hij kalm. 'Luister naar mijn vragen en geef er nauwkeurig antwoord op. Als je niet nauwkeurig antwoord geeft op mijn vragen, word ik boos. Wil je dat ik boos word?'

De wensdroom dat ik vriendelijk behandeld zou worden door een aardige man gaat onmiddellijk in rook op, zoals verwacht, zoals ik eigenlijk wel had geweten.

'Ik ken hem alleen van de universiteit,' zeg ik, in de hoop dat de man dit bedoelt met 'nauwkeurig antwoord geven'. 'We studeren aan dezelfde universiteit.'

'Is dat alles?' vraagt de ondervrager.

'Ja.'

Hij begint een lijst voor te lezen met tijdstippen en datums. Op deze datums, op die tijdstippen zijn Arash en ik samen gezien. Hij wil weten wat Arash en ik toen deden, op die dagen, op die tijdstippen. Maar dat kan ik me niet herinneren. En hoe weet de ondervrager dat allemaal? Zijn die datums en tijdstippen correct? Ik neem een besluit dat een alarmsignaal in mijn hoofd activeert, een waarschuwingsbel. Ik besluit te ontkennen dat ik Arash heb ontmoet op de tijdstippen waarvan men zegt dat ik hem heb ontmoet, op de datums waarvan men zegt dat ik hem heb ontmoet. Ik zal alles ontkennen. Wat kunnen deze mensen bewijzen? Ze kunnen niets bewijzen. Ik zal alles ontkennen en blijven ontkennen.

'Ik ken hem vaag en zie hem altijd alleen op de campus, meer niet,' antwoord ik.

De ondervrager lacht. Het is geen bulderende lach. 'Je denkt blijkbaar dat ik achterlijk ben,' zegt hij. 'Luister goed. Ik ga je hier een poosje alleen laten, en in die tijd ga je kijken naar de foto's die ik voor je neerleg. Bekijk ze aandachtig. Schrijf op wat je je erover herinnert. Alles. Begrepen?'

47

Ik hoor de ondervrager de kamer verlaten. Ik hoor de deur open- en dichtgaan. Ik hoor zijn voetstappen in de gang.

Aarzelend doe ik de blinddoek af.

Het is dezelfde kamer als de vorige keer.

Ik zit vrij dicht bij de houten tafel. Op de tafel liggen wat foto's. Het zijn kleurenfoto's, elk van ongeveer twintig bij vijftien centimeter. Op de foto's ben ik samen met Arash te zien, soms met andere vrienden erbij. Het zijn close-ups, maar niet alleen van onze gezichten; we staan er in onze volle lengte op. Ze moeten zijn genomen met een telelens. Wanneer ik mijn eigen gezicht zo in close-up zie, met een glimlach, met een lach, voel ik me als aangerand. Een volslagen vreemdeling heeft me gefotografeerd op momenten dat ik gelukkig en zorgeloos was. Daar had die persoon geen recht toe. De intimiteit van de foto's behoort toe aan mij en Arash en mijn vrienden. Het is alsof die intimiteit me hiermee is ontstolen.

Wat een domme gedachtegang! Ik beoordeel deze mensen – deze mensen die tot het regime behoren, deze ondervragers, deze beulen – nog steeds alsof ze tot dezelfde morele en ethische categorie behoren als normale mensen. Ik schijn niet in staat te zijn te onthouden dat ze dat niet zijn: ze staan boven de wet; ze hoeven geen verantwoording af te leggen voor zaken als spioneren, afluisteren, stiekem foto's nemen, mensen blinddoeken, slaan en vernederen. Waarom kan ik dat niet onthouden? Waarom word ik door elke inbreuk steeds weer opnieuw gechoqueerd? Komt dat omdat ik nog steeds geloof in wat er in de Iraanse grondwet staat over de rechten van de burgers van het land? Dat burgers niet zomaar van de straat mogen wor-

48

den gehaald, niet mogen worden opgesloten zonder bijstand van een advocaat, niet mogen worden gedwongen bekentenissen te doen? Dat is namelijk wat de grondwet van mijn land garandeert – dat men niet zomaar gearresteerd en onder druk gezet mag worden. Ondanks dat ik talloze verhalen heb gehoord over tegenstanders van de regering die zijn opgesloten en mishandeld, heb ik mezelf er nooit van kunnen overtuigen dat de mensen die in dienst staan van de regering van mijn land met mij zullen doen wat ze willen.

Ik zie een foto waarop Arash en ik koffiedrinken in een café. Hier zijn we op een protestdemonstratie: Arash, de leeuw, spreekt met opgeheven arm de menigte toe, ik sta op het podium en kijk aanbiddend naar hem op. En – goeie god! – hier ga ik bij Arash thuis naar binnen! En hier kom ik een paar uur later weer naar buiten, volgens de datum en het tijdstip die op de foto staan aangegeven. *Vuile schoften!* fluister ik. *Vuile schoften!*

Ik kan niets uitleggen. Kan ik de ondervrager vertellen wat ik heb gedaan? Nee. Ik heb moeite de pen in beweging te krijgen, heb moeite met schrijven.

Ik schrijf een paar regels over twee van de foto's. Meer niet.

Ik hoor een klopje op de deur van de cel.

Ik doe de blinddoek weer voor.

De ondervrager komt binnen. Ik hoor dat hij het vel papier oppakt waarop ik zo weinig heb geschreven.

'Kun je opeens niet meer schrijven?'

Hij geeft me met zijn vlakke hand een harde klap in mijn gezicht.

Ik ben geschokt. Niemand heeft me ooit op deze manier

geslagen. Van mijn moeder kreeg ik wel eens een pak voor mijn broek, maar dit is een koelbloedige klap waarachter geen liefde maar minachting schuilgaat.

'Luister goed,' zegt de ondervrager, kalm en nadrukkelijk. 'Ik ga weer weg, en wanneer ik terugkom, moet dit papier vol staan. Is dat duidelijk?'

Ik hoor hem vertrekken. Ik doe de blinddoek weer af. Mijn gezicht gloeit van de klap.

Ik moet iets opschrijven. Ik moet iets opschrijven. Het moet. Wat moet ik schrijven? Wat wil deze man horen?

Foto 2. *Ik was naar Arash' huis gegaan om zijn bibliotheek te bekijken.*

Foto 3. *Arash en ik gaan naar het kantoor van het tijdschrift om een kennis op te zoeken.*

Dat is alles. Meer kan ik niet schrijven. Ik weet niet wat ik moet zeggen. Ik weet dat de schaarse woorden de ondervrager niet zullen bevredigen, maar ik weet niks anders te bedenken. Wist ik het maar. Ik bedenk dat ik de namen van al mijn vrienden die op de foto's voorkomen zou kunnen opschrijven, maar dat wil ik niet doen. Dan komen mijn vrienden misschien ook hier terecht.

Ik leg de pen op de tafel, naast de foto's en het vel papier waarop ik heb geschreven. Het is niet vol. Het is niet halfvol en niet eens voor een kwart. Ik doe de blinddoek weer voor, zoals me is opgedragen.

De ondervrager is nog niet terug. Wat is hij aan het doen? Luistert hij aan de deur? Of is hij gelijktijdig iemand anders aan het verhoren? Is hij net als een schaker die twee of drie of vier spellen tegelijk kan spelen, van het ene bord naar het andere loopt, een loper, een pion, een koning verplaatst, terwijl hij de spellen voortdurend beheerst?

Ik wacht met mijn ogen bedekt.

Hij komt eraan. Ik hoor zijn voetstappen op de gang. Hij doet de deur open. Ik hoor zijn ademhaling. Ik beeld me in hoe hij kijkt naar wat ik heb geschreven. Wat hij ervan denkt, weet ik niet. Hij lacht, ook nu weer zacht: een korte, bijna inwendige lach. Ik hoor hem iets doen, maar heb geen idee wat het is.

Zonder enige waarschuwing slaat hij me – niet met zijn hand ditmaal, maar met iets anders, het moet een riem zijn. De pijn schiet door mijn blote rechterarm, een angstaanjagende pijn die aanvoelt alsof mijn huid openbarst. Er zitten puntjes aan de riem; dwars door de scherpe pijn heen ben ik me ervan bewust dat iets tot in mijn vlees doordringt.

'Waarom doet u dat?' schreeuw ik.

Ik voel bloed vloeien.

Hij slaat me nog een keer, nu op mijn rechterschouder. De pijn is nog erger dan de eerste keer. Ik val van de stoel op de grond, krimpend, trappelend.

'Niet doen! Alstublieft! Ik heb over de foto's geschreven! Wat wilt u nog meer?'

Hij sleurt me aan mijn gewonde arm overeind. De pijn wordt door zijn greep nog erger en ik gil zoals ik van mijn leven nog niet heb gegild.

Hij drukt me neer op de stoel.

'Heb ik je nu geholpen je meer details te herinneren?' vraagt hij. 'Ik ga weer weg. Dit is je laatste kans. Wanneer ik terugkom, is dat papier vol. Als dat niet zo is, als je je nog steeds niets hebt kunnen herinneren, weet je wat er zal gebeuren.'

Hij geeft een klap op de schouder die door de riem is opengehaald en verlaat de kamer.

Krimpend en jankend til ik mijn arm op om de blinddoek af te doen. De huid van mijn rechterarm is kapot. De bloedende puntjes zijn klein maar lijken heel diep, alsof de man me tientallen keren heeft gestoken met een stalen spijker. Met mijn rechterhand pak ik de balpen. De pijn in mijn arm en schouder is de ergste pijn die ik ooit heb ervaren, maar nog heviger dan de pijn is mijn vurige wens te voorkomen dat me zoiets nog een keer wordt aangedaan. Ik durf er niet aan te denken waartoe ik bereid zou zijn om te voorkomen dat ik weer word geslagen.

Wat moet ik schrijven? Ik kan niet opschrijven wat ik bij Arash thuis heb gedaan. Ik weet niet hoe de ondervrager daarop zou reageren. Hij vindt me nu al verderfelijk, omdat ik in mijn eentje naar een man ben gegaan die niet mijn echtgenoot is. Als ik hem vertel wat er is gebeurd, zal hij dat misschien tegen Arash gebruiken. Of tegen mij.

Ik knijp in de pen, zoek koortsachtig naar een oplossing voor het dilemma. Iedere seconde die ik laat verstrijken zonder iets op te schrijven brengt nieuwe straf dichterbij. Ik geloof dat ik weet wat ik ga doen, maar kan niet accepteren dat ik zoiets echt kan doen. Ik raak de plek op mijn schouder aan waar de riem me heeft geraakt en krimp ineen. Ik wacht een paar seconden en raak mijn schouder nogmaals aan. Ik fluister tegen mezelf: *Lafaard! Lafaard!*

Dit is wat ik uiteindelijk doe: ik schrijf de namen van mijn vrienden op. Ik schrijf op hoe de vrienden op de foto's allemaal heten.

Mijn schuldgevoelens maken me doodongelukkig, maar ik ga meteen tegen mijn belabberde geestelijke toestand in de aanval met zelfzuchtige rationaliseringen: *Mijn vrienden zouden precies hetzelfde doen als ze hier zaten. Ik ben geen held. Ze kunnen niet van me verwachten dat ik voor hen zal sterven. Dat zouden ze ook niet voor mij doen.* En vooral: *Ik kan dit niet langer verdragen. Ik kán het niet. Ik kán het niet. Ik kán het niet.* Ik huil. Mijn gezicht wordt nat. Maar ik schrijf. Ik schrijf het hele vel papier vol.

'Stukken beter,' zegt de ondervrager wanneer hij terug is, nadat hij me de gelegenheid heeft gegeven de blinddoek weer voor te doen.

Ik geef geen antwoord. Ik huil nog steeds. Dit zijn de tranen die je vergiet wanneer je tot de ontdekking komt dat je angst voor pijn groter is dan je overtuigingen. Dit zijn de tranen die je vergiet wanneer je jezelf haat. God, ik heb altijd gedacht dat ik veel sterker zou zijn, dat ik me zou verzetten, zou blijven vechten, desnoods tot de dood. Maar dat is niet zo. Het is niet zo. Ik ben niet wie ik had willen zijn.

'Heb je seksuele omgang met Arash Hazrati gehad toen je bij hem thuis was?' vraagt de ondervrager op zijn zogenaamd redelijke manier. Als ik deze vraag met 'ja' beantwoord, zoals ik al had begrepen toen ik weigerde details te verstrekken over mijn bezoek aan Arash, zal ik vermoedelijk het doodvonnis krijgen, en niet alleen ik. De prooi waar ze op uit zijn is Arash. Ik ben niet belangrijk.

'Nee, nooit, we zijn alleen vrienden.'

'Waarom ben je naar zijn huis gegaan?'

'Ik wilde zijn bibliotheek zien. Hij heeft boeken waarnaar ik op zoek was en die ik nergens anders kon krijgen.'

'En alleen hij heeft die boeken?'

Ik weet meteen dat ik een fout heb gemaakt. Ik heb hiermee in feite gezegd dat Arash verboden boeken bezit, wat een misdaad is. Ik probeer me eruit te redden, Arash te redden.

'Nee, ik bedoel dat hij heel oude boeken heeft...'

'Goede boeken? Goede boeken die verboden zijn? Is dat de reden waarom je naar hem toe bent gegaan? Of wilde je ook een beetje pret maken met je grote held, op zijn bed liggen en een van zijn boeken lezen? Ja?'

Hij brengt zijn gezicht heel dicht bij het mijne. Hij pakt mijn kin vast en probeert me te beletten mijn hoofd opzij te draaien.

'Blijf van me af!' schreeuw ik.

'Het spijt me dat mijn handen niet zo zacht zijn als die van hem.' Hij lacht zachtjes om zijn eigen geestigheid.

'Weet je dat je minachting voor de islam toont wanneer je een huis binnengaat met een man die geen familie van je is?' vraagt hij, en nu klinkt hij als een pedante ambtenaar. 'Dat is een zeer ernstige overtreding.'

Wat ik daarop wil antwoorden, is dat het ook verboden is dat hij me aanraakt. Ik wil hem toebijten dat de regels blijkbaar alleen van kracht zijn wanneer het hém uitkomt. Maar dat zeg ik niet. Ik zeg: 'Ja, maar ik heb gezegd dat ik alleen maar naar zijn huis ben gegaan om zijn bibliotheek te bekijken, en u kunt op de foto's ook zien dat ik met boeken in mijn handen weer naar buiten kom. Ik heb niet eens mijn sluier afgedaan.' En ik verbaas mezelf door er tóch aan toe te voegen: 'En volgens de regels mag u mij ook niet aanraken.'

Hij geeft me een klap in mijn gezicht.

'Jongedame,' gromt hij, terwijl hij voor het eerst zijn

kalmte verliest, 'vertel me niet wat de regels zijn. Waar we nu zijn, ben ík degene die de regels vaststelt en ze ook kan overtreden. Ik kan doen wat ik wil. Is dat je nu eindelijk duidelijk?'

Ik voel me belachelijk tevreden dat het me is gelukt deze walgelijke kerel kwaad te maken. Maar meteen komt de angst op dat hij het zal willen bewijzen – dat hij zal willen demonstreren dat hij me volkomen in zijn macht heeft, mij en ieder ander die naar deze cel wordt gesleept. Ik hoor hem hijgen als een hond. Hij overdrijft het, om me bang te maken of omdat hij het leuk vindt.

Hij loopt om mijn stoel heen, stopt, wacht, en begint dan met zijn vingers mijn nek te strelen. Hij probeert verder te gaan, en ik probeer hem daarvan te weerhouden. Ik krijs, zonder na te denken over welke nieuwe ellende dat me kan bezorgen. Het kan me niet schelen. Dwars door het afgrijzen van de worsteling heen besef ik dat deze miezerige kerel probeert me duidelijk te maken dat hij zich tot me aangetrokken voelt. Het is onvoorstelbaar, maar ik geloof waarachtig dat dit voor hem een krankzinnige vorm van gewelddadige hofmakerij is. Hij kust mijn nek, likt mijn keel, knijpt in mijn hand. Ik smeek hem ermee op te houden, ik smeek hem zo oprecht als ik maar kan. Maar hij houdt niet op. En opeens moet ik overgeven. Het braaksel komt met een enorme kracht uit mijn maag omhoog en stroomt over mijn gevangeniskleding.

Hij deinst achteruit. 'Kutwijf!' zegt hij.

Ik spuug en huil tegelijkertijd. De ondervrager loopt snel de kamer uit. Iemand anders komt haastig binnen, grijpt mijn arm en sleept me mee door de gang. Ik word mijn cel in geduwd. De deur gaat achter me dicht.

Ik ruk de blinddoek af en duw hem door de sleuf. Dan, met mijn ogen weer bevrijd, zak ik op de vloer neer en huil en huil en huil. Wanneer ik naar adem hap, ruik ik de stank van mijn braaksel en de andere, zoetere geur van mijn bloed.

Hoofdstuk 8

Iraniërs worden op precies dezelfde manier verliefd als andere mensen. Moslims worden op dezelfde manier verliefd als andere mensen. Jonge vrouwen in gewaden die hen van top tot teen bedekken worden op dezelfde manier en door dezelfde gevoelens verliefd als alle andere jonge vrouwen ter wereld.

De vrijheid om kortstondige relaties aan te gaan alvorens je aan één man of één vrouw te binden, is voor de meeste Iraniërs niet beschikbaar; maar die vrijheid is, in tegenstelling tot andere vrijheden, misschien niet zo'n groot gemis. Uiteindelijk is het voldoende als beide zielen redelijk goed op elkaar zijn afgestemd. Daarna hangt het af van wat je verder in je hebt: het vermogen trouw te zijn, behoefte aan genegenheid, geestelijke aspiraties. Dat dacht ik tenminste.

Tegen het eind van mijn eerste studiejaar aan de universiteit van Teheran werd ik verliefd op een van de weinige studenten die op de campus een net pak droegen. Hij was me al een paar keer opgevallen als ik met mijn vriendinnen in de lunchpauze over het terrein slenterde en naar de jongens keek zoals jonge vrouwen in Iran dat doen: hen goed bekijken zonder te laten merken of je voor een van hen belangstelling of bepaalde gevoelens hebt. De manier waarop we met elkaar over jongens, seks, uiterlijke verschijning, mannelijke charme, wellust en verlangen praatten, kan worden samengevat met de Perzische term *maskhare bazi*. Dat betekent ongeveer 'plagerig', maar de term betreft iets specifiekers dan gewoon flirten. 'Plagerig over iets wat in een andere context serieus zou worden opgevat' is de nauwkeurige betekenis van de term.

De man die me was opgevallen was lang, donker en knap, het cliché van de held in damesromannetjes; bovendien bezat hij een rustige zelfverzekerdheid en straalde hij volwassen gedrag uit dat zijn jaren ver te boven was. (Ik schatte hem op midden twintig.) Ik vroeg aan mijn vriendinnen of ze wisten wie hij was. Hun reactie was dertig seconden doodse stilte. Daarop volgde de preek: Ik moest niet eens aan hem dénken; ik moest iemand van mijn eigen leeftijd zoeken; ik moest niet zo dom doen. Het probleem was dat de knappe man in het nette pak met de kalme uitstraling en de vriendelijke ogen de oudste zoon van rijke ouders was. En dat hij en zijn familie nauwe banden hadden met het regime. Qua leeftijd, sociale status en politieke gezindheid was hij dus helemaal niets voor mij, maar ik bleef over hem dagdromen. Ik was nog steeds idolaat van Arash, maar in romantische zin zou het tussen ons nooit iets worden: zijn levenswijze stond boven dergelijke betrekkingen.

Mijn vriendinnen en ik hadden allemaal dezelfde vage, algemene klachten over de overheid. We ergerden ons aan de strenge kledingvoorschriften, aan de bekrompen ideologie van de moellahs, aan alle regels over wat wel en niet mocht die we geacht werden ons eigen te maken – dit was in feite de kern van ons 'verzet' tegen het regime. Geen van ons wist de fundamentele filosofie van de overheid op een intellectuele manier te interpreteren; geen van ons zou duidelijke tegenargumenten hebben kunnen aanvoeren ter ondersteuning van onze klachten. De jonge vrouwen die tot mijn vriendenkring behoorden, hadden hun levensvisie kunnen samenvatten met de woorden: 'We willen gewoon een beetje lol!'

Aan de andere kant wisten we al jaren wie de vijand was, en in ons eerste studiejaar had onze minachting voor het regime en de aanhangers ervan – mensen als de knappe man op wie ik mijn oog had laten vallen – een specifieker vorm aangenomen. Onze haat gold vooral de hypocrisie – de schijnheilige manier waarop de aanhangers van de ideologie door de regering werden beloond, of hun steun nu oprecht was of niet, terwijl mensen die ook maar de minste of geringste kritiek op de machthebbers uitten, juist werden tegengewerkt. Zelfs aan degenen die niets zeiden (omdat ze niets positiefs over de regering te zeggen hadden) werden zaken onthouden als promoties, betere behuizing, visa voor reizen naar het buitenland en overheidscontracten.

Het werd mijn vriendinnen en mij duidelijk dat het in ons land noodzakelijk was je ziel te verkopen als je wilde profiteren van de gunsten die de regering verleende. Wie in Iran geld had – en daarmee bedoel ik heel veel geld, miljoenen Amerikaanse dollars – was automatisch een vriend van het regime. Over het algemeen was zo iemand geen vriend in de filosofische zin van het woord, maar meer een middel om een doel te bereiken. De man in het pak op wie ik mijn oog had laten vallen, behoorde – volgens Arash, maar ook volgens andere mensen die het konden weten – tot die kliek van hypocriete slijmballen.

Mijn dagboek kwam vol te staan met ontboezemingen over mijn liefde voor Behnam. Kort nadat ik had gehoord hoe hij heette en tot welke familie hij behoorde, heb ik een lijstje opgesteld in de trant van: 'Is hij de juiste man voor jou?', zoals je veel ziet in damesbladen.

Ik
1. Leuk om te zien, misschien zelfs mooi
2. Nuchter
3. Negentien jaar
4. Kom uit welgestelde maar niet rijke familie
5. Moeder: soepel aangaande religie
6. Vader: sterk, betrouwbaar, een echte vaderfiguur, gematigd religieus
7. Vijf broers en zussen
8. Dol op sport
9. Woonachtig in een prachtige buitenwijk, de oudste van Teheran, met veel cultuur
10. Redelijk intelligent, gezien het feit dat ik ben aangenomen op de universiteit
11. Weet niets van zakendoen
12. Heb geen eigen auto

Hij
1. Knap!
2. Arrogant of verlegen, is nog niet duidelijk
3. Drieëntwintig jaar

4. Wordt bewonderd
5. Moeder: streng religieus
6. Vader: zakenman die in Amerika woont
7. Eén broer
8. Heeft geen belangstelling voor sport
9. Woont in de duurste buitenwijk van de stad
10. Intelligent, volgens dezelfde maatstaf als boven
11. Zakenman, in zekere zin
12. Is achter het stuur van minstens tien verschillende auto's gesignaleerd!

De conclusie van deze hoogst wetenschappelijke analyse was absoluut negatief: we waren niet voor elkaar geschapen. Maar ik reageerde precies zoals alle meisjes wanneer een dergelijke analyse (of je horoscoop, of je gezonde verstand) lijnrecht het tegenovergestelde laat zien van wat je had gehoopt, namelijk door de uitslag te negeren. De dag daarna voelde ik me een beetje dom toen ik aan mijn vriendinnen vertelde dat ik verliefd was op Behnam, nadat ze me al zo fijntjes hadden uitgelegd dat hij me niet eens zag staan... en zeg nou zelf, Zarah, je hebt niet eens een auto! (Hoe had ik aan een auto moeten komen? Mijn vader zou me alleen toestaan in een superveilige auto te rijden – een gloednieuwe Volvo bijvoorbeeld – en die kostten in Iran een kapitaal.) Kortom, ze verklaarden me voor gek. Maar om me op te beuren, zeiden ze erbij dat hij ook de moeite niet waard was omdat hij veel te verwaand was.

Behnam reageerde niet op mijn aarzelende glimlachjes als ik hem in de gangen van de universiteit tegenkwam. Ik zag hem zelden zonder mobiele telefoon tegen zijn oor gedrukt, waardoor ik ook niet echt een gelegenheid kreeg hem te laten weten dat ik bestond. Ik besloot het initiatief te nemen. Mijn vriendin Miriam had verkering met een vriend van Behnam, dus verzocht ik haar me aan hem voor te stellen, en dat deed ze. Behnam gedroeg zich alsof hij een hooggeplaatste diplomaat was die een onbeduidende ambtenaar van een onbelangrijk land begroette. Formeel, correct, beleefd maar ongeïnteresseerd. Ik voelde me daardoor echter allerminst uit het veld geslagen, integendeel, ik had bewondering voor zijn goede manieren. Ik betekende helemaal niets voor hem, maar wat had hij dat op een hoffelijke manier duidelijk gemaakt! Alleen een echte heer is daartoe in staat. Ik werd zo mogelijk nóg verliefder.

Wie in Iran verkering wil, moet regels volgen die stammen uit de tijd vóór de Islamitische Revolutie, regels van een moeizaam en zinloos ritueel dat door de moellahs nog moeizamer en zinlozer was gemaakt. Een jonge vrouw mag uitgaan met een jongeman op voorwaarde dat ze naar behoren gechaperonneerd wordt. Eén chaperonne is zelden voldoende; een groepje vriendinnen van de jonge vrouw spreekt af met een groepje vrienden van de jongeman en dan gaat de hele groep naar de bioscoop, ergens een glaasje vruchtensap drinken of alleen maar ergens zitten en wezenloos naar elkaar glimlachen. Te midden van deze zorgvuldig gechoreografeerde dwaasheid moet de relatie tussen de jongeman en de jonge vrouw in kwestie zich ontwikkelen. Hoe onwaarschijnlijk het ook mag klinken, juist door de belemmeringen inzake intiem gedrag word je extra ontvankelijk – misschien is het te vergelijken met de manier waarop blinde mensen een bijzonder scherp gehoor krijgen. Eén blik van de jongeman kan evenveel zeggen als honderd liefdesgedichten; instemming over de keuze van het vruchtensap kan staan voor instemming met van alles, tot in de verre toekomst. Vreemd genoeg wordt de essentie van de romantiek vaak beter beschermd door beperkingen dan door vrijheid.

Ik werd opgenomen in Miriams chaperonnegroep; tegelijkertijd was Behnam zijn vriend van dienst door diens groep aan te vullen. De jonge mannen en vrouwen van beide chaperonnegroepen maakten van de gelegenheid gebruik (zoals werd verwacht en was toegestaan) om met elkaar te praten; het was eigenlijk een massaal geflirt, waarbij iedereen elkaar in de gaten hield, maar als ik probeerde met Behnam te praten, stond ik steeds met mijn mond vol tanden en kwam ik niet verder dan: 'Wat is het de laatste tijd warm, hè?' of: 'Ja, heel goed, dank je.' Na een paar van deze mislukte pogingen vroeg Behnam zich op een avond openlijk af waarom ik zo stug deed wanneer hij iets tegen me zei. We zaten zij aan zij in de bioscoop. Ik weet niet meer welke film er draaide, maar het moet iets neutraals en volslagen oninteressants zijn geweest als het door de censuur was gekomen; de mooie films die werden gemaakt door Irans kleine groep uitmuntende cineasten werden alleen in het geheim getoond in garages.

'Waarom ben je altijd zo zwijgzaam en afstandelijk tegenover mij?' vroeg hij op een fluistertoon, zonder naar me te kijken.

Een dergelijke vraag is overladen met verholen intimiteit en valt ver buiten de regels van het chaperonneritueel, dat geen vragen toestaat die een samengestelde zin als antwoord noodzakelijk maken. Ik dacht dat ik ter plekke een hartstilstand zou krijgen.

'Misschien omdat ik niet zou weten waarover we zouden moeten praten,' zei ik.

Meteen kon ik mezelf wel voor mijn kop slaan. Wat klonk dat ongelooflijk uit de hoogte! Wat bezielde me? Wat ik had willen zeggen, was: 'Ik wil juist niets liever dan openhartig met je praten. Ik ben verliefd op je. Ik aanbid je.' In plaats daarvan had ik een muur van ijs tussen ons in gezet. In stilte verweet ik mezelf: Zarah, je bent het domste meisje van heel Teheran, van heel Iran, het domste meisje op de hele wereld! Er valt niets met je te beginnen!

Behnam mompelde een verontschuldiging, stond op en schuifelde weg langs de knieën van mijn vriendinnen en zijn vrienden. Ik verwachtte niet dat hij nog terug zou komen. Ik keek om me heen en zag mijn vriendinnen opgewekt babbelen, popcorn eten, moeiteloos de kronkelende weg van de hofmakerij bewandelen. Waarom kon ik dat niet, verdorie?

Onder de regels die in mijn land zijn opgelegd aan de hofmakerij gaan uiteraard de aloude universele elementen van de relaties tussen mannen en vrouwen schuil. Ik moest opnieuw leren in twee talen te spreken, net zoals ik als kind had geleerd enerzijds de taal van de Islamitische Revolutie te spreken en anderzijds de veel vloeiender taal van het leven bij ons thuis. Maar dat was jaren geleden. Ik had er veel meer moeite mee de nieuwe, omslachtige taal van de hofmakerij te leren. Dat was de reden waarom ik jaloers was op mijn vriendinnen. En zo zat ik me daar kwaad te maken op mijn verlegenheid of wat ook de reden was waarom ik niet in staat was op een natuurlijke manier de lieve, slimme, schalkse of kokette dingen te zeggen waarmee mijn vriendinnen probeerden de jongens die ze leuk vonden voor zich te winnen.

Maar Behnam kwam terug. Hij had twee flesjes vruchtensap gehaald. Ik slaagde erin naar hem te glimlachen – iets heel eenvoudigs, maar voor mij was het verschrikkelijk moeilijk! Tot het eind van de film zeiden we niets meer tegen elkaar.

Ik was verliefd geworden op iemand met wie ik niet eens kon praten! Na die martelende avond in de bioscoop zagen Behnam en ik elkaar af en toe, maar als het enigszins mogelijk was zonder onbeleefd over te komen, bleef ik weg, uit angst afgewezen te worden. Hij bleef zich hoffelijk en attent gedragen, vroeg altijd of hij me een lift kon geven als er een feestje was, maar meestal sloeg ik zijn aanbod af. Uiteindelijk was ik de situatie en mezelf zó zat dat ik besloot het met mijn moeder te bespreken. Ik wist dat ze meelevend zou luisteren en er iets zinnigs over te zeggen zou hebben – intelligent commentaar, vrij van dogma's. Het advies van mijn moeder was duidelijk: de volgende keer dat Behnam me uitnodigde voor een feestje, moest ik ja zeggen. Ze gaf me de verzekering dat Behnam degene was die bofte: dat ik een mooi meisje was, dat een man zich gelukkig mocht prijzen als hij mij kon krijgen, enzovoort. Nu ga je natuurlijk naar je moeder om gerustgesteld te worden, gevleid te worden, je zelfvertrouwen terug te krijgen, en haar woorden hadden de gewenste uitwerking.

In Iran is het de gewoonte een meisje op een indirecte manier mee uit te vragen. Behnam vroeg nooit of ik mee wilde naar een feestje; hij vroeg of hij me een lift kon geven. De volgende keer dat hij me die vraag stelde, zei ik:

'Graag, als je tóch die kant op moet.' Ik kan tot mijn genoegen zeggen dat de avond zich ontvouwde als in een goedkope damesroman; er zou geen klacht over mijn lippen komen als het leven, voor mij en voor iedereen, verliep zoals in een goedkope damesroman. Alles was volmaakt: ik, hij, de prachtige nacht, de muziek, de sterren.

Op de terugweg parkeerde Behnam de auto in een stille straat in het noorden van de stad, waar het kale Elboersgebergte boven ons oprees als een uit karton uitgesneden decor. Het was al laat, maar het rumoer van de stad was nog goed hoorbaar. Teheran is net een machine die na middernacht zachtjes blijft ronken en 's ochtends met een hoop kabaal weer op gang komt. Ik hou van de gedempte geluiden van het nachtelijk verkeer in de stad. Ik hou ook van het geschreeuw, het geruzie, het gevloek en het getoeter overdag, maar de nacht heeft een heel eigen charme. Ik wist dat Behnam me wilde kussen, en ik geef eerlijk toe dat ik me schuldig heb gemaakt aan het universele gedrag van meisjes die hun aanbidder plagerig aan het lijntje houden. Ik genoot van mijn macht, ik wist dat als ik Behnam zou verzoeken op zijn blote voeten een blokje om te rennen, hij lijdzaam en zuchtend zou gehoorzamen.

'Hoor je dat gedreun?' vroeg ik. 'Het houdt nooit op. Nooit. Prachtig is dat, hè?'

Uiteindelijk liet ik me door hem kussen.

Ik werd hopeloos verliefd, of eigenlijk moet ik zeggen dat ik nog verliefder werd dan ik al was. Behnam was zo teder, zo ontvankelijk voor mijn stemmingen, zo hoffelijk en attent dat ik het gevoel kreeg dat niets ter wereld belangrijker en zeker niet glorieuzer was dan wij tweeën; dat we een mijlpaal waren in het leven van het universum. En toen kruiste de politiek onze weg.

Hier moet ik uitleggen dat het zakenleven in Iran onder het bewind van de moellahs mutanten heeft voortgebracht: mensen met twee hoofden. Zakenmensen zijn van nature pragmatisch ingesteld; ze richten hun blik niet op een onduidelijke vorm ergens in de verte, maar op een scherp omlijnde vorm dichtbij. Ze houden zich bezig met concrete zaken. Ze zijn niet per se tegen poëzie, maar zijn zelf geen poëten. Dit geldt volgens mij voor zakenmensen in de hele wereld. Een zakenman kan echter best positieve opvattingen hebben over de dingen waar poëten en idealisten voor vechten, dingen als vrijheid en gerechtigheid. In Iran kun je geen zaken doen zonder steun van het regime – inclusief stilzwijgende – en je krijgt geen steun van het regime als je openlijk sympathie toont voor poëten en idealisten. Dus verberg je dergelijke gevoelens, zoals Behnam dat deed. Je zegt nooit iets negatiefs over de beleidslijn van de moellahs. Je loopt dan echter het risico dat je daden het zullen winnen van je geest, dat je heimelijke sympathie zal wegkwijnen omdat je die op geen enkele manier tot uitdrukking kunt brengen doordat je hart, geest en ziel volledig beheerst worden door de moellahs, ook al blijf je fluisterend je gefrustreerde instemming betonen met de jongeren op straat die veranderingen eisen.

Behnam was op de eerste plaats een zakenman: een zakelijke pragmatist. Zijn vader en hij hadden een bijzonder lucratief petrochemisch bedrijf. Zijn vader ging over de Amerikaanse zijde ervan; Behnam over de Iraanse. Hij was een gewaardeerd lid van 'de groep' – de kern van Iraanse zakenmensen die met toestemming van de regering de positie van het land binnen de wereldeconomie in stand hielden. De leden van 'de groep' worden voortdurend op de proef gesteld. Volgens een ongeschreven regel zijn ze niet verplicht de ideologie van het regime uit te dragen, maar ze mogen er nooit kritiek op uiten. Het is een beetje te vergelijken met de stilzwijgende overeenkomst die geldt in sommige huwelijken, in het bijzonder die van beroemdheden: men verwacht geen huwelijkstrouw, maar buitenechtelijke relaties moeten geheim blijven; ze mogen nooit de voorpagina's halen.

Hoewel ik me ervan bewust was dat Behnam het niet eens was met mijn politieke gezindheid, leek dat me niet erg belangrijk. Behnam had immers amper tijd voor politiek; hij had het zo druk met zakendoen en telefonisch problemen oplossen dat het een wonder was dat hij überhaupt wist wat er verder allemaal gebeurde in de wereld. Wat ik echter niet besefte, was dat mijn politieke gezindheid in Behnams ogen helemaal niet belangrijk was; hij dacht niet dat ik in emotioneel opzicht veel had geïnvesteerd in de dingen waarin ik beweerde te geloven. Hij kreeg dan ook de schrik van zijn leven toen hij hoorde dat ik op de universiteit een redevoering over hervormingen had gehouden voor mijn medestudenten. Hij was woedend. Toen hij me tegenkwam in een van de gangen van de universiteit trok hij me mee naar een leeg lokaal.

'Wat heb je gedaan? Ben je gek geworden?'

'Ik heb een redevoering gehouden. Over dingen waarin ik geloof. Wat is daar mis mee?'

'Je weet dat ik deel uitmaak van de groep. Je weet wat ik doe. Dat wist je al voordat we verkering kregen.'

'Je hoeft niet zo te schreeuwen.'

'Zarah, waar ben je in godsnaam mee bezig?'

'Ik wil eerst weten waarom je het nodig vindt zo tegen me tekeer te gaan.'

'Dit is de laatste keer dat je zoiets stoms hebt gedaan. Ik méén het! Je mag je niet met die rotzooi inlaten. Wat je hebt gedaan voordat je me kende, is je eigen zaak, maar nu ligt het anders. Het kan me niet schelen wat je hebt gedaan voordat je me kende, maar nu moet je je van die onzin afzijdig houden. Is dat duidelijk, Zarah?'

Ik wist het toen nog niet, maar de volgende keer dat iemand op zo'n manier tegen me tekeer zou gaan, zou in Evin zijn.

Behnam belde me die avond op, maar ik weigerde met hem te praten. De schok en de teleurstelling waren te groot. Dat ik van Behnam hield, leed geen enkele twijfel, maar ik vond zijn uitbarsting erg verwarrend. De liefde houdt niet van veranderingen, zelfs niet van kleine. Shakespeare zegt in zijn beroemde sonnet 'Die liefde is niet echt, die omslaat als ze een verand'ring vindt', maar ik vraag me af in hoeverre dat waar is. Liefde is een diepgaande emotie, maar overtuigingen zijn dat ook, inclusief politieke gezindheid. Ik voelde me doodongelukkig, omdat de dingen die de stevigste greep op me hadden, strijd voerden met mijn liefde. Mijn redevoering over hervormingen was geen poging geweest om als radicaal erkend te worden. Ik had gesproken over onderwerpen die voor mij net zo belangrijk waren als de liefde. Liefde gaat over de vrijheid van de ziel, en mijn politieke ideeën gaan ook over de vrijheid van de ziel. Ik kan in alle eerlijkheid zeggen dat ik nooit had gedacht dat ik vanwege een dergelijke redevoering midden in Teheran zou worden ontvoerd en naar een verhoorcel zou worden gebracht; ik wist dat je in de problemen kon komen als je dergelijke redevoeringen hield, maar ik dacht dat het problemen waren van het soort die onvermijdelijk zijn.

Na die eerste ruzie hadden we het vrijwel dagelijks met elkaar aan de stok, Behnam en ik. Ik ging in de verdediging; hij had voortdurend kritiek op mijn politieke standpunt. Hij wilde dat ik mijn studie opgaf om me voor te bereiden op het huwelijk. Daar wilde ik niets over horen. Ik was klaar voor de romantiek, maar ik was allerminst klaar voor het ouderwetse huwelijk dat Behnam blijkbaar in gedachten had. Dat hij me verzocht mijn studie op te geven wilde zeggen dat hij mijn scholing onbelangrijk vond. Misschien vond hij literatuur ook wel tijdverspilling. Wat ik van ons huwelijk verwachtte – als het al tot een huwelijk zou komen – was veel vrijen en veel lezen. Ik zag op de eerste plaats een goed gevulde boekenkast en daarna pas een kinderkamer.

Ons gekibbel stopte alleen wanneer Behnams mobieltje ging. Dan zat ik zwijgend naast hem te luisteren hoe hij babbelde met bekende parlementsleden, soms met mensen zó hoog in het regime dat het me verbijsterde dat hij met hen zo gemakkelijk in de omgang was. Eén keer vroeg ik: 'Was dat wie ik denk dat het was?', waarop hij antwoordde dat zijn zakelijke beslommeringen me niets aangingen en niets met ons als stel te maken hadden. Ik kreeg echter een steeds duidelijker beeld van Behnams positie in de zakenwereld. Wat ik aanvankelijk niet had willen inzien – dat Behnam in feite deel uitmaakte van het regime – moest ik zo langzamerhand toch wel erkennen.

Behnam gaf volmondig toe dat de niet-parlementaire Raad van Hoeders, die oorspronkelijk door Khomeini was aangesteld, de facto het land regeerde, aangezien de Raad iedere wet kon afwijzen die door het verkozen parlement was aangenomen. Hij gaf ook toe dat het regime er niet voor schroomde de grondwet naar eigen goeddunken te ontwrichten, dat de Raad een geheime politiemacht had die zich even schandelijk gedroeg als de SAVAK, dat corruptie in de hoogste kringen van het regime hoogtij vierde en dat vrouwen minder wettige vrijheden hadden dan slaven. Hij vond geen van deze zaken belangrijk; of eigenlijk moet ik zeggen dat hij ze niet belangrijk genoeg vond.

Zodra ik voor mezelf had toegegeven dat de man van wie ik hield in feite mijn politieke vijand was, begon ik aan een proces dat volgens mij gelijk is voor alle vrouwen ter wereld, het proces waarmee je probeert je geliefde over te halen je eigen zienswijze te adopteren. De vrouw die trouwt met een alcoholist is ervan overtuigd dat ze erin zal slagen hem te bekeren, dat hij door hun liefde zal veranderen; de vrouw die trouwt met een man die vrouwen mishandelt, is dezelfde zienswijze toegedaan: haar geliefde zal tot inkeer komen; de vrouw die met een rokkenjager trouwt, denkt dat haar geliefde een trouwe huisvader zal worden als ze hem maar dagelijks omringt met liefde en bewijzen van haar toewijding. Je zou het bijna een beroepsdefect kunnen noemen, die diepgewortelde overtuiging dat de liefde de gewenste verandering zal bewerkstelligen. Misschien is het een vorm van zelfzucht. Misschien bezitten vrouwen een hoogmoed die hen dwingt te geloven dat de liefde zo sterk is dat zelfs primitieve mislukkelingen uiteindelijk hun weerzinwekkende gewoonten zullen opgeven. Niet dat ergens ter wereld bewijzen zijn te vinden die deze egocentrische overtuiging ondersteunen, niet in het hier en nu en ook niet in het verleden. Je bent erg dom bezig als je je gezonde verstand negeert om met een man te trouwen op basis van je overtuiging dat zijn goede inslag zal komen bovendrijven als room op de melk.

Ik nam Behnam mee naar politieke bijeenkomsten. Ik gaf hem de gelegenheid te gaan inzien hoe onverzettelijk en onverdraagzaam het regime was. Ik stelde hem voor aan vrienden die zo welbespraakt waren dat ze Behnam wel zouden kunnen overhalen een beter standpunt in te nemen. Maar halverwege die bijeenkomsten vertrok hij of kwam het tot een heftige woordenwisseling tussen hem en mijn vrienden. Hij leidde zijn eigen verzetsbeweging tegen mijn persoonlijke hervormingsbeweging. Uiteindelijk verzochten mijn vrienden me dringend Behnam niet meer mee te brengen. Ze hadden hun buik vol van zijn kregelige, sarcastische en koppige gedrag. Aan de andere kant hielp hij de hervormingsbeweging in financieel opzicht. Dat was erg aardig van hem, maar eigenlijk ook niet. In feite was het een afkoopsom. Hij zei ermee: 'Ik zal mijn best doen je financieel te helpen, ook al walg ik van je politieke ideeën.'

Mijn moeder maakte kennis met hem en mocht hem graag. En waarom ook niet? Hij was een man die enorm veel invloed had. Met één telefoontje kon hij regelen dat boetes werden geschrapt, geschillen geregeld, parkeerbonnen geannuleerd. Hij sprak dagelijks met bijzonder invloedrijke machtsfiguren over de import van chemicaliën en andere zaken, gaf informatie door van zijn vader in

Amerika, trof regelingen om handelsembargo's te omzeilen. Hij droeg een pak, zag er altijd keurig uit, gedroeg zich beleefd. Mijn moeder zag in hem iemand die me zou beschermen, en alles bij elkaar genomen wil iedere moeder een schoonzoon bij wie haar dochter niets te kort zal komen en die haar zal beschermen tegen alle kwaad. Bovendien had ik haar verteld dat ik veel van hem hield, en dat telde uiteraard ook mee.

In dit stadium van onze relatie had mijn vader Behnam nog niet ontmoet; ik had het gevoel dat de kennismaking, wanneer het eenmaal zover zou zijn, niet helemaal gladjes zou verlopen en was die daarom steeds uit de weg gegaan. Behnam zelf leek het ook niet erg te vinden een gesprek met pa zo lang mogelijk uit te stellen. Ik wist dat mijn moeder het prima vond dat ik met iemand van de gevestigde orde zou trouwen, maar mijn vader? Die zou beslist kritiek hebben op Behnams band met de tirannen die de touwtjes in handen hadden. Weer ging het om politiek. Mijn vader is van mening dat politieke gezindheid een belangrijk onderdeel vormt van het karakter van een man (en een vrouw). Politieke gezindheid is niet iets wat je je kunt aanmeten omdat het je goed uitkomt; mijn vader was geen Iraanse versie van de *Vicar of Bray*. En wat de politiek aanging, stond ik aan de kant van mijn vader, hoewel ik meer nadruk op persoonlijke vrijheid legde dan hij.

De relatie hobbelde voort in de schaduw van ruzies en meningsverschillen. Ik was niet van plan Behnam zomaar op te geven, maar zag eerlijk gezegd ook geen toekomst voor ons. Mijn moeder, broers, zusjes en neven gingen er zonder meer van uit dat ik met Behnam zou trouwen en dat we samen erg gelukkig zouden worden. Per slot van rekening houdt een jonge vrouw in Iran er geen aanbidder op na tenzij ze van plan is met hem te trouwen. En hoewel mijn familie in dat opzicht niet zo conventioneel was, zouden ze me vreselijk pedant hebben gevonden als ik uiteindelijk niet met Behnam zou trouwen. Ikzelf vond het allemaal erg ingewikkeld. Ik hield van een man met wie ik niet kon trouwen, maar ik was niet sterk genoeg om hem in de ogen te kijken en eerlijk te zeggen dat ik geen huwelijk wilde aangaan dat me niet gelukkig zou maken.

In deze onaangenaam verwarde staat verkeerde ik toen Behnam me uitnodigde voor een bruiloft. De bruidegom was een van zijn vrienden. Ik stemde er natuurlijk mee in; ergens wilde ik dolgraag met hem als paar gezien worden. Ik kleedde me zoals ik gewend was me te kleden voor dergelijke gelegenheden – zedig, maar niet conservatief. In Iran bestaan gradaties van vrouwelijke religieuze eerbiediging, die tot uitdrukking komen in de manier van kleden. Je kunt het zuivere fundamentalisme van je echtgenoot demonstreren door nauwelijks een vierkante centimeter van je huid aan de buitenwereld te tonen, maar zover hoef je niet te gaan om de juiste mate van respect voor de regels van het land te tonen. Je kunt ook een jurk dragen in een onopvallende kleur die je van je schouders tot halverwege je kuiten bedekt, met een hoofddoek die je haar aan het oog onttrekt, een beetje lippenstift, wat eyeliner en een vleugje rouge. Tussen deze twee uitersten (voor zover verschijning in het openbaar betreft) liggen zeker tien variaties. De manier van kleden dient in Iran hetzelfde doel als in andere landen, inclusief die van het Westen. Wat lang haar en spijkerbroeken in de jaren zestig voor de jongeren in de Verenigde Staten waren, waren lichtblauwe jurken, lichtgroene sjaals en lichtroze lippenstift voor de jonge vrouwen van Iran in de jaren negentig.

Alles leek naar wens te gaan. Ik voelde me prettig en zou niemand beledigen met mijn kleding. Maar onderweg stopt Behnam op een verlaten plek en haalde een extreem orthodoxe versie van de chador tevoorschijn, een van het soort dat alleen door streng gelovige Iraanse vrouwen wordt gedragen.

'Wat moet dit voorstellen?' vroeg ik.

'Ik wil dat je dit vanavond aantrekt,' zei Behnam zonder omhaal, 'en ik wens er geen religieuze, politieke, geschiedkundige of andere lezing over te horen. Ik wil je zoals je bent, Zarah, maar wanneer we bij dit soort mensen zijn, dienen we ons aan te passen. Oké?'

Ik haalde diep adem, zag dat Behnam zijn kaken onverbiddelijk op elkaar klemde, dacht er een halve minuut over na en capituleerde. Alleen voor deze keer, beloofde ik mezelf.

Op het feest waren alle vrouwen gekleed zoals ik. Wie keek naar het groepje vrouwen dat gescheiden van de mannen stond te praten, zou moeite hebben ons uit elkaar te houden. We demonstreerden als groep onze instemming met het regime en al zijn regels en dogma's, net zoals Republikeinse vrouwen in Amerika dat doen bij een geldinzamelingsactie – vooral in de Bible Belt. Geen enkele man zou de moeite nemen mij (of een van de andere aanwezige vrouwen) naar mijn mening te vragen over een politiek, maatschappelijk of cultureel onderwerp. Waarom zou hij? Men ging ervan uit dat ik in elk opzicht instemde met het standpunt van de regering en de religieuze leiders, of het nu om de buitenlandse politiek ging, de plichten van moslimvrouwen of de enorme voordelen van de Islamitische Revolutie voor Iran. Ik neem aan dat het precies hetzelfde zou zijn bij de geldinzamelingsactie in de Bible Belt die ik zojuist uit de lucht heb geplukt: als daar een vrouw in een provocatief jurkje van Versace was verschenen, zou ze bij de ingang worden tegengehouden; en iedere vrouw kon er zeker van zijn dat alle aanwezigen dachten te weten wat haar mening was over allerlei onderwerpen. Toch maakte het me bijna gek van woede. Ik werd er niet goed van. Ik wilde roepen: 'Dit is je reinste onzin! Ik draag dit ding alleen omdat ik ertoe gedwongen ben!' Ik keek naar de invloedrijke mannen in de zaal voor de heren en wist dat sommigen van hen verantwoordelijk waren voor het feit dat vrienden van me waren opgepakt.

Het was een farce en ik deed eraan mee. Ik haalde diep adem en liep de aangrenzende zaal in. Alle mannen zwegen abrupt. Ze staarden naar me met een blik alsof ik op een tafel was geklommen en daar nu danste met mijn chador tot halverwege mijn dijen opgetrokken. Behnam verontschuldigde zich haastig bij de man met wie hij stond te praten. 'Neemt u me niet kwalijk, *haji*, dat is mijn verloofde.' Hij pakte mijn arm en trok me mee de kamer uit.

'Wat moet dit in godsnaam voorstellen? Weet je niet wat het woord reputatie betekent?'

Hij sprak op de toon van onoprechte, woedende overtuiging waar ik zo'n hekel aan had.

'Ik wil naar huis. Ik wil hier niet zijn. Ik kan dit niet aan,' zei ik, vechtend tegen mijn tranen. Hij bestelde een taxi voor me en ging terug naar het feest om zijn reputatie te herstellen. Ik huilde de hele weg naar huis. Ik dacht: ik wist zeker dat we onmogelijk van elkaar konden houden – dat we elkaar zelfs haatten. Maar ach, wat deed het een pijn!

Behnam belde me later op de avond op. Ik zei dat ik hem voorlopig niet wilde zien, dat ik tijd nodig had om na te denken, en hing op.

Hoofdstuk 9

Ik heb een vriend ontdekt in de cel boven me. Zijn naam is Ali Reza en ik ken hem van de universiteit. Ik had zijn stem gehoord via het ventilatierooster in het plafond, maar wist in het begin niet wie het was. Zelfs nadat hij me had verteld hoe hij heette, duurde het nog even voordat het kwartje viel. Het is prettig om een bekende in de buurt te hebben, al heeft deze troost zijn beperkingen: twee machteloze mensen kunnen alleen maar met elkaar meeleven, en van alle vormen van hulp waar iemand in mijn situatie naar verlangt, heb je het minst aan medeleven.

Wat me nog het meest kwelt, is de gedachte dat mijn moeder helemaal niet weet hoe het met me is. Ali Reza kan me niet helpen mijn ouders een boodschap te sturen; omgekeerd kan ik hem ook nergens mee van dienst zijn. Het enige wat we kunnen doen, is het met elkaar eens zijn dat het droevig met ons gesteld is, maar zinloos klagen verveelt snel. In mijn cel houd ik me vrijwel uitsluitend bezig met praktische problemen. Een bericht naar de buitenwereld krijgen is weliswaar mijn grootste wens, maar afgezien daarvan zijn het dingen als hygiëne, het verlangen naar reinheid, die mijn gedachten bezighouden. Het zou ook geweldig zijn als ik iets te lezen kon krijgen. Ik heb de koran, maar die bevredigt mijn honger naar nieuws van de buitenwereld niet. Een stoel om op te zitten zou een godsgeschenk zijn. Evenals een kam, en een pen en papier.

Vandaag wil Ali Reza praten over mijn verjaardagsfuif van een paar maanden terug. Hij was er met zijn verloofde, Atefeh. Languit op de vloer van mijn cel liggend luister ik naar de stem van Ali Reza, die allerlei details aanhaalt over het feest, mijn hoofd vult met herinneringen aan dansende, lachende mensen, muziek en heerlijke gerechten zoals *masst-o-khiar*, *minza ghasomi*, kaviaar en kebab *koobideh*. Hoe langer Ali Reza erover praat, hoe leger ik me voel. Het lijkt zo ver weg, die tijd van licht en vrolijkheid. Probeert hij met zijn gebabbel mijn ellende te verlichten? Ik zou hem dankbaar moeten zijn, maar het liefst zou ik tegen hem zeggen dat hij zijn mond moet houden, dat hij over die tijd moet zwijgen. Als ik op weg was naar een muur waar een vuurpeloton op me wachtte, zou ik er misschien genoegen mee nemen dat ik fijne tijden heb gekend; met de dood voor ogen zou ik er misschien gereed voor zijn de balans op te maken en te erkennen dat ik van alle goede dingen van het leven heb geproefd. Maar hier, in deze cel, kan ik me er niet bij neerleggen dat mijn leven voorbij is. Ik ben niet in staat een balans op te maken, te erkennen dat ik het goed heb gehad. Door herinneringen aan gelukkige tijden lijken de betonnen muren alleen maar nog dikker, voelt de lucht in mijn cel nog verschaalder aan, is vreugde nog verder van me verwijderd. Ik begin te huilen. Ali Reza hoort het.

'Wat is er, Zarah? Wat is er aan de hand?'

'Hou op!'

'Hoe bedoel je? We zijn toch vrienden?'

'Ja, maar hou alsjeblieft op!'

Ik huil nu onbedaarlijk. Misère, besef ik, is een last waaraan steeds meer gewicht kan worden toegevoegd, tot je benen die last niet meer kunnen dragen. Ali Reza heeft ondanks zijn goede bedoelingen en bezorgdheid de last zwaarder gemaakt en nu is mijn misère compleet. O god, ik heb nooit de kracht gehad voor heldendom, voor politiek. Het zit niet in mijn DNA. Ik ben zwak, ik ben een lafaard. Ik had het geschreeuw in de straten aan anderen moeten overlaten, aan sterke mensen. Ik haat politiek. Ik haat protestdemonstraties. Ik haat alles en iedereen.

Ali Reza laat me nu met rust. Mijn tranen zijn opgedroogd. Ik zit op de grond te wachten op niets, of op nog een ondervraging, of op niets, of op nog een ondervraging, of op niets. Het kan me allemaal niets meer schelen. Ik voel me hopeloos, zielig, een kind dat eropuit is gestuurd om het werk van volwassenen te doen.

Een van de vrouwelijke bewakers roept door de sleuf in de deur van mijn cel: 'Douchen!'

Bij het horen van dat woord verdwijnt mijn misère als sneeuw voor de zon. Het is alsof ik een cadeau heb gekregen. Ik zou bijna gaan houden van de bewaakster die deze heerlijkheid heeft aangekondigd.

Ze duwt de blinddoek naar binnen. Ik krabbel snel overeind, doe hem voor en voel me belachelijk luchthartig. Een volle week heb ik me niet gewassen.

'Je hebt tien minuten. Was je ondergoed ook. Hou het aan onder de douche.'

'Goed,' zeg ik. 'Dank u. Dank u.'

Wanneer we zijn aangekomen op de plek waar de douches blijkbaar zijn, duwt de bewaakster me naar voren. Ik voel een natte oppervlakte onder mijn voeten. Ik doe de blinddoek af en zie dat ik op een betonnen vloer sta onder een primitieve kraan die uit een betonnen muur steekt. Het ziet er allemaal even troosteloos uit als de rest van Evin, maar voor iemand als ik, die de stank van haar eigen lichaam zo verschrikkelijk beu is, is het een weelde.

Ik doe de deur dicht alvorens mijn gevangeniskleding uit te trekken en schrik alsof iemand me een stroomstoot in mijn rug geeft wanneer de bewaakster de deur opentrapt.

'Wie zei dat je de deur dicht moest doen?' snauwt ze. Ze kijkt naar me alsof ze haar walging nauwelijks kan onderdrukken; alsof ze elk moment haar zelfbeheersing zal verliezen en me met haar vuisten te lijf zal gaan. Maar waarom? Ik kan het toch niet helpen dat ik niet weet wat de regels bij het douchen zijn?

'Sorry,' zeg ik met trillende stem.

Ik draai de kraan open. Er komt een armzalig stroompje warm water uit. Op een richel ligt een oud stuk groene Golnarzeep (de goedkoopste zeep die in Iran te krijgen is) en ik begin me onmiddellijk te wassen. De zeep prikt in al mijn wondjes, maar ik wil ze goed schoonmaken om infectie te voorkomen. Ik maak mijn haar nat en probeer het te wassen, maar krijg dat niet goed voor elkaar omdat de waterstraal zo zwak is en de zeep zo slecht. Ik heb lang, dik haar. Thuis (thuis!) helpt mijn moeder of mijn zusje me altijd om het te drogen en te borstelen nadat ik het heb gewassen. Soms borstelt mijn vader het – wat het allerfijnste is – en vertelt hij me ondertussen verhalen over zijn moeder, die precies zulk haar had als ik. Wat voelden die krachtige, gelijkmatige bewegingen van de borstel heerlijk aan! Terwijl ik moeizaam mijn haar was in het nogal slijmerige douchehok hoor ik in gedachten de Koerdische liedjes die mijn vader voor me zong terwijl hij me omhulde met een cocon van mystiek en liefde. Mijn favoriet was een Koerdisch volksliedje over een mooi meisje met lang haar:

Ze danst met glanzend haar, mijn mooie geliefde,
De zon schijnt op het haar, van mijn mooie geliefde,
Mijn hart breekt wanneer ze haar haren opsteekt, mijn
mooie geliefde...

Ik prevel de woorden terwijl ik me was, maar ik doe dat héél zachtjes. Mijn gezicht is nat, maar ik voel ook het nat van mijn tranen bij de gedachte dat ik mijn vader nooit meer zal zien.

'Je tijd is om!' roept de bewaakster.

Ze gooit de blinddoek naast me op de grond. Wanneer ik me buk om hem op te rapen, vang ik een glimp op van haar gezicht. Ze is niet oud, maar lijkt dat wel door haar strenge blik en haar verweerde huid. Ze zal er wel helemaal aan gewend zijn om dagenlang niet te glimlachen. Misschien vindt ze me beklagenswaardig, net zoals ik haar beklagenswaardig vind. Misschien vindt ze me grotesk, lelijk, een verloren ziel. Als ik de blinddoek ombind, denk ik over haar na in korte, elkaar snel opvolgende gedachten, waarvan elke gedachte slechts een fractie van een seconde in beslag neemt: *Zou ze kinderen hebben? Wat voor*

kinderen zouden het dan zijn? Heeft ze een hekel aan haar
baan? Houdt ze juist van haar werk? Hoe zou ze heten?
Het is alsof mijn geest probeert mijn honger naar normaal
omgangsverkeer en normale nieuwsgierigheid te stillen.
Zou ze zich afvragen waarom ik hier ben? Denkt ze dat ik
iets heel ergs heb gedaan? Misschien weet ze waarom ik
hier ben en vindt ze protesteren tegen het regime een
zware misdaad. Of kan het haar niets schelen – heeft ze
geen mening over me, trekt ze zich niets van me aan?

Ik moet mijn natte ondergoed inleveren en krijg schone
gevangeniskleding en schoon gevangenisondergoed. Ik
ben blij dat ik onder de douche ben geweest en schone kleren aanheb, ook al is het maar een saai, grijs Evin-uni-
form. Ik kikker er helemaal van op. De bewaakster om-
klemt mijn arm veel harder dan nodig is, alsof haar
minachting voor me groter is geworden nu ik haar gezicht
heb gezien. Het kan me niets schelen. Ik ben nu niet bang
voor haar. Ik heb gezien hoe ze eruitziet en dat maakt alles
anders.

Terug in mijn cel houdt mijn opgewekte humeur stand.
Ik neem aan dat ieder mens in een situatie als de mijne,
ongeacht in welk land of onder welk regime, probeert een
veilig plekje te creëren, een eigen hoekje. Ik weet zeker dat
mensen in veel ellendiger omstandigheden dan ik dat doen.
Ze zoeken juist de koudste hoek van een stinkende cel, een
hoek zo smerig dat zelfs een rat erbij vandaan blijft – eenvoudigweg omdat het lichaam, de geest en de ziel dan
even met elkaar in contact kunnen komen, elkaar troost
kunnen bieden. Mijn cel is twee bij anderhalve meter. De
deur is van metaal. Er zijn geen ramen. Aan het betonnen
plafond brandt dag en nacht een tl-buis en dat is om gek

van te worden. Er is geen bed. Het is een door mensen gemaakte grot, maar dan een heel kleine; toch ben ik er op momenten als dit verguld mee. Ik kan er de puzzelstukjes van mijn persoon bij elkaar rapen, in elkaar zetten en zo weer een volledig mens worden.

Deze stemming van absurde tevredenheid wordt verstoord wanneer de sleuf in de deur wordt geopend. De blinddoek wordt erdoorheen gegooid. Ik sta op en doe hem voor. Gek genoeg behoud ik mijn blijde gevoel, ook wanneer de bewaker de deur opendoet en me door de gang voortduwt. Net als alle andere keren ben ik bang voor de ondervrager, maar nu heb ik mijn angst onder controle. Zou een simpele douche mijn zelfrespect zodanig hebben hersteld dat ik opnieuw moed heb gevat? Is het leven zó eenvoudig? Misschien is dat inderdaad zo, want ik merk dat ik bijna glimlach terwijl ik met grote passen – ja, met grote passen! – door de gang loop en volkomen rustig blijf bij de gedachte dat ze me vandaag misschien wel gaan executeren. Hoe zullen ze dat doen? Een kogel in mijn hoofd? Ze gaan hun gang maar.

'Hoe is het vandaag met u?' vraag ik aan de bewaker.

'Kop dicht en doorlopen!' antwoordt hij op barse toon.

Bij dat antwoord verschrompelt mijn innerlijke overtuiging meteen. Wat was die oppervlakkig! Zonder wortels. Een droombeeld. Ik moet hier echt mee ophouden. Ik moet ophouden met te denken dat de mensen die me hier vasthouden diep in hun hart brave burgers zijn die hoffelijk zullen reageren op een beleefde vraag. Ik kan me beter afvragen of ik soms niet helemaal goed bij mijn hoofd ben. Het komt natuurlijk door de manier waarop ik ben opgevoed – door mijn religie. Wees aardig, dan zullen anderen ook aardig zijn tegen jou. Wees aardig in je gedachten. Het probleem is dat ik niet in staat ben het kwaad bij de eerste oogopslag te accepteren. Misschien ook niet bij de tweede, de derde of de vierde oogopslag. Voor iemand als ik moet het kwaad zich keer op keer manifesteren, zichzelf keer op keer bewijzen, want ik vergeet na iedere episode het bestaan ervan.

Tegen de tijd dat me wordt bevolen te blijven staan, beef ik weer. Alle vastberadenheid is uit mijn hart verdwenen. De deur gaat open en ik word naar binnen geduwd. Ik was op de gang alweer een zwakke stumper geworden, maar dat wordt in de verhoorkamer nog veel erger. Een kuikentje van een dag oud heeft meer kracht en moed dan ik op dit moment bezit.

Ik hoor de deur dichtgaan. Ik hoor het geluid van naderende voetstappen. Ditmaal is het de dikke ondervrager. Ik ruik hem. Niet alleen zijn adem, maar ook zijn lichaam. Ik schuifel geblinddoekt naar voren. De ondervrager geeft me een duw, in de richting van de stoel, neem ik aan. Ik schuifel nog een paar stapjes en stoot mijn knie tegen de stoel. Op de tast ga ik zitten.

'Ben je onder de douche geweest?' vraagt hij. 'De vorige keer stonk je.'

Hij grinnikt, zoals altijd ingenomen met zijn eigen grapje. Ik heb veel zin om te zeggen: 'De pot verwijt de ketel dat hij zwart ziet.' (In het Farsi: 'Twee potten boven het vuur noemen elkaar roetmop'.) Maar ik slaag erin mijn mond te houden.

De ondervrager begint aan zijn trage, zenuwslopende rondjes door de kamer, waarbij hij afwisselend dicht bij me komt, een stukje wegloopt, en weer terugkomt. Ik neem aan dat hij deze martelmethode gebruikt omdat die doodgewoon veel effect heeft, hoe afgezaagd dat ook klinkt.

'Zul je me nu vertellen wat Arash met je heeft gedaan toen je bij hem thuis was?' vraagt hij, met zijn mond vlak bij mijn oor.

'Dat heb ik u al verteld,' antwoord ik, en ik wend mijn gezicht af van zijn stinkende adem.

'Vertel het nog maar een keer.'

'We zijn vrienden, we kennen elkaar van de universiteit. Dat is alles.'

Weer lacht hij, een beetje hees. Dan zegt hij dat hij heeft besloten mijn geheugen op te frissen. Hij zegt dat hij een lijst heeft gemaakt van alle dingen die ik ben 'vergeten'. Hij zegt dat hij een vel papier voor me op de tafel zal leggen waaronder ik mijn handtekening moet zetten. Voordat hij weggaat, zegt hij nogmaals dat hij verwacht mijn handtekening op het papier te zien staan wanneer hij terugkomt.

Wanneer ik hem de kamer hoor verlaten, doe ik de blinddoek af, knipper tegen het felle licht, werp een blik op de gesloten deur, buig me naar voren en lees, zonder het papier op te pakken, wat erop staat. Het is een bekentenis, of eigenlijk een hele reeks bekentenissen. In absurde clichés wordt een seksuele relatie beschreven tussen Arash en mij; banden die mijn vrienden van de universiteit van Teheran zouden hebben met cellen van de communistische partij die in Iran opereren; de rol die 'buitenlandse machten' spelen binnen de protestbeweging van de studenten; dat ik me bewust zou zijn van de rol die binnen de studentenbeweging door de 'communistische anti-Iraanse en anti-islamitische groeperingen' wordt gespeeld en dat Arash 'zich op het communisme heeft toegelegd'. Ik voel me helemaal los staan van wat er op het papier staat, alsof het over iemand anders gaat. Pas wanneer ik het snel voor de tweede keer doorlees, dringt tot me door dat deze verhalen over *mij* gaan, over *mijn* veronderstelde daden en overtuigingen. Evengoed vind ik de brutaliteit van de hele zaak onvoorstelbaar. De schaamteloosheid van de verzinsels doet me denken aan de smoesjes die kinderen aan hun ouders of leraren vertellen – buitensporige leugens waar de ouderen zich een hoedje om lachen.

Denkt de dikke man werkelijk dat iemand deze onzin zal geloven? Volgens de bekentenissen ben ik een soort Mata Hari – spion en hoer. Toch begint in mijn binnenste de angst langzaam te groeien, want hoe onbehoorlijk deze leugens ook zijn, de dikke man, de politie en de moellahs zijn wel degelijk van plan dit stuk papier onder de neus van mijn vrienden en docenten te houden, zullen het misschien aan mijn ouders laten zien, mogelijk zelfs laten afdrukken in een krant. Een schrijnende schaamte mengt zich met mijn woede, alsof iemand onder mijn naam een slordig, slecht essay heeft ingeleverd bij de docent voor wie ik het meeste respect heb. Ik wil uit een raam naar heel Teheran roepen: 'Dit heb ik niet geschreven! Het is een vervalsing! Er is geen woord van waar!'

En ik roep dat ook, maar niet uit een raam. Ik zit als een waanzinnige op mijn stoel in de richting van de deur te schreeuwen. 'Dit is niet waar! Het is niet waar! Ik onderteken dit niet, rotzak!'

Secondenlang komt er geen reactie, dan klinkt het klopje op de deur dat aangeeft dat ik mijn blinddoek moet voordoen. Maar dat doe ik niet. De dikke man komt binnen, kijkt woedend naar me en geeft me een harde klap in mijn gezicht.

'Kutmeid! Waarom heb je je blinddoek niet voor?'

'Omdat ik uw walgelijke gezicht wil zien!' krijs ik.

Hij slaat me weer, harder ditmaal. Op zijn vadsige manier loopt hij snel naar zijn bureau en begint ergens naar te zoeken. Hij komt met grote stappen naar me terug, grijpt van achteren mijn armen beet en bindt mijn polsen aan elkaar met iets wat aanvoelt als ruw touw.

'Asadi!' Hij roept om de bewaker.

De bewaker gooit de deur open, kijkt eerst naar mij en dan naar de dikke man. Hij houdt de deur open voor de dikke man, die de kamer verlaat. Ik weet heel zeker dat ik mezelf iets verschrikkelijks heb aangedaan en zal moeten boeten voor mijn geschreeuw en mijn woede, maar ik weet niet op welke manier. Het enige wat ik kan doen is om hulp roepen, al is er in de gevangenis niemand die me te hulp zal komen.

De dikke man komt terug. Hij heeft een schaar bij zich, die hij geopend naar boven gericht houdt.

Ik word bijna gek van angst. Wat heb ik een spijt van mijn woede! Ik weet niet wat de dikke man van plan is, maar smeek hem het niet te doen. Ik smeek hem zoals ik nog nooit iemand heb gesmeekt. Hij schenkt absoluut geen aandacht aan mijn smeekbeden, maar ik blijf ze snel en hysterisch herhalen, omdat dat het enige is wat ik kan doen, hoe futiel het ook is. Hij rukt de hoofddoek van mijn hoofd, grijpt een handvol van mijn lange haar en knipt het af. Hij gromt terwijl hij knipt en zijn ademhaling klinkt nog amechtiger dan voorheen – de ademhaling van een man met een hartkwaal. Ik beweeg mijn hoofd naar links en naar rechts om aan de schaar te ontkomen, maar mijn bewegingsvrijheid is zeer beperkt. Ik krijs non-stop, als een klein kind dat het op z'n heupen heeft en niet tot bedaren gebracht kan worden. Mijn wilde pogingen om aan de schaar te ontkomen leiden juist tot verwondingen; de punten van de schaar prikken pijnlijk in mijn hoofd. De dikke man knipt op een ruwe, achteloze manier, maar het is niet zo dat hij me met opzet met de schaar verwondt. Dat heb ik helemaal aan mezelf te wijten. Uiteindelijk houd ik op met tegenspartelen en blijf ik zwijgend en vernederd zitten.

Wanneer mijn haar kort is geknipt, gaat de dikke man aan het werk met een tondeuse, die hij met ruwe bewegingen over mijn schedel haalt. Ik houd mijn hoofd gebogen en zie door mijn tranen heen mijn lange lokken over de betonnen vloer verspreid liggen. Een eeuwigheid verstrijkt, het geluid van de tondeuse gonst in mijn oren, korte haren vallen op de grond en een deel komt als een donzig dotje in mijn nek te liggen. Het kaalscheren brengt de vernedering die ik in deze kamer onderga naar een nog dieper en hartverscheurender niveau. Ik voel me als een dier in de handen van een man die me met evenveel onverschilligheid kan kaalscheren of mijn keel door kan snijden.

Wanneer hij klaar is, doet de dikke man een stap achteruit om zijn werk te bekijken. Ik houd mijn hoofd gebogen. De moed om mijn ogen op te slaan, de man vol aan te kijken en hem te laten zien dat ik mijn waardigheid altijd zal behouden, ongeacht wat hij doet – nee, die moed bezit ik niet.

De bewaker bindt de blinddoek voor mijn ogen, maakt

mijn polsen los en zegt dat ik moet opstaan. Ik heb de kracht niet om mijn benen te bewegen, dus moet de bewaker me min of meer dragen wanneer hij me terugsleurt naar mijn cel. Ik gooi de blinddoek voor hem door de sleuf en zak op de vloer neer. Mijn wangen, mijn schedel en mijn nek zitten vol wondjes, die branderig schrijnen. Maar de pijn en uitputting doen me lang niet zoveel als het gemis van mijn haar. Deze mensen hebben mijn uiterlijk volkomen veranderd.

Als het geluid van de voetstappen van de bewaker wegsterft, roep ik kreunend naar Ali Reza en hij geeft meteen antwoord. Hij weet dat ik was meegenomen voor een verhoor.

'Hoe is het met je?'

Misschien was het mijn bedoeling geweest hem te vertellen wat ze met me hebben gedaan, maar uiteindelijk heb ik geen zin het hem te vertellen.

'Het gaat.'

'Wat hebben ze met je gedaan?'

'Niks. Alles is in orde.'

'Je kunt het me best vertellen, hoor.'

'Er is niks gebeurd. Ik ben gewoon weer verhoord.'

'Hebben ze je geslagen?'

'Nee. Maak je niet druk.'

Ali Reza geeft het op. Het zal hem duidelijk zijn dat ik van streek ben, maar hij begrijpt blijkbaar dat het gaat om iets wat ik hem voorlopig nog niet kan vertellen. Medeleven is niet wat ik nodig heb. Ik wil de stem niet horen van een man die niets kan doen om mijn misère te verlichten, die het alleen met me eens kan zijn dat de dikke ondervrager een afgrijselijke kerel is. Wat voor troost zou ik daaruit kunnen putten? Ik wil mijn vader. Ik wil dat hij mijn hoofd tegen zijn borst drukt en mijn haar streelt. O nee – ik wil niet dat mijn vader me zo ziet. Dat zou verschrikkelijk zijn. Ik heb iemand nodig die me iets kan geven waar ik nog veel meer aan heb – de sleutel van de deur van mijn cel, en een tweede sleutel, van de deur van de gevangenis, een auto om me naar een plaats te brengen waar de politie en de ondervragers me niet kunnen vinden. Maar wat ik onder ogen moet zien, is dat wonderen niet geschieden door ze te wensen, ervoor te bidden of erom te smeken.

Mijn hele lichaam jeukt van de haartjes die onder mijn gevangenistuniek zitten. Mijn hoofd voelt... raar aan. Niet vanbinnen maar vanbuiten. Ik wil mijn haar terug. Van alles wat me in de gevangenis is aangedaan, is het feit dat ik ben kaalgeschoren het ergste. Ik weet dat dit oppervlakkig van me is. Ik weet dat het alleen maar ijdelheid is. Maar voorheen was ik mooi. Ik vond het fijn om mooi te zijn. Wat wil dit zeggen? Moet ik dit zien als een gelegenheid om een sterker karakter te krijgen? Als een kans om te accepteren hoe oppervlakkig schoonheid is? Dat wil ik helemaal niet! Ik wil een mooi Perzisch meisje zijn dat braaf studeert en niets te maken heeft met politiek. Helemaal niets.

Hoofdstuk 10

Veel van wat mensen geloven over de wereld buiten hun eigen land lijkt me in sommige gevallen het gevolg van vermoeidheid, in andere gevallen van luiheid. In het Iran van mijn kinder- en tienerjaren dachten de mensen dat Amerika een land was van filmsterren, oorlogophitsers, tweedeurskoelkasten, grote auto's en verder vrijwel niets. Als kind geloofde ik dat ook. Ik was niet voldoende geïnteresseerd om te proberen een gedetailleerd beeld te krijgen, dus nam ik genoegen met de schets. En wat was Engeland? Het land van een vriendelijk uitziende oude dame van wie men zei dat ze als koningin over het volk regeerde. En het land van de Beatles. Bij Frankrijk zag je de Eiffeltoren, te midden van mensen die kikkers en slakken aten. Australië was het land van zwemkampioenen en kangoeroes. Alleen studenten en specialisten hebben de tijd en de interesse om gedetailleerde portretten te bestuderen, dus kan men het volk zijn onwetendheid niet kwalijk nemen. Ieders leven wordt bepaald door de plaatselijke omstandigheden, en het is logisch dat de mens zich meer zorgen maakt om zijn naaste omgeving dan om de rest van de regio en de wereld.

Niemand kon het me kwalijk nemen dat ik dacht dat mijn land, dat ik het beste kende, uniek was in de wereld – wat het in bepaalde opzichten ook is. Niemand kon het me kwalijk nemen dat ik dacht dat van alle landen op de wereld alleen Iran te lijden had van waanzinnige, dogmatische moellahs. Tegen de tijd dat ik de middelbare school en mijn eerste jaar aan de universiteit van Teheran had afgerond, had ik voldoende geschiedenis geleerd om te kunnen weten dat elk land zijn moellahs heeft, dat elk land zijn dogmatici en godsdienstfanaten heeft, dat in elk land te eniger tijd met harde hand wordt opgetreden tegen degenen die vragen stellen, vragen uitlokken, oordelen en veroordelen, en kritiek leveren. Ik wist niets over de heerschappij van Joseph McCarthy in het Amerika van vlak na de Tweede Wereldoorlog; ik had het woord 'heksenjacht' nooit metaforisch horen gebruiken. Ik kende wel andere heksenjachten, van andere kleingeestige tirannen die tegen verwondering, verbeelding, onderzoek en nieuwsgierigheid gekant waren. Op de universiteit was Spaans mijn hoofdvak; ik had de poëzie van Garcia Lorca gelezen en wist hoe hij was gestorven, in welke omstandigheden. Lorca werd de eerste held van mijn leven als volwassene.

Mijn allereerste held was mijn vader en dat is hij nog steeds: degene die voor me opkwam bij ruzietjes thuis, maar ook de man die in Iran bleef om het hoofd te bieden aan alles waaraan de Islamitische Revolutie hem zou onderwerpen, ondanks dat hij gemakkelijk had kunnen vluchten. Maar als je eigen vader je eerste held is, ontbreekt het complement van de romantiek. Toen we tijdens mijn eerste studiejaar aan de universiteit het werk van Lorca bestudeerden en ik zijn poëzie las, wist ik meteen

93

dat ik een nieuwe held had gevonden. Het was niet zo dat ik wilde dagdromen over een knappe Spanjaard (die trouwens homofiel was, maar dat wist ik toen nog niet), maar dat mijn groeiende gevoel voor gerechtigheid werd gevoed door de geschiedenis van zijn artistieke en politieke bevlogenheid – in elk geval de ingekorte en niet zo ingewikkelde versie ervan.

Wanneer ik nadenk over de psychologische ontwikkeling die ertoe heeft geleid dat ik de straat op ben gegaan om luidkeels te protesteren, kom ik altijd terug bij het woord 'gerechtigheid'. Zoals de meeste kinderen ben ik opgegroeid met een sterk gevoel voor gerechtigheid. Elk kind wordt kwaad als het wordt beschuldigd van iets wat hij of zij niet heeft gedaan. En elk kind raakt van streek wanneer hem of haar duidelijk wordt dat slechte mensen vaak winnen. De verhalen die me werden verteld toen ik klein was, thuis en op school, waren verhalen waarin goede mensen het uiteindelijk altijd wonnen. Dat is op de hele wereld hetzelfde. Later kwam ik erachter dat goede mensen niet altijd hun zin krijgen; weer later, als tiener, ontdekte ik dat slechte mensen heel vaak hun zin krijgen. Maar is het niet verbazingwekkend dat je evengoed je geloof in gerechtigheid niet verliest?

Voor een deel van mijn landgenoten was God gerechtigheid. Op mijn negentiende was gerechtigheid voor mij het recht voor meisjes als ik om onszelf, onze talenten en ambities te ontplooien zonder inmenging van de geestelijken. Mijn opvatting over zaligmaking was daarom ook veel alledaagser dan die van de moellahs. Mijn eisen waren echt niet overdreven. Ik wilde de vrijheid om over straat te lopen met de wind in mijn haar. Ik wilde de vrijheid om in m'n eentje naar de bioscoop te gaan als ik daar zin in had. Ik wilde net zo vrij zijn in mijn beroepskeuze als de jongens die ik kende. Politiek is voor mij altijd heel persoonlijk geweest, doch niet alleen maar persoonlijk. Dat kan ze immers nooit zijn. Het recht om met wapperende haren over straat te lopen zou niets waard zijn als niet álle Perzische meisjes dat mochten. Het gaat niet om het scheppen van privileges. Want hoe kan vrijheid ooit een privilege zijn?

Waarom voelde ik me van alle Spanjaarden die ik bestudeerde juist zo aangetrokken tot Lorca? Waarom niet tot Dali of Buñuel? Ik denk dat Dali's opvattingen over vrijheid een beetje te buitenissig voor me waren. Ik voelde geen enkele behoefte me in een geitenvel te hullen en mijn lichaam met mest te besmeren. Buñuel werkte met beelden – adembenemende beelden, zonder meer – maar ik was niet intellectueel genoeg om Buñuels thema's te kunnen bevatten. Mijn ideeën over vrijheid waren zo eenvoudig dat je ze bijna primitief kon noemen. Politieke theorieën over geschiedenis, klassen en standen gingen mijn pet te boven. Maar dat een of andere onbenullige jongen van nog geen twintig toestemming kreeg van de moellahs van mijn land om me op mijn vingers te tikken als mijn hoofddoek een centimeter te ver naar achteren was gezakt, dat zo'n knaap het recht had me te koeioneren en te bedreigen... dat vond ik onacceptabel. En in het Teheran van mijn jeugd stikte het van die onbenullige jongens: zij waren de *Basij*, de burgermilitie van het regime, verwaande ettertjes die overal hun neus in staken, aan je adem roken om te controleren of je soms had gedronken, je lastigvielen, pestten en beledigden.

Net zo goed als elk land zijn moellahs heeft, twijfel ik er niet aan dat elk land ook ooit zijn eigen *Basij* heeft gekend. Ik denk dat we gewoon moeten accepteren dat de overgrote meerderheid van de tienerjongens gewoon dom is – met mijn excuses aan de uitzonderingen. Geef zo'n joch het recht mensen of groeperingen te vervolgen, druk hem een pistool, een zweep, een teerkwast in zijn hand en hij gaat vol vuur aan de slag, vervuld van arrogante bezieling en domheid. De *Basij* was de Hitlerjugend van Iran, en de Duitse Hitlerjugend had vast en zeker een andere jeugdbeweging in een ander land als voorganger, die weer een andere voorganger had, enzovoort, tot god mag weten hoe ver terug in de geschiedenis. Ook veel meisjes zijn dom; dat zal ik niet ontkennen – dom en wreed. Maar in Iran heb je vooral te maken met de domheid van jongens.

Lorca was geen extreem egotistische figuur. Lorca was geen ideoloog. Hij was een dichter, en daarin lag zijn grootste aantrekkingskracht:

Ik heb mijn ramen gesloten
Ik wil het wenen niet horen
Maar achter de grijze muren
Hoort men niets dan het wenen
Slechts een enkele engel zingt
Slechts een enkele hond blaft
Duizend violen passen in de palm van de hand
Maar geween is een immense engel
Geween is een immense hond
Geween is een immense viool
Tranen wurgen de wind
Alleen het geween is nog te horen

Wat bij dit gedicht zo'n indruk op me maakte, was de gevoeligheid van een man, een dichter, die het geween daad-
werkelijk kon horen. Want overal wordt er geweend, alleen kan niet iedereen het horen. Geween kan een kamer
vullen en toch onhoorbaar zijn voor de mensen die er zitten te praten. Om geween te kunnen horen, moet je een
absoluut gehoor hebben voor de klanken van verdriet.

Tijdens mijn eerste jaar aan de universiteit van Teheran
voerde mijn klas het toneelstuk *Llerma* van Lorca op, en
dat deden we lang niet slecht. De Spaanse ambassadeur
woonde de voorstelling bij in het auditorium van de universiteit en feliciteerde ons na afloop. Ik las alle toneel-
stukken en gedichten van Lorca die ik te pakken kon krijgen, en terwijl ik las, voelde ik het groeien van het gevoel
van gerechtigheid waar ik het over had. Niet dat zijn verhalen politiek getint waren, juist niet, maar ik absorbeer-
de de gevoeligheid van de geest achter de verhalen en gedichten, een gevoeligheid die heldere beelden opriep aan
strijd, aan het ketenen van de ziel en aan vrijheid. Het was
een strijd om vrijheid; zo vatte ik het op.

Ik denk dat de meeste mensen die op een dag hun gebalde vuist schudden tegen de moellahs of tegen hun land,
iemand hebben (vaak een schrijver) die hen helpt te defi-
niëren wat ze bedoelen met vrijheid. Voor velen is die persoon een politieke theoreticus – zoals Marx – maar dat
hoeft niet altijd zo te zijn. Het is heel goed mogelijk een
gids te vinden in een dichter, zoals Omar Khayyam of
Naishapoer, Sa'adi of Hafiz – dichters die schreven over
droefenis, verlies, de lichtvaardige wreedheid van de kos-
mos, liefde, begeerte. Ook als het onderwerp verbloemd
is, heb ik altijd het gevoel dat het ware thema van goede

poëzie vrijheid is. Ik heb nog nooit een goed gedicht of verhaal gelezen dat een huldebetuiging is aan onderdrukking, of uitdrukking geeft aan verrukking om de onbeteugelde macht van moellahs.

Lang voordat Lorca in mijn leven kwam, had taalvrijheid zich al in mijn hart genesteld. Sinds mijn prille jeugd hield ik van lezen, maar in mijn vroege tienerjaren onderging die liefhebberij de eerste van twee veranderingen en werd het een vorm van verslaving. Misschien had het met hormonen te maken. In de puberteit kruipt een koorts in je bloed. In een ander land was ik misschien een van de meisjes geworden die naar popconcerten gaan en daar trillend, bevend en krijsend hun handen uitstrekken naar de jongemannen die als haantjes over het toneel lopen. Ik las in extatische vervoering – romans, filmbladen, kranten, boeken over politiek. Ik maakte weinig onderscheid wat kwaliteit en verdienste betrof; ik kon net zo opgewonden raken van een verhaal in een studieboek over filosofie als bij de tekst van een advertentie. Iedere oppervlakte van mijn slaapkamer was bedolven onder woorden op papier.

Mijn moeder vond het niet leuk. Ze had niets tegen lezen, maar zag aan de afwezige blik in mijn ogen dat ik door mijn verslaving wel eens in een excentrieke persoon zou kunnen veranderen. Soms herinnerde ze me eraan dat ik op een dag een volwassen vrouw en iemands echtgenote zou zijn, en dan vroeg ze me wat er van mijn huishouden terecht moest komen als ik altijd alleen maar zat te lezen. Om haar gerust te stellen dwong ik mezelf een bepaalde hoeveelheid tijd te besteden aan de eeuwenoude vaardigheden van Perzische vrouwen: ik ging naaien en borduren, en hielp met het bereiden van de maaltijden. Ik deed me voor als een meisje dat uitkeek naar haar eigen huis en huishouden, maar dat was slechts schijn.

Ik was te vergelijken met een heroïneverslaafde die leert er volkomen beheerst uit te zien, alsof ze geen enkele moeite heeft met dagelijkse beslommeringen, maar onderhand loert op een gelegenheid om waanzin in haar aderen te spuiten. Ik zorgde ervoor dat boeken die mijn moeders goedkeuring hadden – bibliotheekboeken over hoe je een huishouden moet bestieren, hoe je voor je echtgenoot moet zorgen, hoe je vloerkleden en tapijten moet reinigen, hoe je een picknicklunch voor in het park moet maken, hoe je bij baby's de eerste tekenen van ziekte kunt herkennen – altijd boven op de stapels lagen, en dat dergelijke degelijke boekwerken goed zichtbaar waren op mijn boekenplanken. Minder zichtbaar waren de boeken van Sadeq Hedayat en Jamalzadeh, grote helden van de hedendaagse Perzische literatuur, romanschrijvers die tegen iedere vorm van autoriteit zijn in hun politieke standpunt en hun nadrukkelijke voorkeur voor eenvoudig, duidelijk geschreven proza. Mijn moeder wist van de boeken van Hedayat en Jamalzadeh, maar dacht dat die voor mij minder belangrijk waren dan de boeken waaraan ze haar goedkeuring hechtte. Of misschien was ze gewoon geroerd door mijn bereidheid het daarop te laten lijken. Iemand die veel moeite doet je verdriet en zorgen te besparen, moet immers van je houden? Niet dat mijn moeder eraan twijfelde of ik van haar hield.

Hedayat en Jamalzadeh joegen mijn moeder lang niet zo veel angst aan als Kafka en Sartre. Toen de boeken van deze auteurs in mijn kamer opdoken, tegen het einde van mijn middelbareschooltijd, maakte mijn moeder me duidelijk dat ze van mening was dat ik ernstig gevaar liep een onhuwbare intellectueel te worden. Vertwijfeld hief ze haar handen op en vroeg zich hardop af of er een speciale reden was waarom juist zij, van alle moeders in Iran, een dochter had gekregen die een haaknaald niet van een snelkookpan kon onderscheiden. Toch waren de aspiraties van de andere meisjes van mijn leeftijd me niet vreemd; ik verlangde wel degelijk naar de liefde van een goede man, naar een huwelijk en kinderen. Tegelijkertijd schonken de dichters, romanschrijvers en filosofen van wie ik de werken verslond me een veel ingewikkelder wereld om in rond te dolen. Ik las om te leren hoe de wereld in elkaar zit. Dat wilde ik weten. Ik wilde de onveranderbare waarheid ontdekken.

Op mijn zestiende onderging mijn passie voor lezen haar tweede verandering. Ik was niet langer in staat lezen te beschouwen als alleen maar 'fijn'. Het plezier dat ik erdoor ondervond was een nieuw soort plezier. Ik raakte niet langer in vervoering van de schoonheid van de woorden (hoewel dat soms nog wel gebeurde), maar van hun betekenis. De manier waarop ik tot mijn zestiende van literatuur had genoten, had te maken met liefde – sterke, zelfs koortsachtige, gevoelens, die echter verzacht werden door blijdschap, door tederheid. De nieuwe manier waarop ik van boeken genoot was eerder een hartstocht – gevaarlijk, verterend en, al wil iedereen dat nog zo graag, vermoedelijk niet het pad naar het geluk. Het was alsof ik op een ochtend wakker was geworden en had gezien dat de hemel niet meer blauw was maar rood. In plaats van moeilijk te doen over het verlies van de blauwe hemel, zei je in zo'n geval gewoon: 'Ja, de hemel moet rood zijn, en van nu af aan vind ik alleen een rode hemel mooi.' Maar in je binnenste begint de lezeres die je was om je te rouwen en probeert ze je te waarschuwen dat je de blauwe hemel en je geluk niet zo snel moet opgeven.

Mijn moeder bekeek me nu met een blik alsof ze zich afvroeg of ik soms onder doktersbehandeling gesteld moest worden.

Wat mij overkwam, was iets wat tieners overal ter wereld overkomt, of in elk geval een deel van hen: de lessen die ik leerde van het lezen en van mijn observering van de mensen en de wereld om me heen, de aanhoudende stemmen in mijn hoofd en hart en ziel deden allemaal hun best zich te verenigen rond een levensmotto voor mijn leven als volwassene. Ik weet dat het motto dat veel tieners in westerse landen zich tegenwoordig eigen maken minder ingewikkeld is: *probeer een goede boterham te verdienen en geniet elke dag van het leven.* Maar in diezelfde landen was het motto in andere jaren – bijvoorbeeld in de jaren zestig – minder zelfzuchtig. Voor mij werd het motto waar ik naar zocht scherp gesteld door Lorca, en daarna door de *Basij.* Maar pas toen ik mijn nichtje zag, dat in het ziekenhuis in Shiraz lag met derdegraads brandwonden over haar hele lichaam, ontwikkelde ik echt een passie voor gerechtigheid.

Mijn nichtje was geboren in een dorp in het westen van Iran. Ze was nog erg jong, pas vijftien, toen ze trouwde met een man uit Teheran, vol enthousiasme bij het vooruitzicht op het leven in de grote stad. Nu, slechts een paar maanden nadat ze in het huwelijk was getreden, had ze zich overgoten met benzine en een lucifer bij haar kleren gehouden. Ik ging haar opzoeken in het brandwonden- en traumaziekenhuis in Teheran. De geur van verbrand vlees was zó sterk dat ik moeite had niet te gaan overgeven. De artsen zeiden dat vijfentachtig procent van haar lichaam was verbrand. Tot het onverbrande deel behoorden haar lippen, rond haar helderwitte tanden. Ik moest eraan denken hoe gul ze altijd had gelachen wanneer we bij haar en haar ouders op bezoek gingen op de boerderij. Ze was een vrolijk kind, dat altijd lachte en daarbij dan die prachtige tanden liet zien. Ik had haar altijd beschouwd als iemand voor wie blijdschap de norm was.

Ik wist niet wat ik tegen mijn nichtje moest zeggen. De gebruikelijke, troostende clichés die je tegen andere patiënten kon zeggen waren hier uiteraard niet van toepassing. 'Beterschap.' 'Maak je geen zorgen, je bent in goede handen.' Ik moest de hele tijd denken aan de reden waarom ze het had gedaan. Wanneer je jezelf overgiet met benzine en een lucifer afstrijkt, is dat niet alleen maar een hulpkreet. Het is een doodskreet.

Enige tijd later zag ik een gedeeltelijk op feiten berustende film van Daryoush Mehjuie, die zich afspeelt in Ilam, een stad in het westen van Iran waar iedere maand gemiddeld tien meisjes en jonge vrouwen zelfmoord plegen. Ilam is geen uitzondering; zelfmoord onder jonge vrouwen komt veel voor, in alle streken van Iran, maar de methode die wordt gekozen door de jonge vrouwen in Ilam en omgeving – zelfverbranding – is uitzonderlijk. Elders in Iran nemen jonge vrouwen vergif, verhangen zich of springen van een hoog gebouw. In zijn film suggereert Daryoush Mehjuie dat onder de in geestelijke nood verkerende jonge vrouwen in die regio een traditie is gegroeid die om de een of andere reden zelfverbranding aanbeveelt als voorkeurmethode om een einde te maken aan je leven – alsof iedere zelfdoding de keuze van dood door vuur eert van degenen die zijn voorgegaan. Zo is een soort zusterschap ontstaan. Zelfverbranding is als een seriële zelfmoordbrief – ieder slachtoffer zegt eigenlijk: 'Mijn reden is identiek aan die van degene die me is voorgegaan'. In deze gevallen is geen sprake van moord (in tegenstelling tot India, waar talloze jonge vrouwen op deze manier door familieleden worden omgebracht). In Ilam en de westelijke Soeni-regio hebben deze jonge vrouwen dood door vuur verkozen boven het leven. Ik weet niet waar de traditie haar oorsprong heeft en waarom het zo'n plaatselijk verschijnsel is. Het is misschien een atavisme, teruggrijpend op een oude, gewelddadige verering van vuur in de oertijd – de verering die door het zoroastrisme op een liefdadiger wijze tot uitdrukking wordt gebracht.

Waarom plegen deze jonge vrouwen zelfmoord? Voor zover de filmmakers het kunnen beoordelen en voor zover ik het kan beoordelen, is de beweegreden de onverdraaglijke teleurstelling die ze ervaren, na te zijn opgegroeid met een hoofd vol dromen en wensen die vrijwel geen kans hebben ooit te worden vervuld. Mijn nichtje en ik lagen vaak in het gras bij de boerderij van haar vader en dan vroeg ze me hoe jongens en meisjes in Teheran elkaar leerden kennen en bevriend raakten. Ze vroeg me of ik al eens een jongen had gekust. Ze vroeg of ik het met haar eens was dat Mehdi Mahdavi Kia, een beroemde Iraanse voetballer, knap was. Ze zei dat ze hem dolgraag eens van dichtbij wilde zien. Ze sprak over liefde, romantiek en zoenen, en over de galanterie die haar misschien ooit te beurt zou vallen van een aanbidder die net zo knap was als Mehdi Mahdavi Kia. Haar fantasie borrelde van spirituele idealen en erotische verlangens.

Hoewel ik nu geneigd ben te zeggen dat de verlangens van mijn nichtje hopeloos onrealistisch waren, weet ik niet of ik er wel recht op heb dat te zeggen. Want waar hoopte ze nu helemaal op? Een gouden paleis, eeuwige gelukzaligheid, de toewijding van een prins? Nee. Ze hoopte op de liefde van een goede man en de kans haar eigen liefde te tonen. Dat is geen onmogelijke wensdroom. Alleen is het voor veel jonge vrouwen in Iran, en in veel andere landen – heel veel andere landen – wél een onmogelijke wensdroom. De kans is groot dat de man met wie je trouwt, de man die waarschijnlijk door je ouders voor je is gekozen, tijdens de huwelijksplechtigheid nog een volslagen vreemdeling voor je is; en dat hij dat een maand later nog steeds is; en tien jaar later ook nog. Hij kan altijd een vreemdeling blijven. Niet dat het per se zo hoeft te zijn. Misschien heb je geluk en win je een hoofdprijs. Veel Iraanse mannen hebben goede eigenschappen waar een vrouw veel aan heeft. Ik heb dergelijke mannen zelf leren kennen, vooral op de universiteit, en ook wel op de markt. Maar er zijn niet zoveel hoofdprijzen, en de kans dat je er een wint is vast veel kleiner voor meisjes en jonge vrouwen uit arme families die worden uitgehuwelijkt aan veel oudere mannen, of aan mannen die van huis uit of vanuit hun cultuur niet hebben geleerd dat ze aandacht moeten besteden aan de hartenwensen van het meisje dat ze gehuwd hebben.

Er is een gezegde dat zijn oorsprong heeft in de poëzie van Byron: 'Voor een vrouw is liefde het leven zelf; voor een man staat het er los van'. De Perzische versie zou luiden: 'De liefde van de vrouw is de vlucht van een vogel; die van de man is de brul van een leeuw'. Welke verlangens en hoop deze jonge vrouwen ook gekoesterd hadden, op het moment dat de vlam hun kleren verzengde, vrees ik dat liefde voor hen was, wat Córdoba was voor de reiziger in Lorca's gedicht 'Ruiterlied':

Córdoba,
ver en verloren.
Zwart paardje, grote maan,
olijven in mijn zadeltas,
al ken ik alle wegen,
nooit kom 'k in Córdoba aan.
De wind en de vlakte door,
zwart paardje, rode maan;
van Córdoba zijn torens
ziet de dood mij aan.
Ach, mijn dapper paardje!
Ach, lange weg die we gaan,
Voor ik in Córdoba ben,
grijpt de dood mij aan.
Córdoba,
ver en verloren.

Toen ik mijn nichtje zag, op haar lippen en ogen na geheel in witte zwachtels gewikkeld, werd ik zó kwaad dat ik niet wist of medelijden het van mijn woede kon winnen toen ik haar man in het ziekenhuis zag huilen. 'Weet jij wat er met je nichtje is gebeurd?' vroeg hij me, verscheurd van verdriet.

Of ik wist wat er met mijn nichtje was gebeurd? Ja! Ze

was uitgehuwelijkt toen ze nog een kind was. Ze moest een echtgenote zijn terwijl ze nog een kind was. Ze was een lustobject terwijl ze nog een kind was. Ze had haar dagdromen moeten opgeven terwijl ze nog een kind was. Haar innerlijke levensbron was vergiftigd terwijl ze nog een kind was. Haar ziel was haar ontstolen terwijl ze nog een kind was. Maar kon ik dat tegen haar man zeggen? Nee. Als hij in staat was geweest de dingen te begrijpen die ik had willen zeggen, zou hij niet met het kind getrouwd zijn. Dus huilde ik samen met hem, ondanks mijn woede, en ging toen weer terug naar de kamer van mijn nichtje. Waar ik opnieuw kokhalsde door de geur van geschroeid vlees.

Op de dag dat ik bij mijn nichtje op bezoek ging, moest ik een basketbalwedstrijd spelen met mijn team. Basketbal was de grote lichamelijke tegenhanger voor de gekmakende dingen die mijn geest me aandeed. Ik was dol op basketballen! De kameraadschap met mijn teamgenoten, de genegenheid die ik voelde voor de trainster, en ja, het verlangen naar een zege na inspanning op een gebied waar een zege tenminste tot de mogelijkheden behoorde! Dus ging ik basketballen nadat ik in het ziekenhuis was geweest, in de hoop dat de inspanningen van de wedstrijd het beeld van mijn nichtje tijdelijk uit mijn geest zouden wissen. Maar zo ging het niet. Ik was laaiend toen ik de sporthal betrad. Ik zei tegen niemand iets, krijste alleen tegen de anderen wanneer ze me de bal niet toespeelden of wanneer ik misgooide. Sima, onze coach, haalde me van het veld en liet me de rest van de wedstrijd niet meer meedoen.

Ik wachtte tot iedereen weg was. Althans, ik dacht dat

ze weg waren. Toen pakte ik de bal en holde heen en weer over het speelveld, heen en weer, terwijl ik de bal tegen de muren keilde en schreeuwde en krijste. Toen ik uiteindelijk zo uitgeput was dat ik niet meer kon doorgaan, stopte ik en trok mijn gewone kleren weer aan. En toen zag ik Sima, die in haar eentje op de tribune zat. Ze had geduldig naar me zitten kijken. Ik zei niets tegen haar. Ik greep mijn tas, verliet de sporthal en liep de straat op.

Het duurde tien dagen voordat mijn nichtje dood was. Al die tijd huilde en schreeuwde ik; maar toen ik hoorde dat ze dood was, slaakte ik een zucht van verlichting en bleven mijn ogen droog.

Hoofdstuk 11

De ondervrager duwt me naar de stoel. Ik voel de rand van de zitting in mijn knieholten. Hij drukt op mijn schouders tot ik zit. Dit is mijn eerste ondervraging sinds ze me hebben kaalgeschoren. Ik ben erg bang, omdat ik niet weet wat voor vernederingen er nog zullen volgen. Misschien hebben ze een lijst van straffen. Misschien heeft iemand die op een wetenschappelijke manier samengesteld. Misschien begint die lijst met verbale mishandeling, daarna lichamelijke mishandeling, seksuele mishandeling, kaalscheren – en dan? Oudere martelmethoden? Heeft de ondervrager daarvoor middelen tot zijn beschikking? Als dat zo is, zal ik hem alles vertellen wat hij wil. Dat ben ik al met mezelf eens geworden. Ik geef eerlijk toe dat ik niet dapper genoeg en niet voldoende geëngageerd ben om martelingen te kunnen doorstaan. Ik heb het mezelf bij voorbaat vergeven.

Lange tijd zegt de ondervrager niets. Hij laat me in stilte zitten. Hij draait geen rondjes om me heen, zoals andere keren. Voor zover ik weet, zit hij alleen maar naar me te kijken vanaf zijn stoel aan de andere kant van de tafel.

Het staren heeft duidelijk tot doel een gespannen sfeer te kweken. Elke zenuw in mijn lichaam schreeuwt dat ik me ergens op moet voorbereiden – op een klap of een stomp – maar ik kan me nergens op voorbereiden omdat ik niks zie. Ik begin de beweegredenen achter alles wat de ondervrager doet te doorzien. Dat is op zich een vorm van paranoia. Voor mij is niets meer onschuldig, ook al kan het net zo goed zijn dat de ondervrager tegenover me zit te denken aan wat hij gisteravond heeft gegeten of in zijn neus zit te peuteren of zelfs dat hij wou dat hij ergens anders was – dat hij thuis naar een soap zat te kijken of een verhaaltje voorlas aan zijn kinderen, als hij die heeft. Toch hecht ik onwillekeurig een beweegreden aan iedere nieuwe methode waarmee hij te werk gaat. Misschien schrijf ik hem meer intelligentie toe dan hij bezit.

'Wat is jouw mama halsstarrig, zeg,' zegt de ondervrager plotsklaps. Het eerste wat tot me doordringt is dat het niet de dikke man is maar de andere; de man wiens gezicht ik niet heb gezien. Daarna dringt tot me door dat hij het over mijn moeder heeft. Ik walg ervan dat hij denkt het recht te hebben over *mijn* moeder te spreken als 'mama'. Het is alsof iemand die zich gereedmaakt om me te verkrachten het waagt die daad te beschrijven als 'de liefde bedrijven'.

'Mijn moeder?'

'Ja, je mama komt elke dag hiernaartoe. Ze smeekt de mannen bij de poort om nieuws van je. We zeggen elke keer dat we je niet gezien hebben, dat we nog nooit van je gehoord hebben.'

Ik denk aan woorden die ik niet mag uitspreken – 'walgelijke, gore rotzak' – maar dat ik mijn mond dichthoud is niet uit angst voor straf. Ik doe het omdat ik weet dat hij wil dat ik zoiets zal zeggen. Ik probeer mijn woede in toom te houden. In gedachten zie ik haarscherp hoe mijn moeder eruit moet zien wanneer ze aan de poort van de Evin-gevangenis om nieuws over mij smeekt: ze heeft tranen in haar ogen, haar lippen zijn bleek, zoals altijd wanneer ze erg ongerust is, haar mooie gezicht is vertrokken. Daar ga ik weer met mijn verdomde naïviteit, mijn stompzinnigheid. Terwijl ik zit te wachten op allerlei vreselijke dingen, is het geen moment in me opgekomen dat ze het verdriet van mijn moeder als martelwerktuig zouden gebruiken. Zal ik echt nooit leren dat deze mensen tot alles bereid zijn om me te kwellen, dat niets hen te ver gaat? Wat moet er allemaal nog met me gebeuren voordat ik dat doorkrijg? Moeten ze mijn keel doorsnijden voordat ik zal begrijpen hoe kwaadaardig ze zijn?

'Omdat ze weet dat ik hier ben?' vraag ik zachtjes.

De ondervrager stoot een korte lach uit, een geluid van slechts één lettergreep. 'Maar je bent hier niet. Niemand is hier.' Dan lacht hij vrijuit, om de geschrokken uitdrukking op mijn gezicht natuurlijk. Ik haat hem op dat moment zó erg dat flitsen van zijn gezicht door mijn hoofd gaan – al heb ik het nooit gezien. Ik zie het gezicht van een baviaan, dan dat van een jakhals. Ik zie lippen met vlokjes speeksel. Ik zie rottende stompjes tanden, als stenen in de woestijn. Ik zie ogen zonder enige schaamte, als die van een oude hoer die klanten lokt in de smoezelige straten van Gonrok in West-Teheran. Zo diep ben ik gezonken: verzonken in melodramatische gedachten, alsof ik een prinses was in de grot van een monster.

'Ik heb wat informatie van je nodig,' zegt de ondervrager zonder bepaalde nadruk, alsof we in een kantoor zitten en er alleen maar iets opgehelderd moet worden. Hij stelt me een reeks vragen die allemaal te maken hebben met de recente protestdemonstraties van de studenten van de universiteit van Teheran waaraan ik heb deelgenomen, protestdemonstraties naar aanleiding van het ontslag en de gevangenneming van twee professoren. Een van hen is een van mijn lievelingsdocenten, een professor die een versie van de geschiedenis van Iran doceert die door het regime niet acceptabel is bevonden. De ondervrager wil weten hoe we weten dat er vergaderingen worden gehouden om de protestdemonstraties te organiseren. Wie vertelt mij en de andere studenten dat er een vergadering gehouden zal worden? Hebben we geheime codewoorden? Daarna begint hij vragen te stellen over wat er tijdens de vergaderingen wordt besproken.

Zijn vragen zijn nu bijzonder gedetailleerd. Hij lijkt precies te weten wat er op de vergaderingen wordt besproken. Hij weet wie er voorstellen doen. Hij weet wat die voorstellen zijn. Zijn informatie is zo accuraat en veelomvattend dat hij me over die vergaderingen helemaal geen vragen hoeft te stellen. Zijn doel is me te laten weten dat dingen waarvan ik dacht dat slechts vier of vijf mensen ervan wisten, in feite helemaal niet geheim zijn. Hij wil dat ik me ga afvragen wie in onze groep de spion is. En dat is precies wat ik doe – me afvragen wie de spion is. Of zouden andere leden van onze groep zijn opgepakt en ondervraagd en zijn alle details die hij me nu vertelt van hen afkomstig? Terwijl hij me blijft sarren met zijn vragen, laat ik in gedachten gezichten de revue passeren. Zou zij het zijn? Of hij? Geen van hen zou iets loslaten, dat weet ik heel zeker. Geen van hen zou bezwijken, zelfs niet als ze werden gemarteld. Maar is dat wel zo? Ik ben zelf bereid te capituleren als de pijn te erg wordt. Waarom zou ik dan geloven dat de anderen veel sterker zijn dan ik?

'Heeft hij je verzocht de lessen te annuleren?' vraagt de ondervrager.

'Wie?'

'De vuile schoft die van de universiteit is getrapt. Heeft hij je ertoe gedwongen?'

'Mijn professor?' vraag ik.

'Ja, de vuile hufter die je heeft gehersenspoeld, die je al die onzin heeft geleerd.'

'U praat zelf onzin,' bijt ik hem toe. De woorden zijn eruit voordat ik er erg in heb. Ik heb er onmiddellijk berouw van. Ik zal ze meteen terugnemen als hij dat eist.

Ik hoor de poten van zijn stoel over de vloer schrapen. Hij is in twee stappen bij me en grijpt me bij mijn nek. Hij schudt me heen en weer en duwt me dan naar voren. Ik val van de stoel, en in mijn val sla ik op zo'n ongelukkige manier met mijn kin tegen de rand van de tafel dat de huid wordt opengereten. Al voordat ik op de grond terechtkom, voel ik bloed vloeien.

'Teef!' zegt hij. 'Je lult maar wat, je doet niks dan lullen. Je kunt beter leren je grote bek dicht te houden, stomme trut!'

Met veel moeite ga ik op mijn knieën zitten. Ik tast naar de stoel, zet hem overeind en ga erop zitten. Ik kan alleen maar hopen dat ik in de juiste richting zit. Ik betast mijn kin en voel de wond. Bloed stroomt over mijn vingers. 'Shit, shit, shit,' sis ik.

'Is dat wat je van hem hebt geleerd? Je te gedragen als

een stoere teef? Ja? Geef antwoord op mijn vraag, voordat ik me kwaad maak. Heeft hij gezegd dat de lessen geannuleerd moesten worden?' vraagt hij.

'Nee.'

'Hoe heb je het aan de anderen doorgegeven? Hoe wist iedereen dat er die dag geen lessen waren?'

'Dat weet ik niet,' antwoord ik miserabel. 'Ik had het op de vergadering voorgesteld en iedereen stemde ermee in. Dat is alles.'

'Hoe waren de andere studenten erachter gekomen? De studenten die niet aan de vergadering deelnamen? Hoe wisten die ervan?'

'Ze geven het gewoon aan elkaar door. We kondigen het nooit aan. We schrijven nooit iets op. Ze geven het aan elkaar door.'

'O ja?' zegt hij. Ik wil net 'ja' zeggen wanneer hij me een klap in mijn gezicht geeft. De wond aan mijn kin wordt groter en bloed stroomt in mijn hals. Ik zit nu te jammeren als een kind.

'Mag ik alstublieft naar mijn cel?'

Hij geeft geen antwoord. In plaats daarvan begint hij aan een meedogenloze reeks vragen, waarvan hij sommige al eerder heeft gesteld terwijl andere nieuw zijn. Wie had de leiding? Wie organiseerde het annuleren van de lessen? Hoe vaak hield ik met mijn vrienden vergaderingen? De vragen volgen elkaar zo snel op dat ik het niet bijhoud. Soms denk ik dat ik antwoord geef op een bepaalde vraag voordat ik besef dat de ondervrager de volgende vraag al stelt. Ik raak in een trance en ben niet in staat me duidelijk voor de geest te halen wat ik binnen de protestbeweging precies deed en waarvan ik word beschuldigd. Wat waar is en wat gelogen smelt samen in mijn hoofd; maar veel erger is dat het allemaal zo hopeloos onbelangrijk lijkt. Waar zijn mijn principes? Geloof ik nergens meer in? Ik voel me amper nog een mens. Mijn lichaam is zich alleen bewust van pijn, en mijn geest lijkt op een onbeholpen, primitief toestel dat niets anders kan bevatten dan het gevoel van uitputting. Ik beantwoord alle vragen met 'Ja'. Heb ik de lessen geannuleerd? Ja. Had ik opdracht gekregen de lessen te annuleren? Ja. Ik zeg ja op alles wat hij vraagt. Ja. Ja. Ja.

Dan, te midden van de nevel van pijn en walging om mezelf, stijgt een veel indringender angst in me op: dat de wond aan mijn kin in deze smerige gevangenis geïnfecteerd zal raken. Ik zal geen medische behandeling krijgen, geen ontsmettingsmiddelen, de wond aan mijn kin zal gaan etteren, ik zal misvormd en lelijk worden, ik zal geen mooi Perzisch meisje meer zijn, mensen zullen medelijden met me hebben, de jongens zullen met een boogje om me heen lopen, niemand zal met me willen trouwen. Ach, wat ben ik toch ijdel! Mijn wereld is bezig in te storten, maar het enige waar ik me druk over maak, is dat ik niet mooi zal blijven!

'Mag ik alstublieft naar de wc?' vraag ik, maar de ondervrager blijft zijn vragen afvuren. Ik word slaperig, alsof de ondervrager een hypnotiseur is die niet werkt met het herhalen van beelden, maar met het herhalen van geluiden.

Ik blijf antwoord geven als een sprekende metronoom en vraag me af waarom de ondervrager me eigenlijk gelooft. Begrijpt hij niet dat ik helemaal niet meer kan nadenken? Doezelig denk ik aan de keer dat ik als kind aan

mijn rechterarm een lelijke wond had opgelopen die gehecht moest worden. De dokter zei, ten onrechte, dat ik
mijn rechterhand niet meer zou kunnen gebruiken; dat ik
met mijn linkerhand zou moeten schrijven. Mijn vader
was op reis en mijn moeder en ik wisten hoe erg hij het
zou vinden als hij bij thuiskomst zou zien hoe erg ik ge-
schonden was. Ik was zijn schoothondje, zijn lievelingetje,
zijn prinsesje. En inderdaad, toen hij thuiskwam was hij
vreselijk ontdaan over het feit dat ik pijn had geleden en
verdrietig was; hij nam me bij zich op schoot, drukte mijn
hoofd tegen zijn borst en streelde me een heel lange tijd,
terwijl hij sussende woordjes in mijn oor fluisterde. Nu zit
ik hier, misselijk van vermoeidheid, en hou ik me overeind
met de zeer beperkte middelen die ik heb door te denken
aan de tederheid van mijn vader, terwijl ik al het uiterlijke
vertoon van oprechte overtuiging dat ik nog had, laat
varen. Ik wil gewoon dat mijn vader hierheen komt, me
van de stoel tilt en op barse toon zegt: 'Van nu af aan laat
u dit kind met rust. Ik sta niet toe dat u haar nog langer
kwelt. Ik sta niet toe dat u haar nog meer vragen stelt. Ze
is mijn dochter. Ik ben haar vader.'

Het duurt nog heel lang voordat de ondervrager de
bewaker roept. Ik word teruggebracht naar mijn cel. Ik
vraag onderweg aan de bewaker of ik naar de wc mag.
Boven de gootsteen was ik mijn kin. Daarbij schuif ik de
blinddoek omhoog, maar ik kijk met opzet niet naar mijn
spiegelbeeld. Als ik zou zien hoe lelijk ik was geworden,
zou ik mijn laatste restje zelfrespect kwijtraken.

Terug in mijn cel denk ik na over Ali Reza in de cel boven
me. En wat ik denk, is dit: *Ali Reza is de spion. Daarom*

hebben ze hem in de cel boven me gezet. Daarom stelt hij me aldoor zoveel vragen. Het is Ali Reza. In gedachten spreek ik hem toe in de meest vernietigende bewoordingen die ik weet te bedenken. Ik hekel hem. Ik noem hem een lafaard, een jakhals. Maar dan bedenk ik dat dit precies is wat de ondervrager wil dat ik denk. Hij wil dat ik aan iedereen ga twijfelen. Mijn geest is een heerlijk speelveld voor deze mensen, deze beulen! Ze rukken mijn gedachten uit elkaar en plakken ze weer aan elkaar op een manier die hen amuseert. Misschien denkt Ali Reza precies zo over mij – dat ik een spion ben. Misschien twijfelen alle mensen in onze groep aan alle anderen.

Ik ben blij dat Ali Reza me niet roept vanuit zijn cel. Misschien is hij meegenomen voor een ondervraging; of, als hij de spion is, is hij zeker meegenomen om verslag uit te brengen aan zijn bazen en om nieuwe instructies te krijgen. Ik veracht mezelf om mijn wantrouwen, maar nu de ondervrager het heeft opgewekt, kom ik er niet meer van af.

Ik moet slapen. Dat is belangrijk.

Zodra ik mijn ogen dichtdoe, hoor ik een gekreun uit de cel van Ali Reza komen. Ik probeer het geluid te negeren, maar het houdt aan. Na een poosje sta ik op en ga pal onder het luchtrooster staan.

'Ali Reza, ben jij dat?'

Geen reactie.

'Ben jij dat, Ali Reza? Hallo? Ali Reza?'

'Wie is Ali Reza, verdomme nog aan toe?' zegt een stem. Het is niet de stem van Ali Reza. Ik blijf perplex staan en zwijg. Een paar minuten geleden wilde ik geen woord van Ali Reza horen; nu voel ik me berooid omdat hij niet zit waar hij zou moeten zitten.

'Ik zit in de cel onder je,' fluister ik. 'Wie ben je? Waarom kreun je?'

'Omdat ik daar zin in heb. Waar bemoei je je mee?'

Wat een onbeleefde kerel! Wie zou het zijn?

'Ik ben zojuist langdurig verhoord,' zeg ik tegen de ongemanierde man. 'Als je niet zo zou kreunen, zou ik kunnen slapen.'

'Ga gerust slapen. Het maakt mij niet uit.'

'Maar als je zo kreunt, kom ik niet in slaap.'

'Ik mag net zoveel kreunen als ik wil,' zegt hij. 'De gevangenis is niks voor jou, hè, vader?'

Vader? Wat heeft die kerel?

'Klerewijf, wat moet ze van me,' mompelt hij, en hij blijft mompelen. Ik luister verbaasd. De man is volslagen krankzinnig, en ik vind hem fascinerend. Ik hoor hem schuifelen en tegen me foeteren, alsof ik binnen een tijdsbestek van een paar seconden opeens een enorme last voor hem ben geworden. En wat zou er met Ali Reza zijn gebeurd? Is zijn verdwijning een bevestiging van mijn twijfels over hem? Of kan ik die twijfels maar beter de kop indrukken?

'Hé,' fluister ik. 'Ik weet niet wie je bent, maar ik ben er net zo slecht aan toe als jij, hoor. Kun je niet een beetje aardig doen? Ik zal niks meer tegen je zeggen, maar hou alsjeblieft op met kreunen, goed?'

'Waarom word jij verhoord? Heb je meegedaan aan protestdemonstraties? Ben je een communist?'

Hij lijkt niets te begrijpen van de regels van clandestiene communicatie. Hij schreeuwt alsof ik aan de overkant van de straat sta.

'Ik weet niet meer wie ik ben – misschien iemand als jij.'

'Ben je hier dan ook vanwege een cheque?' vraagt hij.

'Waar heb je het over? Een cheque? Wat voor cheque?'

'Gaat je niks aan,' zegt hij.

'God, ga alsjeblieft slapen. Goed? Je hebt gelijk. Het gaat me niks aan.'

Hij begint weer te kreunen. Het klinkt alsof hij iemands naam roept, maar ik versta het niet goed. Ik ben te moe om nog langer naar hem te luisteren. Ik kruip onder mijn deken op de grond en sluit mijn ogen.

'Leila! Zodra ik weer op vrije voeten ben, vermoord ik je!' roept hij.

Ik sluit me af voor zijn waanzin en val in slaap.

Wanneer ik wakker word, hoor ik de waanzinnige man tegen de deur van zijn cel schoppen en de politieke leiders van het land vervloeken – Khamenei, Rafsanjani, Khatami. Het lijkt wel alsof het persoonlijke vijanden van hem zijn in plaats van politieke tegenstanders. Een uitbarsting als deze kan maar op één manier eindigen, en ja hoor, binnen een minuut hoor ik de zware voetstappen van de bewakers in de gang boven en wordt de deur van zijn cel opengegooid, en dan begint het. Ik hoor het geluid van de klappen, de kreten van de waanzinnige man, het gegrom van de bewakers. Het is me niet duidelijk hoe ze hem slaan – misschien met knuppels, misschien met hun vuisten. Ik maak me zo klein mogelijk onder mijn deken en druk mijn handpalmen tegen mijn oren. Het helpt niet. De afstraffing gaat maar door. Als ik de waanzinnige man niet hoorde schreeuwen en hijgen, zou ik gedacht hebben dat hij al dood was. Gocie god, wist hij niet dat dit zou gebeuren?

Volgens mij verstrijkt er wel een halfuur zonder dat het

geluid van de slagen ook maar een seconde verstomt. Kun je zoiets overleven? Ik tril helemaal, als een kind dat gedwongen word naar een horrorfilm te kijken.

Eindelijk valt de celdeur boven me met een harde klap dicht. Een paar minuten hoor ik niets. Hij is vast dood, of in elk geval bewusteloos. Aarzelend fluister ik: 'Leef je nog?'

De waanzinnige man begint te kreunen, op precies dezelfde manier als voorheen. Hij geeft geen antwoord als ik mijn vraag herhaal.

'Leef je nog?' vraag ik nogmaals.

Ik voel een soort hysterie in me opkomen, alsof ik besmet ben met het gekreun van de waanzinnige man.

'Als je niet ophoudt, ga ik huilen!' roep ik.

De waanzinnige man houdt op. Maar zodra hij stil is, begin ik te brullen en dan kan ik niet meer ophouden. Ik tril als een riet, van angst en van verlangen naar de omhelzing van mijn vader. Ik huil tot ik niet meer kan.

Hoofdstuk 12

Ik zat in de vierde klas van de lagere school, de Reza Zadeh-school in Centrum-Zuid in Teheran, toen een verordening werd uitgevaardigd dat schoolkinderen geen witte kousen mochten dragen. Iran was bezig zich te herstellen van de barbaarse oorlog met Irak, en net zoals in de meeste landen die in staat van oorlog verkeren, waren het de machthebbers die bepaalden en definieerden wat wel en niet als vaderlandslievend gedrag gold. In feite kwamen de regels hierop neer: hoe minder je erover nadacht en hoe sneller je iedere nieuwe test van je loyaliteit accepteerde, hoe beter dat voor je was. Dit was trouwens niks nieuws; tijdens de Peloponnesische Oorlog ging het in Sparta precies zo toe. In feite gaat er onder zo'n patriottismetest een listige logica schuil: wie zich er niet aan wil onderwerpen, geeft zich bloot als dwarsligger, wat het de overheid gemakkelijk maakt met hem af te rekenen. Toen in Chili de junta aan de macht was, werden tieners die op gymschoenen liepen geassocieerd met politiek links, waardoor ze een doelwit werden voor de moordcommando's die in de straten van Santiago patrouilleerden. De gympjesregel was niet eens een officiële verordening, maar er werd van de mensen verwacht dat ze wisten dat de overheid het dragen van gympen als aanstootgevend beschouwde.

Onder de heerschappij van de moellahs had (en heeft) alles in Iran een politiek tintje, tot de kleuren van de regenboog aan toe. Dit was het thema van de prachtige Iraanse film *Gabeh* (Kleed) van Majlis Majlisi uit 1994. Het is niet te achterhalen wie van de leiders van het regime op het idee was gekomen dat schoolkinderen geen witte kousen meer mochten dragen, maar op een ochtend werd door ons schoolhoofd aangekondigd dat kinderen die met witte kousen naar school kwamen, spotten met het bloed van de martelaren die hun leven hadden opgeofferd in de strijd tegen de Irakezen. Niet dat wit in de Iraanse cultuur werd beschouwd als een vrolijke kleur. Wit staat alles bij elkaar genomen in mijn cultuur voor hetzelfde als voor andere volkeren: zuiverheid, reinheid, maagdelijkheid. Ik neem dus aan dat de religieuze wetgevers eenvoudigweg van mening waren dat zwart de enige kleur was waarmee de nagedachtenis aan de martelaren van de oorlog naar behoren in stand kon worden gehouden. In hun ogen (al kan ik hier natuurlijk alleen maar naar raden) stond wit nu gelijk aan roze.

Toen de afkondiging werd gedaan in de aula van de school keken alle kinderen die toevallig witte kousen droegen – en ook zij die het niet zeker wisten – naar hun voeten. Verschrikte kreetjes klonken op. Wie witte kousen aan had, werd met afgrijzen vervuld. We pleegden heiligschennis! We beledigden de jonge mannen die bloedend op de slagvelden hadden gelegen! Maar we wisten dat dit helemaal niet onze bedoeling was geweest. Op angstige toon zeiden we tegen de onderwijzeressen die toezicht op ons hielden: 'Ik wist het niet, juf! Ik kan er niks aan doen, juf!'

De hysterie was voelbaar. Geen enkel kind op mijn school had de 'martelaren' ooit met opzet beledigd; zoiets zou helemaal nooit in ons hoofd opkomen. En toch stonden we nu met bonkend hart te trillen van angst omdat we plotseling op de een of andere manier, wegens een intrige van de duivel zelf, de indruk wekten onpatriottisch, ondeugdzaam en on-Iraans te zijn. Het hoofd van de school moest snel ingrijpen. Zij gaf ons de verzekering dat de verordening van kracht was vanaf het moment dat ze was afgekondigd, wat voor ons een enorme opluchting was, omdat het in Iran niet ondenkbaar was dat een proeve van patriottisme met terugwerkende kracht werd ingevoerd.

Toen we die dag thuiskwamen, vertelden we onze ouders over de witte-kousenregel. De reacties van de ouders zullen overal verschillend zijn geweest. Bij mij thuis trok men een minachtend gezicht. Mijn vader vond het uiteraard waanzin. Hij was – en is nog steeds – een goede moslim, maar kan het niet hebben dat er allerlei irrationele principes aan zijn godsdienst worden toegeschreven, zoals de witte-kousenregel. Voor hem is de islam de grote troost van het volk, niet een kwetsende lawine van zinloze regeltjes. Mijn moeder nam het nieuws voor kennisgeving aan en zorgde ervoor dat ik iedere dag met degelijke, patriottische, zwarte kousen naar school ging.

Je zou denken dat de angst die op de dag van de afkondiging als een stormwind door de aula was gegaan, ervoor had gezorgd dat geen enkel kind ooit nog met witte kousen aan naar school zou komen, maar zoals vaak het geval is met dergelijke dingen, ging het hier en daar nog wel eens mis. Misschien vergat de moeder het, misschien begonnen kinderen zich na een paar weken af te vragen of de regel wel echt was afgekondigd of dat ze het alleen maar gedroomd hadden. De school vatte de regel echter heel serieus op en overtreders werden zwaar gestraft. Soms was het vonnis een lijfstraf (stokslagen, net als op Engelse kostscholen wanneer een jongen een vergelijkbare overtreding had begaan), maar de straf die iedereen het meest vreesde, was in het openbaar te schande gemaakt te worden. De overtreders kregen dan te horen dat ze 'in het hiernamaals rekening en verantwoording zouden moeten afleggen aan onze martelaren' – wat zeer zwaar op je geweten drukte.

In de directe nasleep van de verordening begon ik me heel voorzichtig af te vragen of de martelaren zich wel echt beledigd voelden door witte kousen. Ze waren immers in de hemel. Zouden ze nu werkelijk alle verrukkelijke activiteiten negeren die ze in de hemel tot hun beschikking hadden, om te treuren over de vergissing van een schoolkind? Mijn twijfels raakten echter snel op de achtergrond. Ik wilde net als alle kinderen op school, méér dan zij zelfs, laten zien dat ik in staat was alle regels tot in de puntjes op te volgen. Ik was een heilig boontje. Misschien wel het grootste heilig boontje op de Reza Zadeh-school, en ik wilde dat iedereen zou weten dat geen van de andere kinderen, zelfs niet op hun allerbeste dagen, aan mijn voorbeeldige gedrag kon tippen.

Gedurende 'de tien dagen van de dageraad', het feest ter herdenking van de periode tussen de terugkeer van Ruhallah Khomeini naar Iran in 1979 en het ontstaan van de Islamitische Republiek, moest elke klas een programma samenstellen ter ere van de Vader van de Natie en zijn roemrijke daden. We zongen dan revolutionaire liedjes, voerden toneelstukjes op vol lof voor het regime, en schreven verhaaltjes waarin de zonden van de heerschappij van Pahlavi werden beschreven. We wisten het zelf niet, maar we maakten deel uit van een groep kinderen wereldwijd die lofliederen zongen ter ere van zelfverklaarde messiassen, de Stars and Stripes, een schitterende veldslag, een glorieuze revolutie. Alle kinderen van deze groep hadden ook een schurk om uit te jouwen, een Goldstein om in het openbaar te verbranden.

De offergaven van de afzonderlijke klassen werden 's ochtends gepresenteerd, voordat de lessen begonnen, en dat gebeurde altijd op het schoolplein. De ayatollah was in de maand februari naar Iran teruggekeerd, dus werden de stukjes opgevoerd in de kou en nattigheid van die wintermaand. We klaagden niet openlijk, maar iedereen vond het diep in zijn hart jammer dat de Vader van de Natie niet nog een maand of twee had gewacht alvorens naar zijn land terug te keren.

De triomf van de Islamitische Revolutie zei mij en alle kinderen die ik kende niet zo veel. (Een paar eerzame uitzonderingen daargelaten.) Het feest van 'de tien dagen van de dageraad' bood me echter een prachtige kans om te laten zien hoe pienter ik was en hoe gehoorzaam. Zo schreef ik stukjes waarin ik de Pahlavi's ervan langs gaf, ook al zou mijn vader dat nooit hebben goedgekeurd, omdat hij een beetje sentimenteel bleef over de sjah. Dat was ook de reden waarom ik hem die stukjes niet liet lezen.

Tegen de tijd dat ik naar de middelbare school zou gaan, was ik nog steeds druk bezig te laten zien hoe pienter ik was en schouderklopjes in ontvangst te nemen; al die tijd echter had het zaadje dat door de witte-kousenverordening in mijn geest was geplant op een fijnzinnige manier wortel geschoten. Gevoel voor rechtvaardigheid heeft altijd baat bij een gezond gevoel voor wat belachelijk is. Daar begreep ik nog niets van toen ik tien was, maar op mijn veertiende zag ik het bespottelijke ervan in. Om te ontsnappen aan de loodzware sfeer wanneer we plechtig moesten luisteren naar allerlei onzin, fluisterden mijn vriendinnen en ik elkaar mopjes toe die we zelf ontzettend grappig vonden. Is het niet eigenaardig en tegelijkertijd geweldig dat mensen in landen over de hele wereld die verplicht worden aan emmers vol mest te ruiken en te zeggen dat ze dat een genot voor hun reukorgaan vinden, evengoed de wens behouden hardop de waarheid te zeggen? Dit schijnt vooral zo te zijn geweest achter het IJzeren Gordijn gedurende de jaren van de Russische hegemonie, en het gold ook voor Iran. Als tieners staken we de draak met de mensen die overdreven religieus waren – niet met degenen die oprecht vroom waren, maar met hen die het waren uit politiek oogpunt. Wat is het een genot te lachen om wat lachwekkend is, belachelijk te maken wat belachelijk is! Daarmee kun je je eigenwaarde behouden wanneer alle andere vormen van verweer verboden zijn. Uiteraard moet je niet je leven lang alleen maar politieke rigiditeit op de hak nemen; dat zou slecht zijn voor je ziel. Maar soms redt het je van het verderf van de voorgeschreven gedachtegang.

Angst verzwakt je innerlijke overtuiging, dat is duidelijk; de prijs voor zeggen wat je denkt is vaak te hoog. Maar een andere vijand van de innerlijke overtuiging is het ego. In de tijd dat ik de politieke vroomheid van het regime belachelijk maakte, trok ik in Teheran van school naar school om met mijn klasgenoten een toneelstuk op te voeren dat ik had geschreven ter ere van de Islamitische Revolutie – een uitmuntend voorbeeld van Sartreaans bedrog. De meest conventionele van onze docenten vonden het een schitterend stuk, omdat het bol stond van veroordelingen aan het adres van de Pahlavi's en aansporingen voor 'het volk' om de leiders van de staat in hun hart te sluiten en op te nemen in hun gebeden. Het was een heerlijke ervaring om van de ene naar de andere school te trekken en overal te worden overladen met loftuitingen en applaus. Het kostte me geen enkele moeite mijn hypocriete gedrag goed te praten. Als ik kon luisteren naar applaus en prachtige cijfers kon krijgen voor het produceren van volslagen onzin, wilde dat dan niet zeggen dat ik het regime op een bijzonder intelligente manier ondermijnde? At ik dan niet slim van twee walletjes? Dat was het argument dat ik aanvoerde bij mijn ouders; vooral bij mijn vader. Ik was toen zestien, oud genoeg om dergelijke rationaliseringen te kunnen verzinnen, maar ook oud genoeg om te accepteren dat de redeneringen niet veel verschilden van de rationaliseringen die het gehate regime zelf gebruikte. Ik had mijn innerlijke overtuigingen zelfs helemaal kunnen wegredeneren als ik niet zo'n goed voorbeeld had gehad aan een paar van mijn docenten, in het bijzonder mevrouw Azimi.

Mevrouw Azimi was geen onruststookster, maar op haar eigen, kalme manier slaagde ze wellicht beter in het weerleggen van de leugens en de piëteit van het regime dan alle rebellen bij elkaar. Ze doceerde geschiedenis. Dat is een taak die zelfs in een democratie met beproefde wetten en gevestigde pluralistische tradities doorweven is met moeilijkheden voor wie een oprechte, intellectuele nieuwsgierigheid bezit en de waarheid wil weten. Geschiedenis doceren in de Islamitische Republiek was nog veel moeilijker. Net zoals kinderen op de lagere en middelbare school in Japan tegenwoordig een versie van de rol van hun land in de Tweede Wereldoorlog krijgen voorgeschoteld waarin gênante en storende gebeurtenissen zijn verbloemd (de verkrachtingen in Nanking in China, bijvoorbeeld, en de moord op honderdduizenden Chinese en Koreaanse burgers), bevatten de schoolboeken van de Islamitische Republiek een weergave van de geschiedenis van Iran die de versie van het regime onderschrijft zonder verwijzing naar feiten, of in elk geval zonder een onpartijdig overeengekomen beschrijving ervan.

Mevrouw Azimi was niet van plan met lans en zwaard voor de waarheid te vechten, maar wanneer de gelegenheid zich voordeed, gebruikte ze andere wapens om de objectiviteit in ere te houden: ze gaf kleine zetjes, kleine duwtjes. Ze nam dergelijke risico's alleen wanneer ze daardoor werd aangemoedigd door de nieuwsgierigheid van de leerling. Ik was nieuwsgierig, evenals een aantal van mijn klasgenoten. Stukje bij beetje tilde ze een sluier op en liet ze ons een tweede, onofficieel drama zien om dat te kunnen vergelijken met het officiële. Dat was opwindend. Ik stelde vragen; ik kreeg antwoorden. De antwoorden waren niet afkomstig van mevrouw Azimi zelf; daarvoor was ze veel te behoedzaam. In plaats daarvan stond ze me toe boeken te lenen die vóór de revolutie waren gedrukt, boeken die moeilijk te krijgen waren, boeken waarin ik de antwoorden zelf kon vinden. Ik weet natuurlijk wel dat er vaak geen onbetwistbare 'antwoorden' zijn wanneer het bij geschiedenis gaat om vragen als wie wat, wanneer, waar en waarom heeft gedaan. Maar het is mogelijk je meer aangetrokken te voelen tot interpretaties van de gebeurtenissen die blijk geven van een uitvoerig uitgewerkte gedachtegang.

Ik kan niet zeggen dat ik de boeken van mevrouw Azimi met een volkomen open en objectieve geest las, maar ik legde me in elk geval niet op de taak toe met de obsessie van een ideologe. Het besef begon te dagen dat de kans groot was dat ik me zou scharen achter opvattingen die in tegenspraak waren met wat er in de schoolboeken stond, en ik wist dat ik moest oppassen niet de ene kortzichtige kijk op de geschiedenis van mijn land te vervangen voor een andere. Ik zal nooit beweren dat ik een gave bezat waardoor ik wist wanneer ik de waarheid las, maar zoals veel leerlingen die zich serieus in de geschiedenis verdiepen, kon ik wel onderscheiden welke van de vertolkingen van de gebeurtenissen betrouwbaarder waren dan andere. In de leerboeken van school was geen tijd of ruimte gelaten voor beschouwingen; alle verklaringen waren categorisch. In de boeken van mevrouw Azimi stelden de auteurs de lezers in de gelegenheid het met hen oneens te zijn. Het was een verademing *bewijsmateriaal* te zien ter ondersteuning van een standpunt. Bewijsmateriaal! Wat een prachtig concept! Ook verkwikkend was te ontdekken hoe beweringen die naar eigenbelang riekten, aan de kaak werden gesteld. Deze auteurs gingen er zonder meer van uit dat verklaringen van mensen die er baat bij hadden te worden geloofd, aan nadere inspectie moesten worden onderworpen. Het was alsof de auteurs tegen me zeiden: 'Laat je hersens werken; denk na over wat je over het leven weet; wees sceptisch; erken dat de meeste mensen liegen als ze er voordeel bij hebben; neem de tijd om zelf tot conclusies te komen'.

Wat me steeds weer opviel wanneer ik verslagen van historische gebeurtenissen vergeleek, was de grote bekrompenheid en vijandigheid in de versies die in de schoolboeken stonden. Een voorbeeld was het bekende verhaal van het politieke conflict in Iran in het begin van de jaren vijftig, toen de toenmalige premier, dr. Mohammed Mossadeq, de Iraanse olie-industrie nationaliseerde. Men had veel bewondering voor Mossadeq, ook na de Islamitische Revolutie, omdat hij de buitenlandse oliemaatschappijen had getrotseerd, in het bijzonder British Petroleum. Het respect voor hem was zelfs zó groot dat de datum van de nationalisering elk jaar werd gevierd met een landelijke vrije dag, zelfs onder Pahlavi (die geen vriend van Mossadeq was en de olie-industrie weer denationaliseerde zodra hij daar de kans toe zag). Ik groeide op met maar liefst drie versies van deze gebeurtenis: de versie die door het grote publiek werd geloofd; de versie die tijdens de regering van Pahlavi was goedgekeurd; en de versie die na 1979 werd gepromoot door het islamitische regime en op school werd onderwezen.

De publiekelijk aanvaarde versie was dat de sjah, in opdracht van de buitenlandse oliemaatschappijen die hem in 1941 op de troon hadden gezet nadat de geallieerden zijn As-gezinde vader in ballingschap gezonden hadden, met de CIA had samengespannen om zich van Mossadeq te ontdoen. In deze versie loste Pahlavi zijn schuld aan de Amerikanen af door Standard Oil een aandeel van veertig procent in de gedenationaliseerde olie-industrie te geven en de overige zestig procent terug te geven aan British Petroleum. De Pahlavi-versie (die werd geaccepteerd door mijn vader en, voor zover ik het kon beoordelen, door iedereen die achter het regime van de sjah stond) was dat Mossadeq de olie-industrie bijna had vernietigd door te handelen zonder rekening te houden met de economische realiteit, te weten dat het land afhankelijk was van de inkomsten uit de olie, en dat alleen de wijze inmenging van de sjah het land had behoed voor een faillissement. (In deze versie wordt erkend dat Mossadeq van zijn land hield, maar op een misleide manier.) De versie van het regime luidde dat Mossadeq een marionet was van de Britse oliebelangen en van plan was geweest de Iraanse olie-industrie voor honderd procent aan hen terug te geven, maar dat hem dat was belet door de door Pahlavi gesteunde CIA-coup van 1953. Een vierde versie – de versie die ik aantrof in de boeken van mevrouw Azimi – ondersteunde de versie die publiekelijk werd aanvaard, zij het met beperkingen en onder voorbehoud.

Wat me hogelijk verbaasde, was dat het regime het nodig had gevonden Mossadeq in diskrediet te brengen, hem de erkenning te onthouden die hem toekwam als vijand van de Pahlavi's en vriend van de staat. De Pahlavi's waren immers vijanden van zowel Mossadeq als de moellahs. Tegenwerking van de buitenlandse interesses was juist iets wat het regime bereid was toe te juichen. Als er iemand in het prerevolutionaire Iran was geweest die door het regime op handen gedragen had moeten worden, had dat dan niet Mossadeq moeten zijn? Blijkbaar niet. Als mensen op Nationaliseringsdag posters van Mossadeq ophingen, werden die door de spionnen van het regime weggehaald of beklad. Het regime had zó'n hekel aan Mossadeq dat het een bijzonder onwaarschijnlijke theorie verzon als uitleg waarom hij de olie-industrie eigenlijk had genationaliseerd.

Ik bleef piekeren en piekeren over de beweegredenen van het regime, en langzaam maar zeker, aangemoedigd door mevrouw Azimi, begon het me te dagen: het regime kon het zich niet veroorloven toe te geven dat een seculiere persoon het land een dienst had bewezen.

Toen ik de boeken van mevrouw Azimi las, kon ik nog niet weten dat de strategie die de machthebbers gebruikten om de geschiedenis op te tekenen zoals het hun het beste uitkwam, werd gebruikt door despoten, tirannen, totalitaire regeringen en democratisch gekozen leiders over de hele wereld. Ik had *Darkness at Noon*, met de portrettering van de gedachtepolitie van de Sovjet-Unie, niet gelezen. Ik had de schijnprocessen in nazi-Duitsland niet bestudeerd. Ik had niet voldoende belangstelling gehad voor de Britse geschiedenis om de fictie aangaande Ierland te kunnen herkennen die de successieve Britse regeringen uit eigenbelang samenstelden. Ik begreep echter wel wat mevrouw Azimi bedoelde: dat voor machthebbers de waarheid inwisselbaar is.

Een abnormaal voordeel van een middelbareschoolopleiding in Iran is dat filosofie in de hoogste klassen een keuzevak was (en is). Docenten filosofie mogen kritisch gedachtegoed aanmoedigen, en de werken van grote denkers, van Aristoteles tot Sartre, blijven ongecensureerd. Deze vrijheid van denken wordt gedeeltelijk verklaard door de Perzische traditites en gedeeltelijk door de filosofie die de islam ondersteunt. Perzen hebben al sinds de dagen van het Perzische rijk onder Darius de Grote respect voor filosofie en filosofen, terwijl de islam van nature uitdagende gedachten niet onvriendelijk gezind is. Een bekwame islamitische geleerde zal manieren zoeken om het volledige oeuvre van ieder van de grote filosofen in te passen in het omvangrijke bouwwerk van zijn geloof. (Niet-moslims, vooral die in het Westen, zijn zich meestal niet bewust van de buitengewone soepelheid van de islam.)

Er was een derde verklaring voor de vrijheid die filosofiedocenten genoten: het regime was terecht van mening dat filosofie zonder hedendaagse voorbeelden ter illustratie of ondersteuning van haar beweringen onschadelijk was, en alle illustraties werden onderworpen aan een nauwkeurig onderzoek en embargo. Docenten mochten eindeloos praten over de ideeën van Artistoteles aangaande publieke deugdzaamheid, maar mochten uit de maatschappij waarin ze leefden geen voorbeelden halen om de les nader toe te lichten, voorbeelden als de erg on-Aristoteliaanse gril van het verbod op het dragen van witte kousen. Niettemin stelden de oefeningen in logica en analyse, alsmede de sceptische manier van denken waarop mijn filosofiedocenten aandrongen, mij en mijn medeleerlingen in staat onze eigen conclusies te trekken.

Later, op de universiteit, volgde mijn filosofiedocente, mevrouw Ebrahimi, een soortgelijke tactiek als die van mevrouw Azimi om ons niet in de problemen te brengen met de overheid. Ze moedigde ons aan te twijfelen en vragen te stellen, maar kon niet deelnemen aan debatten. Ze bracht een discussie op gang en zei dan dat ze het lokaal zou verlaten. Wanneer ze terugkwam, zei ze, verwachtte ze dat we allen op een ruime afstand van elkaar zouden zitten met een engelachtige uitdrukking op ons gezicht. Dan verdween ze en gingen we door met de discussie. Wanneer ze terugkwam, zaten we op een kluitje te redetwisten met alle hartstocht die negentienjarigen in dergelijke debatten aan de dag leggen. Bij de volgende les zei mevrouw Ebrahimi precies hetzelfde, en werden haar instructies opnieuw genegeerd. Als ik nu terugdenk aan al die geweldige docenten voel ik me diep geroerd door de behendigheid die ze aan de dag legden ten bate van de waarheid. Misschien is dit de manier waarop de waarheid (de waarheid voor zover wij die kennen tenminste) sinds mensenheugenis heeft kunnen overleven: door de behendigheid, gehaaidheid en bijzonder vindingrijke bravoure van mensen die bereid zijn te liegen alsof het gedrukt staat om onwaarheden te vernietigen.

Hoofdstuk 13

Hoewel ik het niet met zekerheid kan zeggen, heb ik het gevoel dat het ochtend is. Als ik verdwaasd in mijn cel zit, zoals vaak het geval is, weet ik me niet altijd te herinneren wanneer ik voor het laatst de oproep tot het gebed heb gehoord. Was het twaalf uur geleden? Was het tien minuten geleden? Zelfs de maaltijden zijn geen maatstaf, want ik krijg elke keer precies hetzelfde, ongeacht of het ochtend of avond is: olijven en brood, en soms een vreemde pastei waarin mogelijk vis of vlees zit.

Ik moet hebben geslapen, al kan ik het me niet herinneren. Ik ben me bewust van de bekende, trage terugkeer naar het bewustzijn die volgt op het wakker worden. Aanvankelijk dringt alleen tot me door hoe koud ik het heb en hoe ellendig ik me voel. Mijn hand gaat naar mijn hoofd om het restant van mijn haar aan te raken. Wanneer ik de stoppels voel, krijg ik tranen in mijn ogen en voel ik ook woede opkomen, maar dat duurt slechts kort; het ontbreekt me aan emotionele kracht om de woede in stand te houden.

De blinddoek wordt door de sleuf naar binnen gegooid.

Dat wil zeggen, dat ik word meegenomen; dat ze me weer gaan ondervragen. Ik kan niet verder vooruitdenken dan dit moment. Ik moet de blinddoek voor hebben voordat de bewaker de deur opent, anders word ik gestraft. Ik knoop de hoofddoek om mijn kale kop en doe de blinddoek voor. Als het inderdaad ochtend is, is dit de eerste keer dat de ondervragingen zo vroeg beginnen. Ik vraag me af of dit een slecht voorteken is – niet dat er in deze gevangenis ook goede voortekenen zijn.

Angst en een gevoel van onpasselijkheid roeren zich in mijn binnenste, en tegen de tijd dat de deur opengaat, beef ik van paranoia. Zoals vaak mompel ik iets wat op een gebed lijkt, maar vreemd genoeg ook het tegenovergestelde van een gebed is: *Ze zijn tot alles in staat. Ze zijn tot alles in staat. Ze zijn tot alles in staat. Lieve God, ze zijn tot alles in staat...*

De bewaker grijpt mijn arm en trekt me de cel uit.

'Waar brengt u me naartoe?' vraag ik, hoewel dat een domme vraag is; de bewaker zal me niets vertellen, en waar anders zou hij me naartoe brengen dan naar de verhoorkamer? Ik denk dat ik hem eigenlijk probeer te vragen of me soms iets nog ergers te wachten staat. Voor mijn studie Spaans heb ik gelezen over republikeinse gevangenen die in een soortgelijke situatie als de mijne hadden gezeten en later vertelden hoe belangrijk het was te weten of ze werden meegenomen om geëxecuteerd te worden. Die wetenschap zou geen enkel verschil maken, maar was evengoed heel belangrijk. Zo is het voor mij ook. Als ze van plan zijn me de kogel te geven, wil ik dat een paar minuten van tevoren weten. Ik wil afscheid nemen van mijn ouders. Waarom is dat zo? Mijn ouders zullen nooit te weten komen wat er van me is geworden als ik word doodgeschoten. Het zal hun niet verteld worden. Ze zullen er nooit achter komen of ik liefhebbende woorden tot hen heb gericht. Net als bij een huwelijk, een begrafenis, je eenentwintigste verjaardag, heeft de mens behoefte aan een ritueel om de allerbelangrijkste gebeurtenis, het laatste vaarwel, te markeren.

De bewaker duwt me voor zich uit door de gang.

'Mond dicht,' zegt hij.

Abrupt blijf ik staan. Roerloos sta ik daar, naar ik vermoed nog steeds in de gang. Mijn benen weigeren dienst. Op de een of andere manier vertellen mijn zintuigen me dat we niet de gebruikelijke route volgen naar de verhoorkamer. De bewaker geeft me een duwtje, maar ik blijf staan. Vanwege een dierlijk instinct ben ik als verlamd.

'Doorlopen!' gromt hij.

'Waar brengt u me naartoe? *Waar naartoe?*'

'Naar een gezellig café,' zegt hij, en hij lacht gnuivend.

Het gevoel van onpasselijkheid wordt groter en verspreidt zich door mijn maag en borst.

'*Alstublieft!* Waar brengt u me naartoe?'

Hij geeft geen antwoord. Weer krijg ik een duw in mijn rug.

Ik zeg tegen mezelf: Verroer je niet, Zarah, verroer je niet! Maar de bewaker geeft nu een harde klap op mijn schouder en mijn benen reageren instinctief om verdere pijn te vermijden. Als ik weiger door te lopen, geeft hij me ervan langs; dat heeft hij al eerder gedaan. Tegelijkertijd vloeit alle kracht weg uit mijn ledematen. Tegenstrijdige instincten vechten om het recht controle uit te oefenen over mijn lichaam. De bewaker sleept me nu half mee.

Mijn voeten proberen het tempo van mijn lichaam bij te houden.

We stoppen. Ik hoor dat de bewaker een deur opendoet. Hij duwt me naar voren, ik vermoed een cel in, ergens in deze gevangenisstad. Hij laat me plaatsnemen op een stoel, draait mijn armen naar achteren en begint mijn polsen aan elkaar te binden. Hetzelfde dwaze instinct dat me in de gang dwong te blijven staan, dwingt me nu tegen de touwen om mijn polsen te vechten, maar de bewaker heeft geen enkele moeite met mijn gekronkel. Hij is veel sterker dan ik. Ik voel me als een dwerg die probeert zich tegen een reus te verzetten.

Ik hoor de voetstappen van de bewaker die wegloopt, en hoor de deur achter hem dichtgaan. Ik blijf doodstil zitten wachten op wat er gaat gebeuren en beeld me eerst het allerergste in (verkrachting), daarna dingen die minder verschrikkelijk zijn (een pak slaag, een marteling). Ik besef dat mijn geest probeert me erop voor te bereiden. Mijn geest kan daar niets aan doen. Aangezien mijn lichamelijke kracht te onbeduidend is om me te kunnen helpen, kan alleen mijn geest dat doen. Maar in welk opzicht ben ik ermee geholpen als ik me die dingen inbeeld? Waarom zouden ze dan gemakkelijker te verdragen zijn?

Er gebeurt niets. Het is doodstil in de kamer.

Ik probeer me te bewegen, maar dat is niet mogelijk. De stoel is aan de vloer vastgeklonken.

Lieve god, wat zijn ze van plan?

Het enige geluid dat ik hoor, is het snelle hijgen van mijn ademhaling.

Ik denk niet dat ik net zo bang zou zijn geweest als ze me naar de gebruikelijke kamer hadden gebracht, als ik was ondervraagd door een van de ondervragers aan wie ik gewend ben. Het is idioot, maar ik begin te verlangen naar de kamer waaraan ik gewend ben, naar de mishandelingen waaraan ik gewend ben, naar de stinkende adem van de dikke man die ik ken en van wie ik walg. Zonder dat ik het besefte, hebben mijn lichaam en geest zich voorbereid op wat ik kon verwachten. Dat er nu iets onverwachts is gebeurd, brengt veel verwarring in die voorbereidingen.

Ik wacht af. Ik spits mijn oren om elk nieuw geluid meteen te kunnen opvangen. Ik beweeg mijn spieren voor zover het mogelijk is om het begin van de pijn tegen te gaan. Alleen maar zitten kan op den duur bijzonder pijnlijk worden.

Hoelang zit ik nu al vastgebonden aan deze stoel? Toch zeker een uur. De geest, ieders geest, houdt nietsdoen niet erg lang vol. Mijn geest in elk geval niet. Ik probeer te bidden, maar praten met God is nutteloos wanneer je geest concrete dingen eist. Ik snuffel aan de lucht, ruik de muffe stank van natte vloerbedekking die ligt te rotten. Hebben ze me in een of andere voorraadkamer gezet? Hebben ze deze kamer gekozen vanwege deze specifieke stank – de stank die je verwacht in graftomben? Dat zou het gevoel voor humor van de schoften die over deze gevangenis heersen vast aanspreken.

Mijn handen raken langzaamaan verdoofd vanwege de touwen rond mijn polsen. Ik open en sluit mijn vingers voor zover dat mogelijk is. Nu word ik me bewust van andere pijnplekken over mijn hele lichaam. Ik wil mijn schouders laten rollen, mijn achterste optillen van de zitting van de stoel, mijn benen strekken. En hoe moet het als ik moet plassen?

De onbeweeglijkheid heeft hetzelfde effect op mijn hersenen als het krassen van nagels op een schoolbord. Zouden er inmiddels twee uur zijn verstreken? Vast wel. Ik ga er maar van uit, want zo lang moet het wel zijn. Dat moet. Misschien nog langer. Misschien onderschat ik de boel. Het kan ook drie uur zijn. Misschien is drie uur het uiterste. Misschien komt de ondervrager na drie uur. Misschien geeft hij me dan een klap in mijn gezicht. Hij doet maar. Hij mag doen wat hij wil. Voor mijn part blaast hij zijn smerige adem regelrecht in mijn neusgaten. Hij mag me uitvloeken, me een hoer noemen, een teef, een verraadster, of wat hij maar wil. Ik zal zeggen: 'Ja, ik ben een hoer, de ergste hoer die je je kunt voorstellen, de ergste teef, de ergste verraadster! Ja, ja, ja!'

Ik ben nu niet bang meer. Verveling heeft mijn angst uitgehold. Ik denk aan mensen die lange tijd in eenzame opsluiting hebben gezeten – zelfs maanden of jaren. Wat voor soort geest hebben die mensen, als ze de moorddadige verveling hebben weten te doorstaan? Ze moeten buitengewone karaktertrekken en een bijzonder sterke innerlijke overtuiging bezitten. Die van mij stellen niet veel voor. Waarom beseffen de ondervragers dat niet, dat mijn karakter niks voorstelt? Waarom geven ze me niet gewoon een zodanig pak slaag dat mijn geest definitief wordt gebroken en ik alles zal doen wat ze willen? Dat zal ik namelijk doen. Dat weet ik. Ik weet dat ik niet de moed van martelaren bezit. Ik zou hun het liefst toeroepen: 'Stommelingen! Ik ben maar een meisje! Als jullie willen, kunnen jullie me gemakkelijk verpulveren! Probeer het toch gewoon!'

Nu begint, aanvankelijk heel traag, een vermoeden in

mijn geest te groeien: ze zijn me vergeten. Ze kunnen zich niet herinneren waar ik ben. Misschien zijn ze op dit moment naar me op zoek. De ene bewaker zegt tegen de andere: 'Die domme trut, die Zarah, hoe heet ze ook alweer, waar heb je haar naartoe gebracht?'

'Is hier iemand?' fluister ik.

Er komt geen antwoord. Ik vraag nogmaals: 'Is hier iemand?'

Mijn rug begint erg pijn te doen. Ik begin me kwaad te maken dat ze me zijn vergeten. Ik ben een gevangene! Ik heb er recht op dat er over me wordt gewaakt! Ook als ik geen enkel ander recht heb, heb ik er in elk geval recht op dat er over me wordt gewaakt!

Waar zouden ze zijn? Is er buiten de gevangenis iets onvoorstelbaars gebeurd waardoor alle bewakers en ondervragers zijn gevlucht? Een atoomoorlog of zo?

Het idee dat ze me zijn vergeten brengt de angst weer terug – de angst die door de verveling was verdrongen. Of, nee, dit is een nieuwe angst – de angst als irrelevant te worden beschouwd, volslagen onbelangrijk, de moeite van een marteling niet waard.

Mijn nek doet ondraaglijk pijn.

'Hé, is hier iemand? Om godswil, ik ben hier, ik zit hier nog!'

Ik durf het nog niet erg hard te roepen.

Ik probeer me te beheersen, mijn hersens erbij te houden. Ik zeg tegen mezelf: 'Je zit alleen maar een paar uur op een stoel. Zo erg is dat nou ook weer niet. Dat kan iedereen!'

Ik denk aan het toelatingsexamen van de universiteit, een jaar geleden. Het examen duurde úren. Vreselijk was het. Iedere spier in mijn lichaam deed pijn. Maar ik heb het overleefd. 'Blijf kalm, Zarah, domme Zarah,' zeg ik hardop tegen mezelf.

In plaats van aan kalmerende dingen te denken, begin ik bittere verwijten te fluisteren aan het adres van de onzichtbare ondervragers. 'Wat voor ondervragers zijn jullie eigenlijk? Geen slagen, geen martelingen. Jullie laten me alleen maar op deze stoel zitten. Wat zijn jullie slecht in je werk! Zo'n simpele baan, waarschijnlijk de enige baan die jullie kunnen krijgen, en nog doen jullie het niet goed.'

Ik herhaal deze verwijten keer op keer, voeg er elke keer meer details aan toe. Ik weet dat ik tegen waanzin aan zit, maar kan er niet mee ophouden. Opeens begin ik luidkeels te roepen, voel ik de woede, angst en walging als een stortvloed uit me stromen: 'Ik ben hier, stomme kaffer! Jij daar, ik weet niet hoe je heet, maar ik zit hier! Waarom kom je niet binnen? Ik kan je van alles vertellen! Je weet niet half wat ik allemaal heb gedaan! De afgrijselijkste dingen! Kom hier, stomme kaffer!'

De deur gaat onmiddellijk open. Ik ervaar een waanzinnige vreugde. Ik heb iets teweeggebracht! Maar voordat ik begrijp wat het betekent, wordt een stuk tape op mijn mond geplakt. Vingers strijken de tape glad, van de ene tot aan de andere kant van mijn onderkaak. Dan valt de deur met een harde klap weer dicht.

Mijn oren vullen zich met het geluid van mijn ademhaling die fluitend door mijn neus gaat. Ik voel mijn borst rijzen en dalen bij mijn verwoede pogingen voldoende lucht binnen te krijgen om in leven te blijven. Als je er gewoon ontspannen bij zit, is ademhalen door je neus geen enkel probleem, maar als je de mogelijkheid wordt ontnomen door je mond adem te halen wanneer je in een staat van opgewonden angst verkeert, is dat een traumatische ervaring. Vele minuten verstrijken voordat ik mijn ademhaling weer onder controle heb. Tranen van frustratie maken mijn ogen nat onder de blinddoek. Heel goed van je, Zarah! Je kunt niets zien, je kunt je niet bewegen, en nu heb je ook nog een manier gevonden om je letterlijk de mond te laten snoeren en is ademen tien keer zo moeilijk geworden. En nog iets, dom wicht dat je bent: wanneer ze die tape er straks aftrekken, zal het vlees van je lippen meekomen! Stomme kaffer die je bent!

Ik ben nu verschrikkelijk moe. De pijn heeft zich door mijn hele lichaam verspreid. Iedere spier, en het zijn er honderden, smeken om genade. Nog kwellender dan de pijn in mijn spieren is de stilte. Ik probeer een geluid te maken door met mijn voet op de vloer te tikken, maar dat levert niets op. Tenzij de vloer is gemaakt van materiaal dat geluid dempt, heb ik niet voldoende kracht in mijn enkels om hard genoeg te tikken. Ik probeer het nog een keer. Ik begin nu wanhopig te worden. Een geluid zou het equivalent zijn van een enorme dosis van een pijnstillend middel. Maar ik kan geen enkel geluid produceren – helemaal niets. Mijn tranen vormen plasjes in mijn ogen.

Ik kan onmogelijk nog beoordelen hoelang ik hier nu al zit. Het lijkt wel alsof stukjes van mijn hersenen en lichaam vervagen. Ik voel de lacunes.

Opeens besef ik dat ik honger heb, en nu wordt de honger mijn grootste kwelgeest. Het lijkt zo lang geleden dat ik voedsel in mijn mond heb gehad. Wanneer ik denk aan de smaak van voedsel draait mijn maag zich om, om redenen die ik niet vat. Verlang ik zó naar voedsel dat ik er misselijk van word? Ik probeer de opwelling om te braken terug te dringen, maar die wordt steeds sterker tot ik er niet meer tegen kan vechten. Mijn mond vult zich met braaksel, maar ik kan het niet uitspugen. Ik kan nu bijna niet meer ademhalen. Ik probeer het braaksel weer in te slikken, maar het komt steeds weer terug. Ik probeer het braaksel via mijn neus uit te stoten, en mijn hele hoofd vult zich met stank. Ik probeer het nogmaals, maar het is hopeloos.

Ik ben wakker, zit nog steeds op de stoel. Ik ben drijfnat en bibber van de kou.

Ze hebben zeker een emmer water over me uitgestort. Ik moet zijn flauwgevallen. Ik voel waterdruppels over mijn rug glijden.

Naarmate de tijd verstrijkt hoop ik alleen nog maar op het einde hiervan. Ik bedoel niet de dood – alleen maar een einde van wat mijn lichaam, zowel de buitenkant als de binnenkant als hetgeen er in mijn hersenen zit, moet doorstaan. Ik houd me uit alle macht vast aan de wetenschap dat aan alles een einde komt. Ik weet nu dat ze me niet zijn vergeten. Ik weet nu dat wat ik aanzag voor nalatigheid in feite een martelmethode is. Dit is het enige wat ze vandaag voor me in petto hebben: de zitten-en-niks-doen-marteling. Er zal een einde aan komen. Ik weet zeker dat ze niet van plan zijn me hier te laten zitten tot ik doodga van de honger, van de dorst of van uitputting. Misschien is het een experiment. Misschien sluiten ze weddenschappen af over hoelang het zal duren voordat ik weer van mijn stokje ga. Dat zou passen bij hun mentaliteit. Het zijn beulen, maar ze willen zo veel mogelijk plezier aan hun werk beleven.

Ik heb zó'n pijn dat ik kreun, maar ik schrik van de kreun die uit mijn lichaam komt. Het is niet de volwassen, gekwelde kreun van een vrouw, maar die van een klein kind, bijna van een baby – een zwak, ijl geluid. In mijn eigen oren klink ik als iemand uit een griezelfilm; als de geestverschijning van een kind. Het klinkt bijzonder eng. Is dit alle kracht die ik nog overheb?

Tijd verstrijkt als tijd in het heelal. Tijd die maar doorgaat en niets betekent. Tijd die niet is af te lezen op een klok. Zwarte tijd.

Wat nu?

Ik word meegesleept. Ik voel vier handen, twee om iedere arm. Ik ben zeker weer van mijn stokje gegaan. Mijn lichaam wordt over een harde oppervlakte gesleept en dat voelt vreemd aan. Ik beweeg, maar ik doe dat niet zelf. Wat eigenaardig! De tape is verdwenen en mijn mond hangt open. Ik ruik braaksel, maar ook de zwaardere geur van bloed.

Het gesleep stopt. Ik hoor een celdeur opengaan. Is het mijn cel? Blijdschap vormt zich ergens diep in mijn lichaam. Ze stijgt op naar mijn borst. Dit zou mijn cel kunnen zijn. Misschien hebben ze me daar naartoe gesleept, naar mijn cel, mijn thuis. Wanneer ik nog een stukje verder word gesleept en dan word achtergelaten en de deur dichtvalt, weet ik het zeker. Ik voel me ongelooflijk blij.

Ik doe de blinddoek af en duw hem door het sleufje in de deur. Om weer te kunnen zien! Wat heerlijk, wat wonderbaarlijk! En er *was* een einde! Ik heb gewacht en het einde is gekomen! Lieve God, dank u voor het einde!

De eigenaardige man in de cel boven me houdt op met kreunen. 'Leef je nog?' vraagt hij.

'Ja,' antwoord ik met dat enge, lispelende, babyachtige stemmetje.

'Ze hebben je twaalf uur en negen minuten geleden meegenomen,' zegt hij, en dan begint hij te giechelen. Het giechelen duurt maar een minuut. Dan begint hij weer om Leila te kreunen.

'Ik ga je vermoorden, Leila! God is mijn getuige! Ik ga je vermoorden!'

Een blad met voedsel wordt onder de deur door geschoven. Ik ruik het vanaf de plek waar ik op mijn deken lig. Het blad staat maar een meter bij me vandaan, maar een meter is te ver. Ik kan me niet bewegen, en zo'n grote afstand kan ik onmogelijk overbruggen. Het is te ver, te ver. Maar de geur van het voedsel – doodgewoon voedsel, gevangenisvoedsel – is onweerstaanbaar. Ik dwing mijn lichaam dingen te doen die het niet wil doen; ik dwing spieren en botten me over de betonnen vloer te bewegen. Ik probeer de lepel te pakken, maar mijn handen zijn nog zo verdoofd dat ze de lepel laten vallen. Weer probeer ik de lepel vast te houden, maar weer lukt het niet. Mijn polsen en handen hebben een eigenaardige blauwe kleur, die niets heeft van de kleur van menselijk vlees. Ik kan me onmogelijk voorstellen dat mijn handen ooit weer een normale kleur zullen hebben. Uiterst geconcentreerd probeer ik nogmaals de lepel vast te houden en ditmaal lukt het. Ik schep het eten in mijn mond – afschuwelijk eten, muffe rijst met een saus die stinkt als een open vuilniscontainer. Maar de smaak! De hemelse smaak!

's Ochtends word ik wakker van het geluid van Azan, de Arabische oproep tot het ochtendgebed. Het eerste wat in mijn hoofd opkomt, is het beeld van zesjarige kinderen, veel kinderen, die tegenover me zitten in mijn oude klaslokaal van de lagere school. Ik zie mezelf ertussen zitten, ook al is dat niet mogelijk. En wat doe ik? Waarom sta ik zo nors en stuurs voor de klas? Ik ben nooit een nors kind geweest, dus wat is er met me aan de hand?

Ik keer in gedachten terug naar die tijd, span me in om het te begrijpen en dan, zonder enige waarschuwing, komt de herinnering boven. Ik had straf gekregen! Ik had gespot met de Azan, of preciezer gezegd, met de Arabische taal. Alle kinderen deden dat. We vonden het vreselijk dat we Arabisch moesten leren, moesten spreken, we vonden het onpatriottisch om de taal van de domme Arabieren te moeten gebruiken. Binnen ons zoroastrische huishouden had men niets dan minachting voor Arabisch, omdat het de taal was van het volk dat achthonderd jaar geleden over Perzië was uitgezwermd en de plaatselijke bevolking op de knieën had gedwongen. De weerzin tegen die invasie en onderwerping waren sindsdien van de ene op de andere generatie doorgegeven. En ik moet mijn afkeer extra luid hebben laten horen, want in deze herinnering word ik gedwongen de oproep tot het gebed zo hard te zingen als ik kan. Daar sta ik dus. Ik haat wat ik moet doen, maar ik doe het. Ik hef mijn hoofd op en zing luidkeels de Azan:

Kom, gelovigen,
Buig voor God en prijs Hem
Prijs de Schepper van de Aarde
Prijs de Vader van de Profeet
Kom, gelovigen
Buig voor God en prijs Hem

Ik ga zitten, wrijf met mijn vingers over de stoppels van mijn hoofd, krab aan mijn nek. Ik gebruik mijn vinger als pen om berichten aan mezelf te schrijven, of anders alleen mijn naam op mijn schedel te tekenen. Wat moet ik nu lelijk zijn! Wat zullen de mensen van me schrikken! Ja, de ondervrager wist precies wat hij deed toen hij me op deze manier lelijk maakte. Hij had gezien hoe ijdel ik was. Hij had gezien hoeveel van mijn eigenwaarde gelegen was in het feit dat ik me wilde blijven voordoen als een Perzische prinses uit een ver verleden. En wat denk ik nu? *Jullie mogen mijn schoonheid hebben, rotzakken! Het kan me niets schelen! Hier heb ik er toch niks aan om mooi te zijn. Niemand heeft er iets aan om mooi te zijn.* O, maar dat is onoprecht. Je hebt er heel veel aan. Maar niet in cruciale omstandigheden en niet wanneer het gaat om iets waarvan je had gedacht dat je er je hele leven op kon rekenen, zoals je ziel, en de invloed die je ziel op je heeft. God, wat wil ik mijn haar graag terug hebben!

Boven me zit de mysterieuze man weer te kreunen.

'Leila! Vuil kreng! Valse teef!'

'Hé!' roep ik naar hem. 'Was Leila mooi?'

Hij houdt op met kreunen. Hij denkt zeker na.

'Ja,' zegt hij. 'Maar ze was een snol.'

'Had ze lang haar?'

Ik hoor de mysterieuze man diep ademhalen.

'Ja. Lang, zwart haar. Maar ze was een snol.'

'Waar hebben jullie elkaar leren kennen?' Ik heb hem die vraag al vaker gesteld, meer dan eens, soms zomaar, soms omdat het me echt interesseert, soms om te zorgen dat hij zijn mond houdt. Hij zegt altijd: 'Dat gaat je niks aan!'

Ik wacht terwijl hij nadenkt over zijn antwoord. Hij neemt er de tijd voor.

'Dat gaat je niks aan!' roept hij dan.

Waarom doe ik eigenlijk moeite?

'Hé, vertel eens,' roep ik. 'Zit je hier echt vanwege geld? Vertel me de waarheid!'

Hij geeft geen antwoord. Weer begint hij de naam te kreunen van de vrouw die hij liefheeft en verafschuwt: de teef, de snol, Leila.

Dan niet, denk ik. Wat kan het me schelen? Maar eigenlijk zou ik graag meer willen weten over Leila.

Mijn hand gaat naar mijn schedel en mijn vingers zwerven door de stoppels. Ik schrijf mijn naam in hoofdletters op mijn hoofd, van de rand van mijn ene oor naar de rand van mijn andere oor. En dan weer, en weer:

ZARAH

ZARAH

ZARAH

Hoofdstuk 14

Mijn moedertaal is Farsi, de oude taal van Perzië en nog steeds de officiële taal van Iran. Ik dank God daarvoor. Als het een beetje had tegengezeten hadden mijn landgenoten en ik nu Arabisch gesproken en zou Farsi een dode taal zijn geworden, net als Latijn.

Ieder mens vindt dat zijn moedertaal de taal is die door de engelen in de hemel wordt gesproken. Zo hoort het ook. Maar Perzisch, Farsi, is nog meer dan andere talen echt de eerste keus van de engelen. Nu zijn mijn gevoelens aangaande mijn moedertaal uiteraard verstrengeld met het feit dat ik zoveel van mijn land houd. Farsi hóórt bij Perzen. Het is een uitvloeisel van de Perzische gevoeligheid. Ik heb al verteld over het Perzische karakter aangaande liefde en romantiek, maar ik heb het nog niet gehad over het beminnelijkste aspect van het Perzisch: het is de taal van leugenaars. Niet van koelbloedige leugenaars – dat bedoel ik niet; niet van leugenaars die taal gebruiken zoals een zakkenroller zijn vingers gebruikt. Nee, ik bedoel van de dromers; van degenen die zichzelf verhalen vertellen waarin ze geloven vanwege de schoonheid van het vertellen; van degenen die woorden gebruiken om rozen te laten bloeien in de woestijn waar de aarde door de zon zwart en rood is geblakerd.

Farsi is genadig voor de onhandige, hopeloze en hulpeloze medemensen onder ons; voor de dichters en de waanzinnigen. Het zit vol uitlopers die zich krullen rond alles wat ze kunnen bereiken, alles wat hun tijdelijk steun biedt. Het haalt zijn voedsel uit wortels die zich duizenden jaren lang diep in de grond hebben vertakt; wortels die de beenderen van Darius en zijn hofdichters omklemmen; die de stoffelijke resten omstrengelen van de danseressen die zwarte lijntjes rond hun ogen trokken, hun haar parfumeerden en hun huid lieten glanzen met behulp van geurige oliën. Het is niet de taal van praktisch ingestelde, nuchtere, moreel onbevreesde mensen. Kun je van een Pers een eenvoudig, kort antwoord krijgen? Nee, dat is niet mogelijk, want zodra een Pers naar zo'n antwoord gaat zoeken, wordt hij zich bewust van wel honderd fascinerende manieren om de bewuste vraag te beantwoorden, en voordat hij of zij er erg in heeft, is een eenvoudig 'ja' of 'nee' een avontuur geworden waarvoor duizend woorden nodig zijn.

Ik heb mijn liefde voor het Farsi te danken aan mijn docente Literatuur, mevrouw Mohammadi. Voordat ik haar leerde kennen, had ik mijn moedertaal niet als iets bijzonders beschouwd. Ik sprak het; ik gebruikte het om via lange omwegen van A naar B te komen. Maar de schoonheid ervan was voor me verborgen gebleven. Mevrouw Mohammadi had zich zó doordrenkt met de taal dat ze de kleur en de glans ervan uitstraalde. 'Luister,' zei ze, en ze begon voor te lezen uit *Golestan, De rozentuin*, een beroemde verzameling gedichten:

Ik herinner me uit mijn jonge jaren dat ik eens in een verliefde bui een bepaalde wijk was binnengegaan. Het was juli; de warmte droogde je mond uit, een hete wind deed het merg in je beenderen koken. Mijn menselijke zwakte was niet opgewassen regen de brandende middagzon en ik vluchtte in de schaduw van een muur. Ik keek uit naar iemand die de zomerhitte met wat koel water kon temperen, toen er plotseling een licht begon te schijnen vanuit de donkere portiek van een huis: een hemelse schoonheid doemde op die geen tong, hoe welsprekend ook, ooit zou kunnen beschrijven. Het was of de dag aanbrak in een duistere nacht, of uit het donker het levenswater opborrelde. De gestalte hield een beker in de hand met ijswater, dat vermengd was met suiker en aromaten. Ik kon niet uitmaken of het met rozenwater geurig was gemaakt, dan wel met een paar druppels uit de bloem van dit gezicht zelf. Kort en goed, ik nam de drank aan uit de lieftallige hand, dronk en kwam weer tot leven.

In het Farsi is het ontluiken van nieuwe liefde veel geprononceerder. Het is alsof Farsi daar speciaal voor gemaakt is, om het hart van de lezer voor eens en voor altijd te doordringen van het gevoel van koel water op een verdroogde tong, van liefde die de fragiele wortels bereikt die rond het hart zijn verweven en de poëzie en tederheid van het leven opnieuw opwekt.

Het was niet de bedoeling van mevrouw Mohammadi om het onderwijs in de Perzische literatuur te politiseren, maar het was onmogelijk de schoonheid, verfijndheid en genoeglijke loomheid van het Farsi te belichten zonder op de politiek terug te vallen. Arabische woorden zijn ongevraagd onze taal binnengedrongen, en iedere keer dat mevrouw Mohammadi een Arabisch woord tegenkwam dat een Perzisch woord had verdrongen, verving ze het door het Perzische woord. Dat was een politieke daad; een subversieve actie. Maar ze preekte nooit; ze zette het Arabisch nooit te kijk. Ze zei alleen: 'Met *dit* in plaats van *dat* komt het gedicht beter tot zijn recht'.

Langzaam maar zeker begon ik het te begrijpen. Je kunt Saadi's gedichten en prologen duizend keer lezen zonder er ooit door ontroerd te raken, want literatuur kan niet de vreugde creëren die je ervaart wanneer je schoonheid herkent; literatuur kan alleen cultiveren wat in je hart groeit. Een goede lerares als mevrouw Mohammadi kan die vreugde, als ze aanwezig is, wakker schudden, en dat is wat ze voor mij en mijn vriendinnen in haar klas deed. En toen het vlammetje van die vreugde eenmaal brandde, begon ze thema's te belichten om ons te helpen te begrijpen waarom we het zo opwindend vonden en wat met die opwinding gepaard ging.

Verteld wordt dat Noesjerwaan, de rechtvaardige, tijdens een jachtpartij een stuk wild had gebraden, maar er bleek geen zout te zijn. Hij zond een paleisslaaf naar het dorp om het te halen, maar zei erbij: 'Zorg ervoor dat je voor het zout betaalt, want anders ontstaat er een gewoonte die het dorp te gronde zal richten.' Toen iemand opmerkte dat zo'n beetje zout er toch niet toe deed, antwoordde Noesjerwaan: 'In het begin was de basis voor de onderdrukking in de wereld smal, maar zij is geworden tot wat ze nu is doordat iedereen er iets aan heeft toegevoegd.'

Mevrouw Mohammadi belichtte waar mogelijk bij Sa'adi, Hafiz en Rumi altijd het thema van recht en onrecht. Ook hierbij kwam ze nooit met preken, maar stelde ze ons in de gelegenheid in te zien dat de mooiste dingen die in onze taal over recht en onrecht zijn gezegd een scherp contrast vormen met de veel kleingeestiger dingen die over recht en onrecht worden gezegd door de moellahs, of in elk geval door de moellahs van het regime. Beledig je God als je witte kousen draagt? Beledig je God als je openlijk spreekt over de liefde die je in je hart voelt voor een medemens, een man, een jongen? Beledig je God als je de stralen van de zon over je haar laat spelen? En is het gerechtigheid die zegeviert als het meisje dat de zon op haar haren heeft laten schijnen in een donkere cel wordt gestopt en wordt mishandeld? Hoe dacht men dat Hafiz, Rumi en Sa'adi inspiratie hadden gekregen om prachtige poëzie te schrijven over het meisje wier haar aan het zonlicht werd blootgesteld? Wat zouden ze zeggen? 'Donkere wolken pakten zich samen aan de hemel en kikkers vielen als hagelstenen neer op de aarde toen de jonge schoonheid heur haar liet zien'?

Dit is de manier waarop hoogstaande literatuur haar meest ontwrichtende invloed uitoefent – door de lezer de kans te geven in te zien welke onderwerpen, welke ervaringen zich het beste lenen voor hoogstaand literair werk en in wiens gezelschap dichters die de taal meester zijn zich bevinden. Wanneer je de opwinding van literatuur eenmaal hebt gevoeld, kun je je onmogelijk voorstellen dat degenen die ze hebben geschapen plezier kunnen beleven aan onrechtvaardigheid, hun pen kunnen gebruiken om sonnetten te schrijven die hulde brengen aan schijnheiligheid. Wie heeft de superbe poëzie geschreven waarin de triomfen van het Derde Rijk worden toegejuicht? Wie zal de superbe poëzie schrijven die de censuurcode van de Raad van Bewakers van mijn land toejuicht? Hoewel het zonder meer waar is dat getalenteerde schrijvers in staat zijn in hun werk lelijke vooroordelen aan het licht te brengen, heeft ware literatuur het niet in zich om de ontaarding van het mensdom te onderschrijven, zelfs niet van een ras, een kaste of een klasse.

Vertel een vriend niet al je geheimen: hoe weet je of hij niet ooit je vijand zal worden? Doe een vijand niet alle kwaad aan waartoe je in staat bent: wie weet zal hij eens je vriend worden.

Mevrouw Mohammadi vertelde ons niet wat haar geheim was, maar liet dat door het geheim zelf, uit vrije wil, openbaren. Toen ze ons liet kennismaken met de werken van Omar Khayyam deed ze geen poging hem voor ons af te schilderen als een held, hoewel hij voor haar duidelijk een held was. Blootstelling aan zijn gedachtegoed was voldoende om van hem een held te maken.

Geniet dit leven, het is een kostbare roos,
bedwelmend geurend; nog een korte poos
en wij zijn stof, en onder stof bedolven;
geen wijn, geen lied, geen zanger – eindeloos.

Vier regels uit het totale oeuvre van de Perzische poëzie die erin slagen de filosofie van de moellahs volkomen te weerleggen. Geen wonder dat ze hem haten! Ik heb het niet over de aansporing om je verdriet met wijn weg te spoelen, maar de onderliggende boodschap – de smeekbede van de dichter om het leven niet te beschouwen als een rigide voorbereiding op het hiernamaals, op een leven na de dood, maar als een doel op zich. Of niet precies een doel, maar een periode waarin je in staat bent te zien, te ademen, te proeven, te beminnen, door middel van je zintuigen, ledematen en lippen, en dat het dwaasheid zou zijn dit alles te verzaken omdat je gelooft dat er nog grotere genoegens op zullen volgen. Khayyam is geen atheïst; integendeel, hij zegt gewoon dat de geest en de wegen van God ondoorgrondelijk zijn. We weten dat we zullen sterven, maar moeten we sterven zonder geleefd te hebben? Zonder genoten te hebben van het zonlicht, van de lucht? Zonder liefgehad te hebben?

Bijna elk kwatrijn van Omar Khayyam ondermijnt het dogma van de moellahs omdat zijn poëzie het werk is van een onderzoekende geest. Je kunt in Iran geen onderzoekende geest hebben en er openlijk over praten. Je kunt in tweederde van de landen op de wereld geen onderzoekende geest hebben. Het geschenk van mevrouw Mohammadi aan mij en mijn klasgenoten was dat ze ons liet zien wat ons prachtige Farsi had geproduceerd wanneer een onderzoekende geest ermee aan het werk was gegaan. Ze hoefde niets anders aan te tonen. Wat ze wilde zeggen was ons volkomen duidelijk wanneer we het klaslokaal verlieten, met ons haar (van de meisjes dan) zorgvuldig bedekt.

O vriend, ga mee opdat we om toekomstig verdriet
niet hoeven rouwen
O vriend, ga mee opdat we het meeste van ons korte
leven kunnen maken
Morgen, wanneer we allen deze oude tempel als dode
bijen zullen verlaten
Zijn we niet meer of minder dan duizenden anderen
die het leven moesten verzaken

Op een dag, toen mevrouw Mohammadi poëzie van Khay-yam voordroeg, wenste ik dat ik de tijd even kon laten stilstaan. Haar stem en de gloedvolle taal van Khayyam stuwden me met reuzenstappen naar voren. Ik wilde de tijd laten stilstaan opdat ik zelf iets zou kunnen schrijven, iets in de stijl van Khayyam, om het aan deze geliefde vrouw te laten zien en door haar geprezen te worden. (Ja, ik wilde altijd graag een stempeltje van de juf op mijn werk; olifantenstempeltjes, zoals ik die nu in Australië noem.) Die dag heb ik mevrouw Mohammadi niet laten zien wat ik had geschreven, maar later wel. Soms opende haar gezicht zich als een bloem tijdens het lezen; soms fronste ze; soms lachte ze zachtjes.

Ik vind mezelf meer een Perzische dan een Iraanse. Dat is geen haarkloverij. Perzië was er eerder dan Iran. De naam Iran dateert uit 1934, toen de Pahlavi's besloten Perzië te veranderen in Iran, wat Arisch betekent, om westerse machten te imponeren met onze zogeheten 'blanke' af-komst. Door mezelf te beschouwen als een Perzische kan ik de volledige geschiedenis van mijn land omarmen, hele-maal tot aan de bloeitijd van de Perzische gevoeligheid onder de vroege Perzische keizers Achemenes, Cyrus en Darius, 2500 jaar geleden. Gedurende de eerste 1500 jaar van het bestaan van Perzië was het zoroastrisme de officiële religie, en door de geschiedenis van Perzië te omarmen, omarm ik dus ook de wortels van mijn religie. Dit klinkt misschien quasi-mystiek of misschien zelfs sentimenteel, maar ik ben er oprecht van overtuigd dat je alleen ten volle kunt genieten van wat het betekent om in Iran geboren te zijn wanneer de volledige geschiedenis van Perzië in je bloed zit.

De oude taal van Perzië, het Farsi, geeft nog altijd uitdrukking aan het Perzië van het verleden, alsmede aan dat van het heden. De taal zit vol goudaders. Ik geloof niet dat de Arabische invasies in Perzië tussen 767 en 1050, en de vestiging van de islam in mijn oeroude land, de Perzische gevoeligheid heeft vernietigd; nee, tot aan de triomf van het fundamentalisme in Iran in 1979 leefde de spirituele schoonheid van de islam vreedzaam naast de schoonheid die de boventoon voerde tot aan de komst van de islam. Op school werd de geschiedenis van Perzië onvervormd onderwezen – anders dan in het postrevolutionaire Iran, waar de moellahs slechts minachting lijken te hebben voor de pre-islamitische era. En voor zover ik weet, afgaande op wat ik van docenten en van mijn vader en moeder heb gehoord, was er lang niet zoveel weerstand tegen de invoering van Arabische woorden in het Farsi in het tijdperk van de spirituele co-existentie.

Het kind dat ik ooit zal krijgen, het jongetje of het meisje, of de jongens en de meisjes (da's nog beter!) moeten Farsi spreken. Engels, ja; Frans, misschien; Italiaans, Spaans, misschien. Maar allereerst Farsi. Ik wil de mevrouw Mohammadi worden in het leven van mijn kinderen. Mijn kinderen moeten Sa'adi, Hafiz, Khayyam en Rumi lezen en uiteraard het werk van alle Iraanse schrijvers die nu leven. Daarna moeten ze de Code lezen van de Raad van de Bewakers. Ik wil van hen de vraag horen: 'Mama, waarom heeft de Raad van de Bewakers zo'n prachtige taal verkwist aan zulke onzin?'

Hoofdstuk 15

'Zit je hier echt vanwege een geldzaak?' vraag ik aan de waanzinnige man. Ik richt mijn stem naar het rooster. We zitten nu al een halfuur met tussenpozen te babbelen, maar ik blijf het vreemd vinden dat hij hier zit wegens diefstal of oplichting of het schrijven van ongedekte cheques, terwijl ik hier zit omdat ik op straat heb lopen schreeuwen. Ik heb een ordelijke inslag; ik krijg altijd een onprettig gevoel wanneer dingen niet kloppen, wanneer ze niet in de juiste categorieën zitten. Ik weet dat in de gevangenis ook moordenaars zitten en snap best dat in de ogen van de machthebbers moordenaars en politieke dissidenten allemaal criminelen zijn. Maar mensen als deze waanzinnige man die iets onwettelijks hebben gedaan met cheques? Nee, daar wil ik niet aan. De waanzinnige man hoort in een andere gevangenis thuis; een gevangenis voor mensen die overtredingen hebben begaan zonder hun stem te verheffen of hun vuisten te ballen.

Ik herhaal mijn vraag.

De waanzinnige man geeft geen antwoord.

'Hoe heet je? Ik mag je naam toch wel weten?'

Mijn nieuwsgierigheid naar de waanzinnige man heeft gedeeltelijk te maken met mijn pogingen in te schatten wat er van mijzelf zal worden. Wordt iedereen zoals hij als je hier maar lang genoeg zit? Begin je dag en nacht te kreunen en scheld je je geliefden uit voor alles wat mooi en lelijk is? Ben ik over een jaar of vijf de waanzinnige vrouw in de cel boven die van een nieuweling en scheld ook ik dan de bewakers uit om de deerniswekkende intimiteit van een pak slaag?

'Mijn naam is Sohrab,' zegt de waanzinnige man, en ik ben zo beduusd dat ik antwoord heb gekregen, dat ik hem verzoek te herhalen wat hij zei.

'Sohrab,' zegt hij zachtjes. Hij doet dat wel vaker, van volslagen krankzinnigheid in één keer omzwaaien naar rustig en hoffelijk gedrag. Ik weet dat ik dit moment meteen moet uitbuiten, dit moment dat hij helder is, voordat hij weer begint te kreunen.

'Sohrab. Hoelang zit je hier al, Sohrab? Hoelang?'

'Dat weet ik niet precies. Misschien zeven jaar, acht, misschien tien. Het is moeilijk bij te houden.'

Ik sputter van verbazing en Sohrab lacht. Niet zijn waanzinnige lach. Het is de meewarige lach van iemand die merkt welk effect zijn ervaringen hebben op een veel naïevere persoon.

'Tien jaar?' vraag ik hem, om te controleren of ik het wel goed heb gehoord.

'Tien misschien. Of misschien niet tien. Misschien zeven of acht. Ik weet het niet.'

Wat eigenaardig. Naarmate de waanzinnige man helderder wordt, redelijker, word ik juist gek. Omdat ik me niet kan voorstellen wat er van me over zal zijn als ik hier tien jaar moet blijven. Ik zal dan geen tanden meer hebben, omdat ik ze van wanhoop uit mijn mond zal rukken. Ik zal geen haar meer hebben, omdat ik het uit mijn hoofd zal trekken zodra het is aangegroeid.

'God, nee! Tien jaar!' jammer ik. 'Tien jaar!'

'Ssst!' zegt de gek. 'Niet schreeuwen. Als je schreeuwt komen ze je verkrachten. Ze hebben Miriam verkracht; die zat eerst in jouw cel. Ik heb het gehoord. Niet schreeuwen, dom kind!'

Maar ik kan niet ophouden. Die twee woorden – tien jaar – hebben de macht over mijn hersenen, mijn longen, mijn keel, mijn mond overgenomen. Ik jammer ze luidkeels, steeds maar weer opnieuw. Ik weet dat ik nu volkomen hysterisch ben, dat ik niet in orde ben, maar de woorden blijven komen.

'Stil! Hou op! Hou op!' zegt Sohrab op dringende toon. 'Hou je mond dicht!'

Ik gehoorzaam. De woorden blijven loodzwaar op mijn tong liggen. Mijn gejammer wordt een fluistering.

'Tien jaar, nee, alsjeblieft niet...'

'Dat is een stuk beter,' zegt Sohrab, en dan zwijgen we allebei.

De bewaker duwt de blinddoek door de sleuf. Het lapje valt geluidloos op de vloer. Ik hou onmiddellijk op met me zorgen te maken over de toekomst en begin te denken aan wat me vandaag in de verhoorkamer te wachten staat.

Ik ben net een gedresseerde rat. Ik ben helemaal afgericht door de experimenten die ze op me uitvoeren. Iemand gooit een lapje stof door een sleuf en de verwachte reactie komt meteen. Ik ben gedresseerd. En ik ben tam.

Gedresseerd en tam. Er zit geen schijntje geestkracht meer in me. Het experiment is gelukt, klootzakken. Laat me met rust. Wat willen ze in godsnaam nog meer van me? Ze weten meer over me dan ikzelf. Geef me een vel papier. Ik zal mijn handtekening erop zetten. Het maakt me niet uit. Ik zal het niet eens lezen, maar gewoon ondertekenen.

Ik strompel de verhoorkamer binnen, nietsziend, zoals gewoonlijk. Elke keer dat ik deze kamer binnenga, zie ik mezelf er voor mijn geestesoog timide en verslagen bij staan, en zie ik mijn ondervrager voldaan glimlachen. Hij is tevreden over hoe ik eruitzie. Hij is tevreden over wat er van me geworden is. Het is een triomf voor zijn ambacht, zijn vakkennis. Zijn tevredenheid is meer die van een trotse specialist dan van een sadist.

Hij dirigeert me naar de stoel. Ik ga zitten en haal diep adem. Ik huiver wanneer ik de vorm van de stoel voel waaraan mijn lichaam inmiddels gewend is. Ook dat is een pavlovreactie. Als ik hier ooit wegkom, zal het eeuwen duren voordat ik in staat zal zijn rechtop op een dergelijke stoel te zitten zonder dat het misselijkmakende associaties opwekt.

Het is de man die stinkt; de dikke, ongewassen viezerik. Zijn geur is net zo herkenbaar als zijn stem.

'Waar waren we gebleven?' vraagt hij zich op een zakelijke toon hardop af. Ik hoor hem met papieren ritselen. Dan schraapt hij zijn keel.

'Werden jullie gesteund door buitenlandse dissidente organisaties?'

Heeft hij deze vraag niet al eens gesteld? En zo ja, wat heb ik erop geantwoord? Ja? Nee? Als ik de waarheid heb gesproken, is het antwoord 'nee' geweest. Het idee op zich is belachelijk. We hadden geen geld, werden niet gesteund, kregen geen hulp. Als een van ons door de *Basij* in elkaar werd geslagen, hadden we dan geld om de ziekenhuis-rekening te betalen? Nee, geen rooie riyal. We waren een amateurvereniging van hobbyisten. Onze hobby was de politiek. We legden ons er serieus op toe, maar dat doen mensen die modelvliegtuigjes bouwen of schaken ook. Wie had ons geld moeten geven? Wie zou die moeite doen?

'Nee, we werden door niemand gesteund.'

'Nee? Had Arash Hazrati vrienden of connecties bij de Iraanse televisiestations in L.A. of bij radiostations in Londen?'

Gevoel voor humor kan als het ware voortvluchtig zijn, bereid zich te verstoppen tot zich een gelegenheid voor-doet om te glimlachen. Hij zei niet 'Los Angeles'; hij zei 'L.A.' Dat vind ik grappig. Maar ik glimlach niet. Ik be-waar mijn glimlach voor later. We zouden nooit naar de zenders hebben gekeken waar hij het over heeft. Het zijn waardeloze zenders van uitgeweken Iraniërs die in het bui-tenland hun landgenoten thuis ophitsen om de straat op te gaan en de regering omver te werpen. Welja, waarom niet? Als ze zich ons lot zo aantrokken, zouden ze in Te-heran zijn om zelf te doen waar ze anderen toe aansporen, maar het is uiteraard veel prettiger om in Amerika of En-geland flink geld te verdienen en daar dan iets van af te staan aan de mensen die de televisiestations beheren. Ze noemen zich 'De ware Perzen'. Ze zijn net zo erg als het regime zelf. Als ze er de kans toe kregen, zouden ze pre-cies hetzelfde doen wat het regime doet: mensen in de ge-vangenis gooien. 'Goed zo, jongens! Laat maar fijn je her-sens inslaan! We staan helemaal achter jullie!' Misschien is dit een beetje te cru en oké, het is ook niet helemaal fair, maar ik ben niet in de stemming om fair te zijn tegen die mensen. Ik kijk in elk geval nooit naar die rommel. Geen van mijn vrienden kijkt ernaar.

'Nee, we kijken nooit naar die zenders. Nooit.'

'Fascinerend. Heeft iemand ooit met jou of met Arash Hazrati contact opgenomen voor een interview of om informatie te krijgen? Gaven jullie informatie aan kranten?'

Interviews? Ik ben geneigd die dikke, stinkende orang-oetang te vragen of hij soms aan de drugs is. Interviews? Wie zou mij willen interviewen? En waarom? Ik ben de kleinste vis in een school heel kleine vissen. Niemand had belangstelling voor ons. Denkt hij soms dat ik een beroemdheid was? Ik was niets. We waren geen van allen iets. En wat zou het voor zin hebben om een van ons te interviewen? We deden alles samen. Er waren geen leiders.

'Nee, nooit.'

'Nee? Maar zou je het hebben gedaan, als het je gevraagd was?'

'Ik zou niet weten wat ik had moeten zeggen.'

'En later, als we je laten gaan? Zul je dan wel weten wat je moet zeggen?'

Meent hij het echt? Zouden ze me vrijlaten? Of treitert hij me alleen maar? Ik wou dat hij me de blinddoek afdeed, dan zou ik een prachtige show voor hem opvoeren. Ik zou grote ogen opzetten en zeggen: 'Nee, meneer. Zoiets zou ik nooit doen! Echt niet!'

'Nee, ik zou niet weten wat ik zou moeten zeggen.'

'Als je het wel zou weten,' zegt hij, 'zou ik je met plezier hier weer naartoe halen. Dan geven we een receptie voor je. Een prachtige receptie. Je weet zeker wel wat ik bedoel?'

'Ja.'

'Andere vraag. Heb je gedurende je activiteiten financiële hulp aanvaard van iemand?'

Het antwoord was ja. Ik had financiële hulp aanvaard van mijn vriend, die aan de kant van het regime stond. Maar dat kan ik niet zeggen. 'Nee. We hadden geen onkosten. We hadden geen geld nodig.' Dat is niet waar, want soms moesten we bussen huren of onkosten maken voor spullen die we nodig hadden voor onze demonstraties. Meestal legden we gewoon ons eigen geld bij elkaar, maar dat was niet altijd genoeg. Behnam had ons geholpen spullen te kopen voor het kantoor, onder andere het faxapparaat en een computer. Dat was zijn versie van solidariteit, van iedereen te vriend houden, zoals ik al heb verteld. Onze onkosten stelden echter niet veel voor. Het is niet zo dat we in dure restaurants gingen dineren om de plannen voor de demonstraties te bespreken. We waren studenten. We waren eraan gewend met heel weinig rond te komen. Demonstraties waren niet meer dan een verlenging van het normale studentenleven.

'En Arash?' vraagt de ondervrager. 'Heeft hij jullie geld gegeven? Heeft hij zijn eigen staf ingezet om te helpen jullie onzin te organiseren?'

Juist, daar was ik dus al bang voor – dat ze weer zouden terugkomen op Arash. Ze weten dat hij degene is om wie alles draait; niet omdat hij de leiding heeft, maar vanwege zijn moed, zijn volharding. Ze worden aangetrokken door moed, de mensen van het regime, zoals haaien in het water worden aangetrokken door de geur van bloed. Ze worden er gek van. In de kleine wereld van hun werk zijn ze alwetend. Koppigheid heeft voor hen waarschijnlijk weinig waarde; koppigheid kan na verloop van tijd worden geërodeerd. Van wijsneuzen trekken ze zich vermoedelijk ook weinig aan; ze zijn eraan gewend wijsneuzen murw te maken. Maar moed, ware moed – is voor hen een kwelling.

Ik wist dat ze Arash de mogelijkheid hadden geboden in Amerika te gaan wonen en werken, om van hem af te komen – hem af te kopen. Ze wisten dat als hij het aanbod had aangenomen en zich dan vanuit Amerika over het regime was gaan beklagen, niemand in Iran enig geloof zou hebben gehecht aan zijn klachten. Hij zou precies zo zijn geworden als de mensen die daar de dissidente zenders beheren – een thuisdemonstrant. Maar Arash had het aanbod afgewezen.

'Dat weet ik niet. Hij praat nooit over zijn staf. Hij praat überhaupt nooit over privézaken.'

'Nee? En toen je bij hem thuis was? Was dat niet een privézaak?'

Ik geef geen antwoord. Een tijdje hoor ik niets. Dan, als een bevestiging van mijn vrees, hoor ik de ondervrager opstaan en naar me toe komen.

'Dat was juist erg privé, niet?' zegt hij.

Ik krijg het misselijkmakende gevoel dat hij het verhoor in een bepaalde richting wil sturen waar ik niet eens aan wil denken. De enig mogelijke manier om me erop voor te bereiden is door de vergunning te vernieuwen die ik mezelf heb gegeven om te smeken, door het stof te kruipen. Ik ben bereid te smeken en door het stof te kruipen.

Ik hoor de ondervrager met schuifelende passen om me heen lopen. Voor zover ik het kan beoordelen, maakt hij drie van die rondjes. Iedere keer strijkt zijn kleding langs mijn schouders. Bij de laatste keer blijft hij pal voor me staan, pakt mijn knieën vast en drukt zijn duimen in het vlees boven het bot. Mijn gezicht vertrekt van pijn, maar ik geef geen kik. Ik heb het idee dat een kreet van pijn hem juist zou ophitsen. Hij maakt een sissend geluid, als iemand die het geluid van een stoomtrein imiteert, alleen wordt het sissen afgewisseld met een soort geknor. Hij gaat achter me staan, pakt de huid van mijn nek aan beide zijden vast en draait die om. Ik ontbloot mijn tanden in mijn pogingen niet te gaan gillen. De stank van zijn adem walmt in mijn gezicht als hij zich vooroverbuigt naar mijn oor. Hij blijft de huid van mijn nek heen en weer draaien terwijl hij spreekt. Met een fluisterstem die rijst en daalt vertelt hij me wat hij andere slachtoffers heeft aangedaan, andere vrouwen. Hij zegt erbij hoe ze heetten, spreekt iedere naam op een lijzige manier uit. Hij vertelt me over hun hopeloze pogingen zelfmoord te plegen; hij imiteert hun gegil.

Hij pakt door mijn tuniek heen de huid van het onderste deel van mijn rug en draait die om. Als het niet zo'n pijn deed, zou ik gaan gillen. Vanwege de pijn klem ik mijn kaken strak op elkaar. Terwijl hij zangerig blijft praten en zijn speeksel de binnenkant van mijn oor nat maakt, dringt iets tot me door waarop ik al die weken nét niet mijn vinger kon leggen: wat hem interesseert, ben ikzelf; niet de informatie die ik hem kan geven, maar mijn kreten, mijn smeekbeden. Bij mijn studie Spaans heb ik gelezen wat de Inca's van Peru deden wanneer ze een hooggeplaatste vijand gevangen hadden genomen. Ze zetten de man of vrouw in een kooi en braken elke dag één bot in zijn of haar lichaam. Ze begonnen bij de voeten en werkten langzaam het hele lichaam af. Zo konden ze maandenlang van het gegil genieten.

Uiteindelijk gil ik ook en gooi mijn lichaam naar voren. De ondervrager heeft mijn ellebogen vast. Ik probeer me uit alle macht los te rukken, maar hij is buitengewoon sterk. Hij drukt met zijn knie een van mijn ellebogen tegen de rugleuning van de stoel, waardoor hij een hand vrij heeft om mijn hoofd tegen zijn mond te drukken. Zijn zangerige gefluister wordt moeizamer vanwege de kracht die hij moet zetten, maar het gaat maar door en gaat maar door – nog een naam en nog een naam.

Uiteindelijk laat hij me zó abrupt los dat ik van de stoel val. Mijn gegil gaat over in een hoestbui. Ik ga op mijn knieën zitten en hap naar adem. Wanneer het hoesten ophoudt, is er in mijn binnenste niets anders over dan walging voor het leven, voor het leven in het algemeen, voor dat van mij, dat van iedereen. Ik wil geen deel meer uitmaken van wat leeft.

De ondervrager is uitgepraat. Ik hoor hem weglopen en achter zijn tafel gaan zitten. Hij roept de bewaker, zoals altijd wanneer het tijd is om me terug te brengen naar mijn cel.

Enige tijd later ben ik terug in mijn cel. Ik weet dat ze me voorlopig niet zullen lastigvallen. Zo werken ze. Wanneer ze met je klaar zijn, beginnen ze aan iemand anders en denken ze niet eens aan je tot de volgende ondervraging.

Ik doe mijn uiterste best erachter te komen wat ik voel. Ik probeer uit alle macht niet aan de details te denken van wat er zojuist is gebeurd. Ik wil alleen maar weten wat ik voel. Maar het is alsof ik geen gevoelens heb om te analyseren. Ik voel geen pijn, maar wil toch dood. Ik wil niet geleidelijk doodgaan, zelfs niet binnen een paar minuten; ik wil onmiddellijk dood. Eerlijk gezegd weet ik niet eens zeker of ik dood wil. De dood zit echter het dichtst bij wat ik wil. Ik wil geen leven meer.

Met een bijzonder slechte timing zegt Sohrab, de gek in de cel boven me: 'Ben je daar weer?' en vraagt op een duivelse toon of het leuk was. Ik vloek hem krijsend uit. Hij zwijgt meteen. Hij kreunt niet eens.

Ik wil mijn lichaam wassen, maar heb geen water.

Zal ik ooit de stank van die weerzinwekkende kerel uit mijn neus kunnen krijgen?

Mijn gevoelens keren terug. Ik ben nu een beetje wild. Op dit moment ben ik in staat iemand te vermoorden.

Ik schuif het groene stuk papier voor het toilet onder de deur door. Een halfuur later gooit de bewaker de blinddoek naar binnen. Ik hoop vurig op ruzie met de bewaker. Ik wil met hem vechten om te kunnen krijsen.

'Ik vind jullie allemaal walgelijke klootzakken!' roep ik heel hard als de bewaker me voor zich uit duwt. Zo'n opmerking is ongehoord. Een of twee seconden reageert de bewaker niet, alsof hij mijn onbezonnenheid niet kan geloven. Dan geeft hij me zó'n harde duw dat ik op de grond val. Ineengedoken op de betonnen vloer van de gang blijf ik hem luidkeels uitschelden. De bewaker begint me te schoppen. Ik bescherm mijn hoofd en buik tegen zijn harde schoenen, maar blijf vloeken en schelden. Zijn schoppen doen erge pijn, maar zorgen tegelijkertijd voor een miserabel soort verlichting. Misschien ben ik psychotisch bezig; ik weet het niet. Maar de woede die in mijn hersenen raast, bekoelt pas nu ik de bewaker kwaad heb gemaakt. Het geeft me een goed gevoel.

Een andere bewaker – aan de roepende stem te horen een vrouw – is erbij gekomen om een einde te maken aan de mishandeling. Ze helpt me overeind.

'Wees toch stil!' fluistert ze me toe.

Wanneer we het toilet bereiken, ruk ik mijn blinddoek af en begin te brullen. Al mijn haat, woede en walging voor de ondervrager en walging voor mezelf komen naar buiten in een aanval van razernij.

Wat heb ik mezelf aangedaan? Wat heb ik gedaan?!

Mijn tranen beginnen op te drogen. Ik staar naar de binnenkant van de deur van het toilet. Dat is de plek waar de gevangenen berichten voor elkaar achterlaten. Die blijven er slechts korte tijd staan voordat ze door de bewakers worden weggeschrobd. Ik staar naar een bericht voor mij, een bericht van Arash. Ik weet dat het van Arash is, omdat het de vorm heeft van een beroemd gedicht; regels die Arash vaak aanhaalt voordat hij aan een toespraak begint. Het feit dat die regels hier gekrast staan, wil zeggen dat Arash nu zelf in Evin zit. Dat verbaast me allerminst; het was duidelijk dat hij spoedig gearresteerd zou worden.

De regels zijn afkomstig uit een gedicht over liefde. De stem in het gedicht troost een vrouw die hartzeer heeft. 'Je zult spoedig je vogels vrijlaten en een zachte hand zal je lege hand vasthouden.' Ik snuif met walging wanneer ik de regels lees. Wat probeert hij me in godsnaam te vertellen? Ik wil het niet eens weten. Wat er met mij is gebeurd, komt gedeeltelijk door hem en gedeeltelijk omdat ik een vrouw ben. Ik heb de lepel bij me die ik heb achtergehouden toen ik het dienblad terugschoof, voor het geval ik hier ooit een bericht zou willen achterlaten. Met de steel van de lepel kras ik onder zijn bericht: 'Mijn vleugels zijn gebroken'. Dat is mijn bericht voor hem. Ik heb op het moment geen belangstelling voor de vleugels van vogels. Ik doe mijn blinddoek weer voor, verstop mijn lepel en laat me terugbrengen naar mijn cel.

De pijn die ik daarstraks niet kon voelen, is nu het enige wat ik voel. Ik weet toevallig dat de dichter zelf ook een demonstrant was en dat hij jaren in de gevangenis heeft gezeten. Maar wat denkt Arash nu eigenlijk? Probeert hij me hoop te geven? Is dat de bedoeling? Als dat zijn plan was, is het jammerlijk mislukt. Ik voel me allesbehalve gesterkt.

Ik ben hier alles kwijtgeraakt. Zo is het en niet anders. Ik zal nooit meer vogels vrijlaten, zelfs geen lelijke, domme, krassende vogels. Nooit meer.

Een paar dagen zonder ondervragingen.

Ik bemoei me met mijn eigen zaken, om zo te zeggen. Gisteren mocht ik onder de douche. Ik heb mijn gevangeniskleding gewassen. Te gek.

Maar er is iets mis in mijn hoofd. Mijn woede en droefenis zijn verschrompeld. Waar ik me nu mee bezighoud, is moord. Ik denk aan niets anders dan aan moord. Wanneer ik slaap, droom ik over moorden. Maar de moorden in mijn dromen zijn niet zo triomfantelijk als die wanneer ik wakker ben. In mijn dromen vermoord ik de ondervrager, maar gaat hij niet dood door de klappen die ik hem geef. Hij valt neer en lijkt dood, maar dan gaat hij zitten en glimlacht. Ik weet natuurlijk best wat dat betekent. Voor Filosofie heb ik Freud gelezen. Deze dromen gaan over onmacht. Oké, geef me dan maar een mes of een hamer en zet me in een kamer met die walgelijke kerel, dan zal onmacht geen probleem meer zijn. Helemaal niet.

Toch vind ik het erg dat ik de hele tijd aan niets anders kan denken dan aan moord. Dit is het soort ontaarding dat door geweldplegingen bij de slachtoffers wordt gekweekt. Wil ik dit werkelijk? Wil ik dat de ondervrager zijn werk zo goed heeft gedaan dat hij mijn geest zodanig heeft vervormd dat ik nu geniet van dingen waar ik voorheen van walgde? Of is dit alleen een vorm van therapie uit mijn eigen verbeelding? Wensdromen over wraak. Over macht.

De afgelopen twee dagen heb ik in de Koran zitten lezen. Een van de verzen luidt: 'Eerbiedigt uw vrouwen, ook als ze langs u heen lopen op straat, want ze zijn een geschenk van God aan de wereld, om kinderen te baren en u gelukkig te maken'.

Ik wil mijn islamitische rechten.

Ik hoor geluiden achter mijn deur. Er is geen blinddoek door het sleufje geduwd, maar iemand staat op het punt binnen te komen. Ik word meteen hysterisch van angst. De deur zwaait open en daar staat de ondervrager, de man die ik keer op keer heb vermoord; de man die krijsend om genade smeekt nadat ik hem tegen de grond heb geslagen en met een opgeheven mes naast hem sta.

Hij is niet alleen. Achter hem staat een man met een witte doktersjas aan. Maar geen bewaker.

'Dag, zuster. Hoe is het vandaag me je?' vraagt de ondervrager op vriendelijke toon, alsof hij hij me altijd zo aan-

spreekt. 'Deze meneer is arts. Hij komt je onderzoeken.'
De ondervrager kijkt me zonder enig teken van schaamte recht in de ogen. Hij weet dat ik de arts kan vertellen wat hij met me heeft gedaan; maar hij weet ook dat ik dat niet zal doen. Zo'n aantijging is hier volkomen zinloos. Hier worden iedere ochtend mensen ter dood gebracht. Ik weet uit de gefluisterde verhalen buiten Evin dat aan mannen als de ondervrager alle martelmethoden ter beschikking staan die je maar kunt bedenken. Hebben de gevangenen die in de concentratiekampen van de nazi's op hun einde wachtten soms klachten ingediend over de onmenselijke mishandelingen? Dachten die arme stakkers dat protesten iets zouden veranderen aan hun lot?

'Hebt u klachten over uw gezondheid?' vraagt de arts beleefd. 'Hebt u ergens pijn? Bent u misselijk?'

'Nee,' antwoord ik. 'Ik voel me goed.'

De ondervrager glimlacht naar me. Het is een geoefende glimlach, perfect afgemeten voor het beoogde effect. De glimlach moet de gevoelens van de arts bevredigen, voor het geval de arts mocht denken dat de ondervrager een doodgewone man is die alleen maar zijn rondes doet; maar tegelijkertijd is de glimlach voor mij een martelwerktuig – een effectiever werktuig dan een vette lach.

De arts voert een vluchtig onderzoek uit: ogen, mond, hartslag. Hij noteert de bevindingen van zijn gewetensvolle onderzoek op een formulier.

Wanneer de arts en de ondervrager weggaan, glimlacht de man die ik zo graag wil vermoorden naar me en zegt: 'Dank je voor je tijd, zuster.'

'Ben jij wel eens onderzocht door een arts?' vraag ik een poosje later aan Sohrab, de gek.

Hij lacht. Ik word doodmoe van zijn lach en zijn waanzin, maar ik heb niemand anders om mee te praten.

'Ja,' zegt hij. 'Je moet altijd zeggen dat alles in orde is, anders wordt Gholamreza boos.'

'Waarom laten ze een dokter komen?' vraag ik hem. 'Waarom doen ze die mocite?'

'Om te laten zien dat ze om ons geven,' zegt Sohrab.

Het is volkomen belachelijk, maar ik moet erom lachen. En Sohrab doet met me mee. Daar zitten we dan: een waanzinnige man wiens brein zodanig mishandeld is dat hij niet eens weet hoeveel jaren er zijn verstreken sinds hij géén gevangene in Evin was, en een waanzinnige vrouw die zichzelf overeind houdt met bloeddorstige fantasieën. Samen zitten we te lachen.

'God verhoede dat je hier ziek wordt!' zegt Sohrab, waarop we weer beginnen te schateren.

'Hoe weet je hoe hij heet?' vraag ik aan Sohrab.

'Je komt veel te weten als je hier woont,' antwoordt hij.

Oei, dat hakt erin! *Als je hier woont.* De gek in de cel boven me heeft zich erbij neergelegd dat dit zijn enige thuis is, zijn enige adres. Maar ik heb dat nog niet geaccepteerd. Ik woon hier niet. Tenzij het wel zo is.

'Heb je ooit bezoek gehad?' vraag ik.

'Ja, tegen het einde van mijn eerste jaar. Mijn moeder. Een week nadat ze me had gezien, heeft ze een hartaanval gekregen en kwamen ze me vertellen dat ze dood was. Daarna heb ik alle bezoekers geweigerd.'

'Heb je gehuild? Miste je haar?'

'Nee, ik was blij dat ze niet meer op me hoefde te wachten en niet meer hoefde te lijden.'

'Ik wil niet dat mijn moeder doodgaat.'

'Dat wil niemand.'

Hij heeft gelijk. Dat wil niemand.

Ik heb medelijden met Sohrab; innig medelijden. Het is een moederlijk gevoel, heel vreemd. Misschien komt het door het nieuws dat zijn moeder jaren geleden aan een hartaanval is gestorven dat er een eigenaardig instinct in me wakker is geworden waardoor ik hem wil beschermen. Ik weet het niet.

'Wil je me een verhaaltje vertellen?' vraag ik hem. 'Dan val je misschien in slaap.'

'Een verhaaltje? Wat voor verhaaltje? Ik wil niet slapen. Vertel jij maar een verhaaltje als je dat leuk vindt. Ik zal luisteren. Maar ik had nog liever dat je zou zingen. Ik hou van zang.'

'Ik kan niet zo goed zingen. Welk liedje zou je willen horen?'

'Ken je dat nieuwe nummer over het meisje dat voor haar pop zingt? Ken je dat?'

Ik zwijg onthutst. De popsong die hij bedoelt is van vele jaren geleden, maar hij denkt dat het een nieuw nummer is. Misschien zit hij hier nog veel langer dan hij beseft. Ik zeg dat maar niet tegen hem. Ik wil hem niet verdrietig maken.

Mijn kleine popje, het is bedtijd,
Het is bedtijd en je moet nu gaan slapen.
Ik zal voor je zingen tot je mooie oogjes dichtgaan,
Je moet nu gaan slapen, mijn kleine popje,
Ik wil niet dat je ziet dat ik verliefd ben op een pop,
Dus moet je nu gaan slapen, dus moet je nu gaan slapen.

175

Ik kan de rest van het liedje niet zingen. De onnozele onschuld ervan maakt me aan het huilen.

'Niet huilen,' zegt de gek. 'Waarom geef je eraan toe? Van huilen krijg je dorst, en ze zullen je geen water geven.'

'O god, o god, ik wil hier niet zijn!'

'Niemand wil hier zijn, maar over niet al te lange tijd ben je hier weg.'

'Hoe weet je dat?' vraag ik verwijtend. 'Wat is "over niet al te lange tijd" voor jou? Je weet niet eens hoelang je hier zelf al zit. "Over niet al te lange tijd" kan voor jou net zo goed tien jaar zijn. Of honderd jaar!'

Dat had ik niet moeten zeggen. Ik heb er meteen berouw van. Ik weet niet of Sohrab zich beledigd voelt, want hij zwijgt. En dan, net als ik begin te denken dat ik in mijn wanhoop de enige stem heb verjaagd waarop ik kon rekenen, stelt de waanzinnige man me een vraag.

'Heb je een moord gepleegd?'

'Nee,' antwoord ik, nogal geschrokken, want het is net alsof mijn fantasieën over het plegen van een moord als een kleurloos gas uit mijn brein zijn gekomen en door het rooster naar Sohrabs cel zijn opgestegen.

'Waarom vraag je me dat? Klink ik als iemand die moorden pleegt?'

'Ik héb iemand vermoord,' zegt Sohrab. 'Mijn baas. Jaren geleden.'

Ik ben geschokt. Nee, niet geschokt. Ik ben verbaasd, en vooral gefascineerd. De gek in de cel boven me is een moordenaar? Ik heb een affiniteit ontwikkeld voor moordenaars, of voor moordenaars van een bepaald genre. Wat me zo fascineert, is de hoop dat het slachtoffer van de misdaad van mijn persoonlijke gek een gevangenbewaarder was – of nog liever een ondervrager. Nu ben ik wél geschokt, namelijk door wat ik wil horen. Mijn dorst naar wraak begint een eigen leven te leiden. Ik zit hier te luisteren naar een krankzinnige kerel die me over zijn misdaden vertelt, alsof ik mijn eigen ziekelijke verlangens daarmee wil voeden. Ik zou niet langer naar hem moeten luisteren. Ik zou hem niet moeten aanmoedigen me er meer over te vertellen. Maar dat doe ik juist wel.

'Ben je daarom hier? Niet vanwege een ongedekte cheque, maar omdat je iemand hebt vermoord?'

'Nee.'

Hij voegt er niets aan toe, en ik word ongeduldig.

'Waarom dan?' vraag ik op een dwingende toon.

'Zal ik het je vertellen?'

'Ja.'

Minutenlang zwijgt hij. Ik begin het gevoel te krijgen dat als ik in zijn cel kon komen, ik hem net zo lang en zo hard zou slaan tot hij het me zou vertellen.

'Ik zal het je vertellen,' zegt hij. 'Je hebt voor me gezongen.'

En hij vertelt me zijn verhaal op een heel nonchalante toon. Vanaf de eerste zin ben ik als betoverd. Ik twijfel geen moment of hetgeen hij zegt waar is. Ik geloof hem. Als hij het heeft verzonnen, is het een prachtig verhaal, maar in mijn hart geloof ik niet dat hij het verzint, al weet mijn hoofd het niet zeker. Wat hij ook is, hij is geen man die verhaaltjes verzint. Volgens mij vertelt hij de waarheid, de waarheid voor zover hij die zelf kan beoordelen.

De waanzinnige man, mijn allereigenste gek, mijn lieve, krankzinnige vriend, vertelt me dat hij chirurg was. Hij werkte, zegt hij, in het Imam Khomeini-ziekenhuis; en als hij dat zegt, ligt er geen spoor van ironie in zijn stem. In het ziekenhuis leerde hij de fameuze Leila kennen, de vrouw die hem dag en nacht kwelt. Leila was een bloedmooie patiënte van hem. De gek werd op slag verliefd op haar.

'Op je eigen patiënte?' zeg ik ademloos.

'Ja. Schaam je je nu voor me?'

'Nee,' antwoord ik, 'maar je was een heel ondeugende dokter.'

Daar lacht hij verrukt om. Het is een heel andere lach dan zijn normale lach, die zo door sarcasme is getint. Ik lach met hem mee. Ik zou niet op een intelligente manier kunnen uitleggen waarom, maar ondanks alles, zelfs ondanks wat me een paar dagen geleden is aangedaan, ben ik gelukkig. Hoe is dat in godsnaam mogelijk? Ik ben gelukkig. Ik weet dat het een heel klein geluksplekje is, een hokje, maar ik kruip er dankbaar in. Ach, heerlijke gek van me, denk ik. Prachtige, ondeugende, schandelijke gek!

Binnen twee maanden nadat hij Leila had ontmoet, was de gek met haar getrouwd. Hij was idolaat van haar; en zij van hem. Bovendien was ze zwanger.

'Je hebt er geen gras over laten groeien,' zeg ik.

'Het was liefde,' antwoordt hij, en nu ligt er een vage berisping in zijn woorden.

'Ja, dat snap ik.'

'Het was helemaal goed. Een en al romantiek en liefde. Te mooi om waar te zijn.'

Hij stopt even. Ga alsjeblieft door! moedig ik hem aan zonder het hardop te zeggen. Ik voel aan dat luchthartigheid nu niet meer gewenst is en dat ik mijn woorden goed moet afwegen. Dit is het verhaal van mijn gek; het verhaal dat hem in leven houdt – liefde, verraad, fantasieën over wraak. Ik mag hem niet kwetsen.

'En toen?' spoor ik hem aan wanneer de stilte te lang duurt. 'Hebben jullie kinderen? Waar zijn jullie op huwelijksreis naartoe gegaan?'

'We zijn niet op huwelijksreis gegaan. Ze was zwanger. We konden niet reizen omdat ze zich niet lekker voelde.'

'Wat jammer. En toen? Wat is er toen gebeurd?'

'Ik kreeg een mooie promotie. Ik werd in dienst genomen door een hoge piet binnen de gezondheidsdienst. Een manager. Hoog in het bestuur.'

'Wauw. Dan moet je erg goed in je werk zijn geweest.'

Hij zwijgt weer. O god, hij zal mijn woorden toch niet verkeerd opgevat hebben? Ik meende het echt, ik bedoelde het niet sarcastisch! Maar dan gaat hij verder en haal ik opgelucht adem. 'Ja, ik was goed in mijn werk. Evin is een hemel op aarde. Alleen de besten komen hier.'

We lachen samen. Het is goed, ik heb hem niet boos gemaakt. Zijn gevoel voor humor is sterker dan ik had gedacht.

Hij gaat weer door, mijn gek, en vertelt dat hij zó goed in zijn werk was dat zijn hooggeplaatste baas van hem af wilde. Hij was op bewijsmateriaal gestuit dat zijn hooggeplaatste baas zich geld toe-eigende uit het budget van zijn afdeling – grote sommen geld. Hij had zich zorgen gemaakt over de verduisteringen en zijn baas vragen gesteld, waarop hij te horen had gekregen dat het niet zijn taak was zich met de financiën te bemoeien. Hij was blijven wroeten, omdat het hem dwarszat; hij maakte zich altijd kwaad over deze vorm van corruptie, zei hij. Het ging immers om geld dat bestemd was voor zieke mensen. Hij bleef speuren, in het geheim, en kwam tot de conclusie dat de grote sommen geld die met regelmaat verdwenen, werden overgemaakt naar rekeningen in het buitenland.

'Maar wat heeft dit met Leila te maken? Hoe is zíj je vijand geworden?'

'Ze hebben valse documenten opgesteld om aan te tonen dat ik aan drugs verslaafd was en niet meer als chirurg kon werken. Ik werd ontslagen, maar wilde bewijzen dat het niet waar was; ik wilde dat in elk geval aan mijn vrouw bewijzen. Ik wilde haar niet verliezen. Op een nacht heb ik in het kantoor ingebroken om bewijsmateriaal te verzamelen om hen aan te klagen, maar toen werd ik door de mensen van de bewaking gepakt, en de rest weet je.'

'Je hebt me niet verteld waarom je Leila zo haat.'

'Ze heeft tijdens de rechtszaak onder ede verklaard dat ze gezien had dat ik drugs gebruikte, en ze heeft gezegd dat ik gewelddadig was en had gedreigd haar te vermoorden als ze het ooit aan iemand vertelde.'

'Maar ze hield toch van je? Dat zei je zelf.'

'De laatste keer dat ik haar heb gezien, was in de rechtszaal. Ze zat naast mijn baas en ze zaten samen te lachen. Heb ik je verteld dat ze een kuiltje in haar wang had?'

'Ja.' Dat heeft hij me wel honderd keer verteld. 'Wanneer heb je hem vermoord?'

'Ik heb geprobeerd mezelf te vermoorden, maar dat is me niet gelukt. Ik heb het zelf verpest. Ze hebben me naar Ghasr in Teheran gebracht, het krankzinnigeninstituut. Ik ben 's middags ontsnapt en heb hem diezelfde avond vermoord. Leila kon ik nergens vinden.'

'Voelde je je beter nadat je hem had vermoord?' Dat wilde ik erg graag weten.

'Ja, maar ik zou me nog beter hebben gevoeld als ik Leila ook had kunnen vermoorden.'

'Maar je hield van haar. Je zei dat je van haar hield. Je zou haar niet vermoord hebben. Zelfs als je haar had gevonden, zou je haar niet vermoord hebben.'

'Jawel,' zegt hij. 'Ik zou haar wel degelijk vermoord hebben. Ze heeft mijn hele leven verpest. Zolang zij leeft, zal ze het leven van anderen verpesten.'

Daar moet ik over nadenken. Ik stel hem geen vragen meer en hij zwijgt ook, mijn gek. Ik denk na over geldige redenen voor moord. Volgens mij had Sohrab het recht niet Leila te vermoorden, ook als hij haar die nacht had gevonden, maar ik vind dat ik wel het recht heb de man te vermoorden van wie ik zo walg. Wat zal hij ooit bijdragen aan het mensdom? Hij bestaat alleen om het leven van andere mensen te verpesten. Zo iemand kan ik gemakkelijk vermoorden.

Maar het gaat me te ver om het hele vraagstuk van rechtvaardigheid te ontwarren. Ik ben niet in een rechtszaal. Ik wil alleen maar iemand om het leven brengen die zelfs door zijn eigen moeder niet zal worden gemist. Dat is genoeg.

Hoofdstuk 16

Als je van de ideeën van mijn moeder over een perfect gezinsleven een schilderij zou maken, zou je een vader en moeder zien te midden van zes lachende kinderen, met op de achtergrond een snoezig huisje dat half schuilgaat achter klimrozen. De vader zou proberen streng en een beetje afwezig te kijken, alsof de problemen van de wereld zwaar op hem drukken. Maar diezelfde vader zou er niet in slagen te verdoezelen hoe trots hij is op zijn kinderen; dat zou je aan zijn ogen kunnen zien. De moeder zou onmogelijk iets anders kunnen uitstralen dan geluk om het feit dat ze de lichamelijk meest perfecte en geestelijk meest verfijnde kinderen heeft die er ooit op de wereld hebben rondgelopen. De kinderen zelf zouden hand in hand staan, alsof ze hun onuitputtelijke genegenheid voor elkaar duidelijk willen tonen. Een gouden gloed zou boven het gezin hangen, als een soort zegen, een teken dat de Almachtige hen gunstig gezind is.

Mijn moeder wist dat dit visioen nooit helemaal uit zichzelf tot stand kon komen; ze wist dat ze de handen uit de mouwen zou moeten steken om het voor elkaar te krijgen.

Ze werkte dag en nacht om alle elementen ervan op peil te houden. Als mijn grote broer me tegen mijn arm stompte tot ik er een blauwe plek van kreeg, en hij dan ijskoud beweerde dat hij de hele dag niet eens bij me in de búúrt was geweest, wees mijn moeder zijn protesten ferm van de hand en dwong ze hem me te omhelzen, in de ogen te kijken en tegen me te zeggen dat hij veel van me hield. Als mijn zusjes me zodanig irriteerden dat ik boos tegen hen uitviel, moest ik van mijn moeder langdurig naar hen glimlachen (als een boer die kiespijn heeft, dwingt de eerlijkheid me te zeggen). Als we in de vakantie in het bos gingen kamperen, liet mama ons 's avonds, als we voor het slapengaan nog een beker warme chocolademelk hadden gekregen, hand in hand zitten en liedjes zingen. Mijn vader had de gewoonte al onze kunstwerken uitbundig te prijzen, en elke keer dat ik op school een prijs won, werden al mijn broers en zusjes opgetrommeld en scheelde het weinig of ze moesten me vol lof toezingen. En alle leden van het gezin moesten elke dag op de een of andere wijze aantonen hoe blij ze waren dat ze deel uitmaakten van deze voorbeeldige familie.

En ons gezin was precies zo leuk als het zich voordeed. Mijn moeder had haar kinderen met succes geschapen naar het evenbeeld van haar ideaal. We hielden inderdaad van elkaar. Mijn vader was dol op al zijn kinderen en had voor ieder van ons een speciale manier om dat te laten merken; in mijn geval was dat, zoals ik al heb verteld, dat hij me bij zich op schoot nam, mijn haar borstelde en daarbij zachtjes lieve liedjes voor me zong. Een gezin dat aldus is gecreëerd, moet uiteraard de ogen sluiten voor veel dingen die buiten deze nucleus gebeuren. En mijn ouders waren zeer bedreven in het sluiten van hun ogen.

Dat zal ik uitleggen.

Mijn vader had in de late jaren van de heerschappij van de sjah een positie als hooggeplaatste legerofficier. Hij was welingelicht en moet goed op de hoogte zijn geweest van de schermutselingen (de soms erg bloedige schermutselingen) binnen de Iraanse politiek. Tot de strijdende machten op het Iraanse politieke toneel in de tijd dat mijn vader deze post bekleedde, behoorden de communisten, de van hun stemrecht beroofde geestelijken, liberale en sociaaldemocratische parlementariërs en aartsconservatieve nationalisten. Van al deze groeperingen waren vooral de communisten en de geestelijken onberekenbaar. De sjah had een hekel aan de communisten, die hij beschouwde als de natuurlijke vijanden van zijn stand en de gezworen vijanden van de Verenigde Staten, het land dat van alle grote wereldmachten zijn voornaamste ruggensteun was. (Per slot van rekening was hij door de CIA op de troon geholpen.) De minachting van de sjah voor de geestelijken had een nog persoonlijker karakter; er is nooit een wettelijk vastgelegde scheiding van kerk en staat geweest in Iran, alleen een scheiding de facto, die door de sjah vanaf het begin van zijn bewind geleidelijk is versterkt. Nu is afkeer van communisten nog tot daaraan toe – in het islamitische Iran had iedereen behalve de communisten zelf een hekel aan hen, atheïsten dat ze waren – maar minachting voor de geestelijken en jaar in jaar uit zoeken naar nieuwe manieren om hun macht en invloed te beknotten, was een afspiegeling van de wensdroom van de sjah om een semi-seculier Iran te creëren dat een plaats moest krijgen te midden van de meest vooruitstrevende landen van de wereld.

De Iraanse geestelijken behoorden tot de voornaamste grootgrondbezitters van Iran, en hun bezittingen werden in de jaren zestig het voornaamste doelwit van de landhervorming van de sjah. Met deze hervormingen had hij de steun van het volk kunnen krijgen, ware het niet dat men heel goed inzag dat de herverdeling van het grondbezit geen betrekking had op de enorme eigendommen van Pahlavi's rijke steunpilaren. Daarnaast is de overgrote meerderheid van de Iraniërs op de allereerste plaats moslim. De sjah is nooit erg geliefd geweest; men heeft hem altijd beschouwd als een Amerikaanse stroman met een zeer twijfelachtige claim op de Pauwentroon. Door de geestelijken tegen zich in het harnas te jagen, kon hij zijn greep op de macht nooit versterken. Op het platteland, waar de meeste Iraniërs woonden, zaaiden de moellahs het zaad van de haat tegen Pahlavi. De rest van de wereld stond versteld over de manier waarop Ruhollah Khomeini werd ontvangen toen hij in 1979 naar Iran terugkeerde, maar iedereen met een minimale kennis van de Iraanse politiek had de extase kunnen voorzien.

De sjah kon dan ook niet op de steun van het volk rekenen om aan de macht te blijven; in plaats daarvan steunde hij op zijn uiterst effectieve geheime politieapparaat en op de SAVAK, zijn veiligheidsdienst. Gedurende de heerschappij van de sjah hebben zijn agenten talloze politieke vijanden van de straat gehaald en gevangengezet. Rapporten en dossiers die na de val van de sjah in beslag zijn genomen, laten zien hoe omvangrijk de veiligheidsmaatregelen en hoe wijdverspreid de snelle arrestaties en executies tijdens zijn heerschappij waren. Ook details over ondervragingen werden onthuld, waaronder martelmethoden. Deskundige folteraars uit de middeleeuwen zouden de beulen van de SAVAK niet hebben overtroffen wat wreedheid en barbaarsheid betrof. De ergste dingen die je het menselijke lichaam kunt aandoen, werden gedurende de heerschappij van de sjah mijn landgenoten aangedaan. Wat ik weet over het Iran uit de tijd van mijn ouders, heb ik vernomen uit bronnen buiten ons gezin. Mijn vader was wel in staat kritiek te leveren op de Pahlavi's, maar niet met veel animo. Hij was niet op de hoogte van de allerergste dingen die werden gedaan, net zomin als de sjah zelf. De onwetendheid van de sjah was uiteraard een beleidslijn, terwijl mijn vader, neem ik aan, écht niet alles wist.

Kan ik dit zeggen zonder te huichelen? Kan ik echt beweren dat de verhalen van mijn vader over de tijd dat hij de sjah diende de waarheid zijn, voor zover hij de waarheid kende? Ik weet heel goed dat de wereld gewend is aan verhalen van zonen en dochters die de vermeende betrokkenheid van hun vader in schokkende tijdperken van moorden en martelingen hartstochtelijk tegenspreken. Ik weet dat deze zonen en dochters vaak verblind zijn door trouw, en niet in staat of niet bereid zijn de feiten objectief te bekijken. Ik weet dat zonen en dochters die slechts één versie – vaak een aangepaste versie – kennen aangaande de verdachte of beschuldigde ouder, niet kunnen geloven dat die ouder in een andere, sinistere versie iemand is die Armeniërs, Tsjechen, Polen, Grieken of Joden van verschillende nationaliteiten, Vietnamese dorpelingen of Iraakse dorpsbewoners liet oppakken en toekeek terwijl ze crepeerden. Ik weet dat scepticisme gerechtvaardigd is. Maar toen mijn vader met gemak had kunnen vluchten, na de val van het regime dat hij steunde, koos hij ervoor in Iran te blijven.

Binnen twee weken na Khomeini's triomf begonnen de aanhangers van de ayatollah aan de hand van een reeds klaarliggende lijst – een heel lange lijst – vijanden op te pakken en te lynchen in schuren, pakhuizen en zelfs midden op straat. Velen werden meegenomen en onderworpen aan martelingen waaraan zijzelf hun fiat hadden gegeven toen ze aan de macht waren. De naam van mijn vader stond niet op die lijst. Later, toen bendes zeloten de dorpen en steden in het hele land van noord tot zuid en van oost tot west uitkamden, speurend naar tweede- en derdegraads aanhangers van Pahlavi, was mijn vader evenmin een doelwit. De *Basij* kwamen naar onze wijk in Teheran, deden ad-hoconderzoeken naar mensen die de sjah in enigerlei functie hadden gediend en arresteerden iedereen aan wie ook maar een zweem van medeplichtigheid kleefde. Ze voelden buren van verdachte personen aan de tand om zelfs het kleinste vermoeden en de geringste verdenkingen aan het licht te brengen, voerden een modern soort ketterverbranding uit – maar hadden geen aanmerkingen op mijn vaders werk voor de Pahlavi's. Hij had zijn land trouw gediend en voelde zich allerminst schuldig. Hij werd met rust gelaten.

Men mag er waarschijnlijk van uitgaan dat mijn vader op de hoogte was van het bestaan van bepaalde onverkwikkelijke organisaties wier taak het was af te rekenen met dissidenten. Hij moet dingen gehoord hebben; hij moet dingen gezien hebben. Misschien heeft hij de onderdrukking van de communisten zonder al te veel gewetenswroeging geaccepteerd, maar ik betwijfel dat hij het eens was met de manier waarop men zich misdroeg tegenover de geestelijken – hij is per slot van rekening een gelovig man. Ik heb gezegd dat mijn ouders allebei in staat waren hun ogen voor bepaalde dingen te sluiten, maar daarmee bedoel ik alleen dat ze die dingen gewoon negeerden, zoals iedereen dat wel eens doet. Ik wil hiermee niet zeggen dat mijn vader zijn ogen heeft gesloten voor wat de SAVAK deed. Ik heb gelezen over Duitse legerofficieren die in de Tweede Wereldoorlog terugkeerden van de gevechten in het oosten van hun land, of van nog verder naar het oosten, in andere landen, in veroverde gebieden, en nooit meer zichzelf zijn geworden. Ze hadden dingen gezien waarvan ze wensten dat ze die uit hun geheugen konden wissen. Heeft mijn vader ook dergelijke ervaringen? Ik denk het niet. Gezien zijn aard zou hij eerder hebben geweigerd zich erin te mengen. Hoe de feiten ook liggen, ik kon mijn vader noch mijn moeder als betrouwbare getuigen inzake het regime van de sjah beschouwen toen ik eenmaal oud genoeg was om vragen te stellen.

Het is zonder meer waar dat we een bevoorrecht leven hadden geleid, en toen mijn vader terugkeerde naar het burgerleven en een kleine winkel in elektronische apparatuur opende in de bazaar, waren we niet voorbereid op de veel lagere levensstandaard. De Irakezen vielen aan, de bommen vielen en ons gezin verkeerde in precies hetzelfde gevaar als iedereen. De voedseltekorten, de rantsoenen, de armoede – wij leden er net zo onder als miljoenen andere Iraniërs. Maar in tegenstelling tot de meesten van onze landgenoten hadden wij iets om met weemoed aan terug te denken. Wij behoorden niet tot de miljoenen die door de sjah waren genegeerd; degenen die het zonder medicijnen hadden moeten stellen omdat ze zich die niet konden veroorloven, en zonder elementaire welzijnszorg omdat het geld dat ervoor beschikbaar was verdeeld moest worden onder te veel armlastigen. En zo, rouwend om het bevoorrechte verleden, begonnen mijn vader en moeder zich bepaalde dingen in te beelden.

Laat me een sprong maken van de oorlogsjaren die in 1980 begonnen naar het midden van het volgende decennium. Ik ben nu vijftien, zestien. De islamitische revolutie heeft de oorlog met Irak overleefd en zich over heel Iran verbreid. Mijn ouders hadden gehoopt dat de moellahs weer zouden verdwijnen, maar de moellahs hadden er dertig jaar op gewacht om in Iran de scepter te kunnen zwaaien en waren van plan dat tot in de eeuwigheid te doen. Mijn vader mort; mijn moeder zucht.

Op een avond zitten we gezamenlijk in de woonkamer; mijn broertje doet zijn huiswerk, mijn vader leest de krant, mijn moeder legt het oninteressante tijdschrift waarin ze heeft zitten bladeren weg om naar een televisieprogramma te kijken dat zojuist is begonnen. Het is de gedenkdag van de Islamitische Revolutie van februari 1979, en de staatstelevisie zendt haar versie van de val van Pahlavi uit. Er is een enorme massa mensen op de been voor de terugkeer van de ayatollah naar Teheran. Daar heb je de Vader van de Revolutie in eigen persoon; hij wuift naar de opgewonden menigte. Nu laat het programma beelden zien van de onderdrukking ten tijde van de sjah. Onbehouwen politieagenten jagen demonstranten op door de straten. Moellahs worden vernederd door SAVAKI. Vrouwen verdringen zich voor de hekken van de Evin-gevangenis, smekend om nieuws over echtgenoten en zonen van wie ze vermoeden dat ze daar gevangenzitten. Het commentaar bij de film herinnert de kijkers aan de wetteloosheid van de beulen van de sjah. Zo was het, zegt de commentator. God zij gedankt dat we verlost zijn van de vernederingen van het leven onder de heerschappij van een goddeloze despoot als Mohammed Reza Sjah Pahlavi!

Mijn moeder schudt haar hoofd, klakt met haar tong en windt zich hoe langer hoe meer op. Wanneer ze het niet langer kan aanzien, begint ze aan een lange weeklacht om de verdwijning van de Pahlavi's. Ze praat over het leven zoals het vroeger was, over het geluk dat ons deel was. Wat een heerlijk leven hadden we toen! Ik luister, maar ben het er niet helemaal mee eens. Mijn vader kijkt ook naar het programma. Hij trekt een gezicht, haalt zijn schouders op en stoot af en toe een rauwe lach uit, maar zegt niet veel.

Later op de avond, als ik in bed lig en mijn moeder me welterusten komt zeggen, vraag ik haar naar vroeger. Ik weet natuurlijk al wat ze zal vertellen, maar vind het interessant om uit te proberen hoever ze bereid is te gaan, al geef ik toe dat het een beetje harteloos van me is. Mijn moeder komt op de rand van mijn bed zitten, kijkt van me weg en krijgt de afwezige blik in haar ogen van iemand die terugkeert in de tijd.

Ze praat over de picknicks in het park, de kampeervakanties, de overvloed aan etenswaren op de markt. Ze vertelt me over de jaarlijkse bijeenkomsten van hooggeplaatste officieren en hun gezinnen op het terrein van het koninklijk paleis in Noord-Teheran, waar ze waren uitgenodigd door de sjah, die op deze manier zijn dank voor hun vlijt en trouw wilde tonen. Tafels zijn gedekt in de schaduw van de ceders en sparren. Er worden verrukkelijke gerechten en goede wijn geserveerd. De beste zangers, zangeressen en musici van het land treden op voor deze elitaire groep. Acrobaten voeren adembenemende kunstjes en salto's uit.

Mijn moeder, die het heerlijk vindt om met haar hele gezin naar dergelijke sociale bijeenkomsten te gaan, babbelt genoeglijk met vriendinnen, roept trots haar kinderen bij zich om met hen te pronken en wijst, op de superbeleefde manier van de Perzen, complimentjes van de hand terwijl ze inwendig straalt van blijdschap: 'Vind je Zarah echt mooi? Nou, ze is misschien wel aardig om te zien, maar ze is wel wat mager, vind je niet? Jouw Miriam daarentegen is echt snoezig, het mooiste meisje van Iran!' De band speelt een medley van populaire liedjes, ook westerse. Wat een dag! En daar heb je haar echtgenoot in zijn smetteloze uniform, de knapste man van Kermansjah tot Zahedan, van de Kaspische kust tot Bandar Abbas.

'Ach, Zarah! Ach, lieve dochter van me! Wat een tijden waren dat! Weet je, Zarah, toen waren de mensen gelukkig. Wij allemaal. We hadden een koning, een goede koning. Iedereen hield van de sjah en zijn vrouw – wat was ze mooi, Farah. Zo bevallig, zo vriendelijk. De mensen dankten de Almachtige iedere dag voor dat mooie leven. Wat waren we gelukkig, lieverd! Wat waren we gelukkig!'

Ik weet dat dit slechts gedeeltelijk waar is. Sommige mensen waren gelukkig, maar vele, vele mensen waren dat niet. Hoe had een revolutie als die van Khomeini kunnen slagen in een land vol gelukkige, tevreden mensen? Hadden miljoenen Iraniërs gezegd: 'We zijn zo tevreden over ons leven dat we bereid zijn allerlei vrijheden op te geven en van ons land een paria te maken in de ogen van alle naties van de wereld, zodat we nog gelukkiger zullen worden'? Maar ik laat mijn moeder dagdromen, terwijl ik kalmpjes afwacht en mijn schampere commentaar voorbereid.

Af en toe laat ik mijn blik wegdwalen van de verrukking op mijn moeders gezicht naar de prenten aan de muren van mijn slaapkamer, de kamer die van mij alleen is nu mijn drie oudere zussen getrouwd zijn. Boven de boekenkast hangt een foto van Kafka, die met zijn donkere, scherpe ogen naar me kijkt. Rechts van hem hangt een geschilderd portret van Hedayat, de uitmuntende Iraanse romanschrijver. Boven deze twee portretten hangt een zoroastrische icoon, een engel, met één hand zegenend opgeheven, in een cirkel van vuur. Verder links van Kafka heb ik mijn geliefde poster van Michael Jacksons *Moonwalking* opgehangen, een kopie van het origineel dat een vriendin had meegebracht uit Amerika. Aan de muur achter mijn moeder zijn planken waarop ik souvenirs van mijn reizen heb uitgestald, want ik ben een onverbeterlijke verzamelaarster van snuisterijen uit Iraanse steden: een beeldje van Darius de Grote uit Shiraz; keramiek uit Isfahan; een kleine houten boot uit een plaats aan de Kaspische Zee. De beeldjes en de zoroastrische icoon kunnen de goedkeuring van mijn moeder helemaal wegdragen, en dat is ook logisch, want met dergelijke spullen heeft ze ons hele appartement vol gezet. Hedayat tolereert ze, hoewel zijn boeken een bron van zorgen voor haar zijn; Kafka baart haar onrust; Michael Jackson maakt haar nerveus.

Ze vertelt verder over de glorie van het verleden, blij dat

ze daartoe de gelegenheid heeft. Met wie zou ze er anders over moeten praten? Mijn vader zou het hooguit een minuut of twee dulden; hij houdt er niet van. Als hij over de goeie ouwe tijd wil praten, is dat meestal omdat hij een politieke opinie te berde wil brengen, om het stemrecht onder de sjah te vergelijken met het zogenaamde stemrecht onder de moellahs die recht van veto hebben op alles wat de kiezers mogelijk zouden goedkeuren (dat had de sjah ook, maar zijn veto's waren 'verstandiger', wat dat ook wil zeggen... maar daar kun je maar beter over zwijgen). Mijn zussen zijn slechts af en toe bereid naar mams lyrische verhalen te luisteren; mijn broers vrijwel nooit. Nee, alleen ík luister, al doe ik het vanavond geheel uit eigenbelang.

Als ze even stopt om adem te halen, zeg ik met alle zelfingenomenheid, om niet te zeggen wreedheid, van mijn zestien jaren: 'Mam, je droomt. Zo was het niet.'

'Jawel, lieverd. Zo was het wel. Echt waar.'

'Ja ja.'

'Elk woord ervan is waar, lieverd. Het was precies zoals ik het je heb verteld.'

Ik kijk naar mijn moeders gezicht, waarop nu tedere bezorgdheid om mij te zien is. Wat moet er worden van een meisje dat deze verhalen niet wil geloven? Ik trek een gezicht, maar weet dat het gemeen zou zijn erover door te drammen. Niets kan mijn moeders denkbeelden over het geluk van vroeger veranderen; over het land van melk en honing en de jaarlijkse festijnen in de paleistuin. Maar in mijn hart zeg ik nee. Zelfs als ik mijn moeders hand vastpak en tegen mijn wang leg, zeg ik nee.

Zo is mijn verraad begonnen. Zo ben ik een verraadster

geworden. Niet door mijn besluit om alle onrechtvaardigheden, leugens, hypocrisie en hebzucht van het Iran waarin ik ben opgegroeid vast te leggen in een dossier met de naam 'Het verdorven land van de verdorven moellahs', maar door vraagtekens te zetten bij wat me werd verteld. Als je twijfelt, is er nog hoop. Als je wantrouwt, is er nog hoop. Wat heeft men aan mooie fantasieën? En wat heeft men aan lelijke fantasieën? In al mijn gesprekken met jongeren van mijn eigen leeftijd die net als ik hun buik vol hadden van arrogante kerels die ons voorschreven wat we moesten doen, denken en geloven, en hoe we ons moesten kleden, was er nooit iemand die dacht dat alles rozengeur en maneschijn zou worden als het koninkrijk in ere zou worden hersteld. Wat? De ene tirannie vervangen door een andere? Nee.

Hoofdstuk 17

Ik lig in mijn cel op mijn stinkende deken en word ge-
kweld door een zo verontrustende gedachte dat ik er helemaal van bibber. De gedachte is deze: ik zit hier niet gevangen vanwege mijn interessante politieke opinie, maar
vanwege mijn hang naar heldenverering.

Ik zie mezelf bij de universiteit aankomen op de eerste
dag van het semester. Ik ben wat angstig, maar ook opgetogen. Wat zal ik hier niet allemaal leren! Welke mensen
zal ik niet ontmoeten! Wat zal ik ijverig studeren, wat zal
ik mijn docenten onderdanig respecteren! En zij zullen
diep onder de indruk van me raken – de docenten, de professoren, de gehele staf! 'Is dat meisje in Literatuur jou
ook opgevallen? Ik meen dat ze Zarah heet. Hou haar in
de gaten; die zal het nog ver schoppen.' In het begin ben
ik nog zo verlegen dat ik niemand durf aan te spreken. Ik
sta samen met mijn vriendinnen onder de platanen op het
plein te giechelen, maar als een van de professoren eraan
komt, trek ik snel een bloedserieus gezicht en kijk recht
voor me uit, alsof ik plotsklaps ben bevangen door een
sterke bewustwording van de reden van ons bestaan.

Algauw leer ik wat hier voor cool doorgaat. De docenten moeten vooral niet denken dat ik uit een of ander achterlijk dorp kom! Ik draag mijn hoofddoek iets verder naar achteren, waardoor er iets meer van mijn haar te zien is. Mijn hoofddoek op zich is ook niet conform de regels – hij is weliswaar donker van kleur, maar heeft een patroon van blauwe en rode stipjes. Op het plein en in de gangen let ik er goed op dat ik nonchalant slenter. Je moet aan mijn manier van lopen kunnen zien dat ik een vrouw van de wereld ben. Als ik leden van de vervloekte *Basij* tegenkom, bekijk ik hen met een vluchtige blik vol meewarige minachting, in de hoop dat mijn uitdagende houding de universiteitsstaf zal opvallen.

Van alle mensen op wie ik indruk wil maken, is Arash de belangrijkste. De oppassende studenten, degenen die geen enkel probleem hebben met het regime, kijken naar Arash alsof hij plannen heeft hen aan de boezem van hun familie te ontrukken en mee te slepen naar de hel, waarna alleen de echo van zijn duivelse lach zal achterblijven. Maar voor degenen die graag cool willen zijn, zoals ik, is hij de Gary Cooper van de campus, een man die er zachtaardig uitziet maar niettemin een pistool op zijn heup draagt en elk moment bereid is de boeven overhoop te schieten. *High Noon* in Teheran. Eerlijk gezegd heb ik Hollywood niet nodig om een vergelijkbaar rolmodel te zoeken: voor mij is Arash de laatste van een lange reeks onvervalste Perzische helden. Hij is zo vermetel en dapper als Rustam; hij bezit de keizerlijke laatdunkendheid van Darius de Grote voor de bekrompen geest van de lage adel; hij is Omar Khayyam in zijn satirische veronachtzaming van regels en etiquette; hij heeft de romantische nonchalance van Hafiz.

Ik verafgood hem.

Op een dag raap ik al mijn moed bij elkaar en loop door de gang naar hem toe. Hij staat te praten met wat studenten die ouder zijn dan ik, maar ik blijf bij het groepje dralen. Op een gegeven moment krijg ik de kans een opmerking te maken waarmee ik duidelijk kan maken wat mijn politieke gezindheid is en flap het eruit. Geen donderend 'Dood aan de moellahs!' maar toch iets waarmee ik laat merken hoe diepzinnig en ongelooflijk spits ik ben. Arash bekijkt me geamuseerd, de oudere studenten bekijken me minachtend. Een paar dagen later besluit ik naar een politieke bijeenkomst te gaan, en ook Arash is er. Hij ziet me als ik haastig naar binnen ga en een plaats zoek, draait zich om en glimlacht over zijn schouder naar me. Ik duw mijn hoofddoek wat naar achteren en trek een gezicht waar mijn verachting voor het regime van af spat. Arash lacht hardop. Vernedering trekt door me heen als een witheet vuur en ik barst bijna in tranen uit, maar slaag erin me te beheersen en blijf zitten.

Door stug vol te houden leer ik Arash allengs beter kennen en toont hij zich steeds meer bereid me te dulden. Ik vertel hem over mijn minachting voor het regime en hoever ik al ben gegaan in mijn pleidooi voor radicale veranderingen. 'Grote plannen,' zegt hij, nog altijd geamuseerd. 'Maar weet je, we verwachten niet al te veel te kunnen veranderen. Voorlopig alleen een paar kleine zaken, en later nog wat meer. Jij klinkt als de kinderen die in de oorlog bereid waren hun leven op te offeren – de kinderen die stonden te popelen om voor het goede doel te sterven. Je moet het iets rustiger aan doen, kleintje.'

Dus doe ik het rustiger aan. Mijn dissidente praatjes

worden minder fel. Ik zeg tegen mijn vrienden, mijn oude vrienden van de middelbare school en de nieuwe van de universiteit, dat 'we' (ik en alle hooggeplaatste figuren binnen de beweging) op het moment alleen maar een paar kleine veranderingen willen bewerkstelligen, en daarna weer een aantal. We zijn geen heethoofden, zeg ik; we zijn geen martelaren. De hemel mag weten wat mijn vrienden van mijn nieuwe gedrag denken; ze zijn in elk geval zo goed me dat niet te vertellen.

Ondanks dat ik me deze extreem coole houding heb aangemeten, volg ik Arash als een jonge hond. Als hij stilstaat, sta ik ook stil, als hij weer doorloopt, loop ik ook door. Wie ons ziet, weet meteen dat ik stapelgek op hem ben. Mijn verliefdheid is uiteraard van romantische aard, maar het is niet zo dat ik verwacht met Arash naar bed te gaan, met hem te trouwen en een hele reut radicale kinderen te baren. Vrouwen (in tegenstelling tot mannen) zijn tot diepe liefde in staat zonder zich volledig over te geven aan de erotische aspecten ervan. En áls die erotische aspecten de kop opsteken, kunnen vrouwen die in bedwang houden en genieten van de pure verrukking van het verliefd zijn terwijl het zoenen en vrijen vooralsnog wordt opgeschort. Vrouwen kunnen niet blijvend op deze wijze liefhebben – vroeg of laat krijgen ze behoefte aan intiem contact – maar ze kunnen het vrij lang volhouden.

Dat brengt me op een aspect van mijn gedweep met Arash dat me erg dwarszit: stel dat hij een lelijke kerel met vooruitstekende paardentanden was die met consumptie praatte? Had hij zijn aantrekkingskracht niet gedeeltelijk te danken aan zijn knappe uiterlijk en sensueel-melancholieke houding? En zou ik in spirituele zin ook zo gek op hem zijn geweest als hij zich volkomen onverschillig had getoond voor het lijden van zijn medemensen? Was het niet zijn zachtaardigheid die zo'n belangrijk deel van zijn charme vormde? Was het misschien zo dat ik in hem de ideale vader zag, niet knapper van uiterlijk dan mijn eigen vader (want weinig mannen zijn dat, moet ik in alle eerlijkheid zeggen), maar een vader op wie ik verliefd kon worden? Ziet u, dat is het probleem wanneer je Freud begint te lezen – je ziet opeens tien mogelijke beweegredenen voor kwesties die voorheen doodsimpel waren.

Drie dagen geleden was ik Arash spuugzat, voelde ik niets dan hoon om zijn vogels en gedichten en oproepen tot protestacties. Nu ben ik weer verliefd. Wat bén ik eigenlijk? Een rietstengel die door de wind wordt gebogen? Ik zal toch wel een ruggengraat hebben? En als dat zo is, zou ik dan niet positiever over Arash moeten denken? Hij is al een paar keer opgepakt, dus zullen de ondervragers hem ongenadig behandelen, maar toch heeft hij de kracht weten te vinden om een bemoedigende boodschap voor me achter te laten. Ook als ikzelf nergens kracht voor weet te vinden, zou ik in elk geval respect moeten tonen voor zijn moed.

Ik lig zachtjes te kermen, tot mijn gejammer verstilt en een heel intens gevoel in me opkomt – als een lichtend kader dat mijn gevoelens omsluit. Ik wist wat ik deed. Ik wist dat ik in de problemen zou komen. Ik wist het. Het ging niet alleen om Arash, al gaf hij alles wat ik ervoer een aura. Hij was niet het centrum van die aura. Diep in mijn wezen zit een Zarah. 'Want luister, luister!' (Ik praat nu hardop tegen mezelf.) Ze weet dat ze haar gebroken hebben, dat ze zwak en zielig is, maar dat komt alleen door de pijn en de angst. Iedereen weet wat pijn en angst met je doen. Iedereen weet dat martelingen effect hebben. Dat is niks nieuws. Goed, jullie hebben haar gemarteld; ze zou alles beaamd hebben om jullie ermee te laten ophouden. Ze kan jullie hetzelfde aandoen, iedereen kan het iedereen aandoen. Maar als ze hier ooit vandaan komt, zal ze bang zijn en misschien niet meer de straat op gaan en niet meer luidkeels protesteren. Ook al gelooft ze geen woord van wat jullie haar proberen wijs te maken! Ze gelooft er geen woord van, leugenaars!

Ik begin mijn verstand te verliezen, maar voel me daar prima bij. Ik ben net zo gek als de gek boven me. Ik praat over mezelf in de derde persoon enkelvoud. Ik begin dingen te verzinnen. Zo dadelijk ga ik ook een naam roepen, de naam van een denkbeeldige minnaar die me heeft verraden, mijn Leila.

Ik sta op en hef mijn gezicht op naar het luchtrooster.

'Sohrab? Wil je over Leila praten?'

Hij geeft geen antwoord. Misschien is hij in een slecht humeur. Dat zou jammer zijn, want nu hebben we nog meer met elkaar gemeen. We zijn allebei gek. Ik vind het vervelend dat hij geen antwoord geeft. Ik heb het gevoel dat ik op dit moment heel bijzondere dingen tegen hem zou kunnen zeggen. Mijn geest is glashelder en tegelijkertijd volkomen in de war. Zo gaat het blijkbaar wanneer je gek bent. Je denkt dat jij alleen alles heel scherp ziet, dat de mensen om je heen in een mist leven.

O nee, de heerlijke scherpte van geest verdwijnt alweer terwijl ik hier sta te wachten tot Sohrab antwoord zal geven. Ik word weer mistroostig en verdrietig. Het was slechts een uitstapje, die heerlijke waanzin.

Ik ga weer op mijn stinkende deken zitten en droog mijn tranen. Ik ben weer zwak. Ik ben bereid de bewakers en de ondervrager om genade te smeken. 'Wees aardig voor me. Ik vorm geen bedreiging. Ik ben zwak en afstotelijk, als een worm. Als u wilt dat ik als een worm over de vloer kruip, zal ik dat onmiddellijk doen. Zeg maar wat ik moet doen. Hoe erg het ook is, ik zal het doen.'

De grote denkers, de grote filosofen, willen ons doen geloven dat lijden louterend is; dat je er een beter mens van wordt; dat je er karakter van krijgt. Nou, ik kan de grote denkers iets anders vertellen, wat net zogoed waar is: dat je van lijden verdorven wordt. Het is mooi als je al karakter hebt, als je al wijsheid en moed bezit, maar als dat niet het geval is, worden die door lijden niet opgebouwd in je hart en je ziel. De weinige moed die je bezit zal juist door het lijden verteerd worden, en dan heb je helemaal niets meer over. Je ziet de man met de bijl en de kap over zijn hoofd. Het houten blok staat vlak voor je. 'Buig je hoofd,' zegt de beul. Zijn stem klinkt gedempt van onder de kap. 'Buig je hoofd.' Niets kan je redden, dus kun je net zogoed waardig sterven. Behalve dat er geen grein van waardigheid meer in je zit. Waar je waardigheid ooit zat, zit nu alleen angst, die krijst om redding, zoals ratten in een kooi krijsen om vrijgelaten te worden. Je bent van lijden niet sterk geworden. Je kijkt op naar de beul; je ziet de glans van de bijl. 'Buig je hoofd,' zegt hij. Maar in plaats van dat te doen, smeek je hem je te sparen, je te vergeven. 'Niet ik!' smeek je. 'Niet ik. Alstublieft niet!'

Hoofdstuk 18

Bij ons in de familie zijn we allemaal 'liberaal', zoals dat heet: mijn vader en moeder, mijn oudere broers, mijn zussen, zelfs mijn jongste broer. En ook mijn neven en nichten, ooms en tantes. We houden niet van dogma's, we hebben geen vertrouwen in ideologie, we willen vrijheid voor iedereen. We vinden het prima als jongens en meisjes een beetje zoenen en vrijen voordat ze getrouwd zijn, en we vinden het ook niet erg als het zoenen en vrijen uiteindelijk niet in een huwelijk uitmondt. Van ons mag iedereen zich kleden zoals hij wil. Als je in je bikini wilt gaan winkelen op de Boulevard van de Revolutie moet je dat vooral doen. We zouden niet direct zeggen dat zoiets van goede smaak getuigt, maar ach, ieder zijn meug. Je mag van ons ook lezen wat je wilt. We zijn over het algemeen tegen censuur.

We zijn voor scheiding van kerk en staat. Laat priesters en moellahs gerust de wet voorschrijven binnen hun moskeeën en kathedralen, en laat degenen die deze moskeeën en kathedralen binnengaan vooral gehoorzamen aan die regels. Daarbuiten zouden moslims, christenen en joden alleen maar de wetten van hun seculiere land hoeven te eerbiedigen. We zijn voor het kapitalisme, maar dan wel met een aanvaardbaar aangezicht of in op z'n minst een mooi masker; welzijnszorg, ja; verdraagzaamheid, ja. In onze politieke opinie verschillen we niet van de meeste Iraniërs uit de middenklasse; die zijn over het algemeen net als wij, hoewel ze voorzichtigheid betrachten wanneer ze hun ideeën over politiek uiten, net als wij – of net als de meesten van ons.

Een uitzondering is Ellie, een nichtje van me, veertien jaar oud, maar veertig in haar gedrag. Net als ik is Ellie opgegroeid onder het bewind van de moellahs. Maar in Ellies geval hebben de moellahs succes gehad.

'Denk erom, Zarah,' waarschuwde ze me toen ik met Behnam ging, 'dat je niet met je vriend naar bed gaat voordat jullie getrouwd zijn. Dan kom je in de hel.'

'Zarah,' zei ze verwijtend toen ze me thuis zonder mijn boerka zag, in een spijkerbroek en een topje dat mijn middenrif vrijliet. 'God kan in de huizen kijken.'

Het is ergens grappig als een veertienjarige je op de vingers tikt – al kan het ook irritant zijn – maar het was helemaal niet Ellies bedoeling om grappig te zijn. Ze wilde zieltjes redden, en wist precies hoe ze dat moest doen, omdat haar leraressen op school, de voorlichters op de radio en de imams in de moskee haar daarvoor een eenvoudige methode aan de hand hadden gedaan: als je ziet dat de Wet van God wordt genegeerd, moet je daar iets van zeggen. Bij ons in de familie werden we na verloop van tijd zo bang voor Ellies godvruchtige ijver dat we ons best deden ons aan haar regels te houden wanneer ze in de buurt was. We waren niet bang dat ze ons zou verklikken aan de *Basij* of zoiets; ze hield van ons en het zou helemaal niet in haar hoofd opkomen ons in moeilijkheden te brengen. Nee, we waren alleen maar beducht voor haar frons en afkeurende tonggeklak, dus gaven we aan haar toe zoals je toegeeft aan een strenge grootvader. Dat gold zelfs voor haar eigen ouders. Het ging mij te ver om binnenshuis een hoofddoek te dragen, maar om haar een plezier te doen hield ik de rest van mijn lichaam wel zo veel mogelijk bedekt. Geen woord van kritiek op de regering kwam over mijn lippen wanneer ze binnen gehoorsafstand was. Als op tv iemand sprak die belangrijk voor haar was – een geëerbiedigde ayatollah, een van die schijnheilige kerels met hun grijze baarden – ontsloeg ik mezelf van de morele plicht giftige kritiek te leveren.

Soms bekeek ik haar met gefascineerde afschuw als ze stilletjes en toegewijd traktaten van de Koran zat te lezen met een gezicht dat heldere geloofsovertuiging uitstraalde. Ik bekeek haar ook weleens wanneer ze mijn moeder hielp in de keuken: een tienermeisje en een vijftigjarige huisvrouw, die in geen enkel opzicht van elkaar verschilden wat hun plichtsgetrouwe aandacht voor de eisen van het huishouden betrof. Ondanks dat Ellie in feite nog een kind was, was ze er al helemaal klaar voor om de taak van gehoorzame huisvrouw en strenge maar liefhebbende moeder op zich te nemen. Bovendien had ze zichzelf geleerd het werk in de keuken vaardig met één hand te verrichten, terwijl ze met haar andere hand haar hoofddoek strak vasthield onder haar kin. Dat is een behendigheid die alleen de allervroomste vrouwen onder de aanhangers van het regime machtig zijn. Voor vrouwen als mijn moeder is het volkomen acceptabel om je hoofddoek losjes te dragen, zodat je beide handen vrij hebt voor je werk.

In het huishouden waarin ik opgroeide waren zoveel mensen het op zoveel gebieden met elkaar eens dat we konden volstaan met een steno van gebaren of gelaatsuitdrukkingen in plaats van hele verhalen. Als we op het journaal zagen dat een jong meisje ter dood veroordeeld was omdat ze een verhouding had gehad, schudden we ons hoofd of sloegen een hand voor onze ogen, of zuchtten we alleen maar en zeiden 'Vreselijk', of iets van dien aard. We leefden in een commune van gelijkgestemde zielen. Hoewel ik gewend was geraakt aan Ellies op- en aanmerkingen en aan haar afkeurende geluiden en gebaren, moet ik er diep in mijn hart van overtuigd zijn geweest dat ze nog steeds een van ons was. Ook al hield ze er vervelende opinies op na over zonde en berouw, ik dacht niet dat ze de echt wrede gebruiken van de regering zou onderschrijven.

Maar dat deed ze wel. Onbarmhartige (en volslagen zinloze) praktijken als het middeleeuwse godsoordeel vond Ellie volkomen gerechtvaardigd. Ze accepteerde bijvoorbeeld dat als een vrouw een aanklacht indiende wegens verkrachting, een mannelijk lid van het gezin wettelijk verplicht was dat te bevestigen – wat volslagen nonsens was. En toch was ze niet harteloos; helemaal niet. Ze was een zachtaardig meisje, dat zich druk maakte om vogels met lamme vleugels en straathonden die in leven moesten zien te blijven met wat ze in vuilnisbakken en op straat aan eten konden vinden. In veel opzichten, in de mééste opzichten, was ze een watje. Ze kwam vaak naar mijn kamer, ging op de rand van mijn bed zitten, streelde mijn hand en raakte mijn haar aan terwijl ze aan één stuk door beminnelijke onzin uitkraamde. Maar als mijn wrede aard naar boven kwam en ik met haar dezelfde experimenten uithaalde als met mijn moeder, als ik haar verzocht herinneringen op te halen aan de glorieuze tijden van het regime van de sjah en haar aan de tand voelde over specifieke schanddaden die haar geliefde moellahs hadden gepleegd, vermaande ze me op een vriendelijke manier, als een welwillende grootmoeder. 'Geloof me nu maar als ik zeg dat onze leraren veel dingen weten die gewone mensen niet weten. Zij vertellen ons wat het beste voor ons is, Zarah.'

Ellie vond het niet prettig wanneer ik concrete onderwerpen aansneed die rechtstreeks betrekking op ons hadden, maar zelfs die dingen brachten haar vertrouwen in de moellahs niet aan het wankelen. Een tante van ons, die zich had laten scheiden van haar weerzinwekkende bullebak van een man, vroeg Ellie eens in mijn bijzijn of ze het leuk vond dat ze vanwege 'de mensen van jouw soort' haar eigen kinderen niet meer mocht zien – want zo luidt de wet in Iran. Een vrouw kan zich van haar man laten scheiden, maar dan ziet ze haar kinderen nooit meer terug. Ellie wist donders goed hoe moeilijk mijn arme tante het had, hoe ze hunkerde naar een kinderhandje in de hare. Toen ik met mijn nuchtere instelling naar het gesprek luisterde, dacht ik. *Aha! Ik ben benieuwd hoe je je hieruit weet te wurmen, mijn beste Ellie!* Wurmen was het juiste woord. Ik zag aan haar ogen hoe moeilijk ze het had. Daar stond haar tante, met dikke wallen onder haar ogen, bijna gek van verdriet; een betere reden om enige terughoudendheid te betrachten zou Ellie nooit krijgen. Maar wat ze uiteindelijk zei, was wat we eigenlijk al hadden kunnen voorspellen – een variant op het cliché waarmee ze ook bij mij was aangekomen: 'Over zulke dingen kan ik niet oordelen tot ik volwassen ben. Maar mijn leraressen kunnen het me vertellen. Ik zal het vragen.'

De leraressen, de voorlichters, de imams! Komt het daar uiteindelijk op neer – op degenen die je onderwijzen? Mijn leraressen hebben veel invloed gehad op mijn leven, en hetzelfde kun je zeggen van Ellie. Maar het is toch te hopen dat er iets meer bij komt kijken, want hoe is het mogelijk dat het je niet opvalt dat de vroomste onderwijzers juist tot de dogma's worden aangetrokken? Geef mij maar een docent die soms wordt geplaagd door twijfels, die een vraag van een leerling beantwoordt met: 'Daar moet ik eerst een poosje over nadenken.' Neem mijn geliefde Omar Khayyam. Hij heeft een groot deel van zijn leven gezocht naar zekerheden en is uiteindelijk tot de conclusie gekomen dat het zoeken naar zekerheden niet alleen futiel is, maar je bovendien belet te genieten van het bruisende leven om je heen.

Geachte Omar, daar onder uw tak met uw kruik rode wijn die gemaakt is uit de druiven van Shiraz, met uw geurige verse brood en uw geliefde. Moge alle mensen in mijn land die leven volgens de zekerheden van de moellahs eensgezind tot bezinning komen, een picknickmand klaarmaken en de parken en bossen intrekken met hun vrouw, hun vriendin, hun echtgenoot, hun vriend. Moge ze tot op de late avond plezier maken en elkaar kussen. Moge de kinderen onder de sterrenhemel in slaap vallen en zich bij het wakker worden afvragen wat voor heerlijkheden de nieuwe dag zal brengen. Moge Ellie ontwaken met haar chador afgezakt tot op haar schouders en moge ze glimlachen wanneer ze de zon op haar haar voelt.

IJdele hoop, Zarah! Maar het is een mooie droom.

Hoofdstuk 19

Ik heb het groene papier onder de deur door geschoven om de bewaker te waarschuwen dat ik naar de wc moet, maar hij let niet op. Soms duw ik het groene papier zomaar naar buiten, om een beetje afwisseling te krijgen, maar nu niet. Ik ijsbeer door mijn cel – drie korte stappen heen en drie korte stappen terug – met mijn handen tegen mijn blaas gedrukt. Dit is vannacht al de vierde keer dat ik moet plassen. Zou ik iets aan mijn nieren hebben? Heb ik hier een ziekte opgelopen? Kunnen de bewakers niet een beetje tegemoetkomend zijn? Ze hoeven heus niet bang te zijn dat ik onderweg naar de wc een poging zal doen te ontsnappen, dat ik de gewapende bewakers zal overmeesteren en de sleutels van ik weet niet hoeveel deuren zal stelen. Ik wil alleen maar plassen!

Onder het lopen begin ik zachtjes te kermen, smachtend naar verlichting. Als de bewaker niet gauw komt, zal ik het in een hoekje van de cel moeten doen. Misschien willen ze dat juist, zodat ze me kunnen berispen. Maar waarom zouden ze? Zouden ze het een prestatie vinden als ze me nog meer zouden vernederen? Weten ze niet hoe gemakkelijk het is om een mens tot het niveau van een beest te brengen? Daar is geen vaardigheid of briljant inzicht voor nodig. Als je geen andere keus hebt is waardigheid het eerste wat je opgeeft. Niet in één keer, maar stukje bij beetje. Waardigheid wordt een luxe die je je niet meer kunt veroorloven, zoals parfum, geurige zeep en lippenstift uit Parijs. Je kunt best zonder.

'Alstublieft!' kreun ik, niet zozeer tegen de bewaker als tegen God. 'Alstublieft, alstublieft!' Het zweet breekt me aan alle kanten uit door mijn verwoede pogingen mijn plas op te houden. Laat me dit laatste alstublieft behouden, dit allerlaatste, het gevoel dat ik mijn cel kan schoonhouden! Maar ook deze hartstochtelijke wens verliest razendsnel aan kracht. Zou het echt zoveel uitmaken als de vloer van mijn cel nat werd? Dit hok kan moeilijk nog meer gaan stinken. Ik voel dat de verleiding om het op te geven de overhand dreigt te krijgen, maar weet ook dat ik, als ik hier midden in mijn eigen plas zal zitten, iets verloren zal hebben wat ik echt wilde behouden. Niet zozeer mijn waardigheid. Ik denk dat het meer te maken heeft met het idee dat dit mijn eigen plek is. Deze cel is van mij.

Wanneer ze klaar zijn met een ondervraging en me terugbrengen naar deze piepkleine ruimte, is die van mij. Wanneer de deur dichtvalt, wordt wat er nog van me over is beschermd door deze betonnen muren. Het is vreselijk om het te moeten toegeven, maar deze cel is nu mijn thuis, en daarom wil ik dat hij schoon blijft. De huisvrouw in me wil dat. Als het mogelijk was, zou ik een vaasje bloemen in de hoek zetten en een matje voor de deur leggen. Ik zou elke dag, misschien zelfs twee keer per dag, de vloer aanvegen en eens per week zou ik een emmer sop nemen en de hele vloer schrobben. Ik zou een poster ophangen, misschien die van Kafka, uit mijn kamer in het huis waar ik vroeger woonde. Of misschien toch maar geen Kafka. Ik mag graag naar het portret van Kafka kijken wanneer ik veilig thuis ben, maar hier zou het niet juist zijn. Deze cel lijkt te veel op de plaatsen waar hij over schreef. Maar sta me alstublieft toe hem schoon te houden!

Dit is de naakte waarheid over mij. Ik ben een doodgewoon, burgerlijk meisje met een hoofd vol burgerlijke wensen. Ik wil een man en kinderen, en een mooie keuken met een mixer, een broodrooster en een grill en zo'n moderne ketel van roestvrij staal die eruitziet als een kunstwerk. Ik wil een mooie oven in mijn keuken – een grote oven, veel groter dan ik nodig heb, vanbuiten wit, met een heleboel rode lampjes die aangeven wat hij doet en hoelang de gerechten er al in staan. Ik wil een mooi servies met grote en kleine borden en soepborden, dessertkommetjes; en glazen, kristallen wijnglazen; en potten en pannen van verschillende grootte, maar wel allemaal van hetzelfde merk. Het is idioot dat ik zo snak naar een mooie keuken, want ik kan niet eens koken, en zou niet weten wat ik aan boodschappen in huis zou moeten halen voor een gezin of zelfs alleen voor mezelf. Toch hoort die mooie keuken bij het huis waar ik van droom, in afwachting van de dag waarop ik zal hebben leren koken, de dag waarop ik zal hebben geleerd een man te kiezen die een goede echtgenoot zal zijn in plaats van een verbeten zakenman die zich nergens anders voor interesseert dan voor de deals die hij wil sluiten – ik denk daarbij aan Behnam, die me erg gelukkig had kunnen maken als hij iets beter zijn best had gedaan.

Ik klem mijn kaken nu op elkaar van de inspanning om

mijn plas op te houden. Ik buig me voorover en sla mijn armen om mijn middel. Ik denk dat ik het nog tien seconden kan volhouden. Daarna zal ik het toch echt op de vloer moeten toen. Dan maar geen schoon huis.

Tien seconden tikken weg, en nog veel meer, honderden seconden, voordat de bewaker eindelijk naar mijn cel komt. Ik kan hem wel vermoorden! Ik wil mijn nagels in zijn gezicht zetten en het tot bloedens toe openrijten. Als hij de deur opendoet, dwing ik mezelf de woorden in te slikken die op het puntje van mijn tong liggen – lelijke scheldwoorden, die ik normaal gesproken nooit in de mond neem. Ik mag hem niet beledigen. Hij kan me gemakkelijk weer mijn cel in duwen en de deur dichtgooien.

'Moet je nou alweer?' vraagt hij. 'Dit is al de vierde keer vandaag. Het moet nu maar eens uit zijn.'

'Het spijt me,' zeg ik onderdanig. 'Ik voel me niet goed.'

'Jammer dan. We hebben je niet gevraagd hierheen te komen. Daar heb je zelf om gevraagd.'

Als ik de deur van het toilet achter me heb dichtgedaan en mijn pijnlijke blaas laat leeglopen, zie ik een bericht aan de binnenkant van de deur. Een boodschap van Arash. Ik doe niet eens moeite het te lezen. Ik geniet alleen maar van het genoegen van het plassen. Daarna kijk ik pas weer naar het bericht. Er staat: 'Hou vol. B doet zijn best voor je'. B staat voor Behnam, besef ik onmiddellijk. Maar de rest van het bericht blijft secondelang een mysterie. En dan komen de tranen los. Niet een of twee, maar een stortvloed, een tropische bui. Mijn gezicht wordt zó nat dat ik voel hoe de druppels kleine stroompjes vormen die van mijn kin druipen. Nog nooit van mijn leven heb ik zo verschrikkelijk gehuild.

Ik doe de blinddoek weer voor, kom de wc uit en ben weer in de macht van de bewaker. Hij ziet de tranen onder mijn blinddoek vandaan komen. Onverwachts legt hij heel vluchtig zijn hand op mijn schouder. 'Ik wil je vanavond nog wel een keer naar het toilet brengen, hoor,' zegt hij zachtjes. 'Als je weer moet, kom ik je wel halen.'

'Dank u. Dank u.'

Ik hou mijn tranen in terwijl hij me terugbrengt naar mijn cel. Maar zodra de deur is dichtgevallen en ik de blinddoek door de sleuf naar buiten heb geduwd, geef ik me over aan de wervelwind van losgemaakte emoties. Ik weet zelf niet waar dit allemaal vandaan komt. Behnam doet zijn best voor me? Het zij zo. Als hij wat eerder zijn best voor me had gedaan, had ik nu niet zo onbedaarlijk zitten janken. De tranen rollen over mijn gezicht alsof een groot orgaan in mijn lichaam, groter dan mijn hart en zelfs groter dan mijn lever, enorme hoeveelheden water oppompt en door mijn ogen naar buiten laat stromen.

Als de tranen eindelijk opdrogen, blijf ik roerloos op mijn stinkende deken zitten met mijn haarloze hoofd en een gezicht dat er moet uitzien als dat van een vogelverschrikker in de regen. Als Behnam me nu zou zien, zou hij zich misschien bedenken en geen moeite doen me uit deze hel te halen. Beschouwt hij me nog steeds als zijn aanstaande? Arme man, hij moest eens weten! De mensen hier in Evin hebben te weinig van me overgelaten om nog iemands aanstaande te kunnen zijn. Mijn lelijke kop wens ik geen enkele man in Iran toe.

Wat zou Behnam eigenlijk voor me kunnen doen? Ik probeer daar nuchter over na te denken. Mag ik werkelijk gaan geloven dat ik hier misschien vandaan zal komen? Is dat mogelijk? Behnam kent veel invloedrijke mensen – hij heeft massa's contacten – maar ik durf de hoop niet in mijn hart te laten ontkiemen, want ik weet dat Behnam zijn reputatie altijd voorrang zal geven als hij moet kiezen tussen altruïsme en het helpen van een vijand van het bewind. Hij zal zijn zaken met de wanstaltige mensen die over mijn land regeren niet in gevaar willen brengen. En dan heb je zijn moeder ook nog. Die vindt me volslagen ongeschikt voor haar zoon. Voor haar oogappel ben ik veel te opruiend, en bovendien kan ik niet koken, niet met naald en draad overweg en heb ik nooit interesse getoond voor alle dingen die je moet weten om je mannetje tevreden te stellen en gelukkig te maken. Ze weet niets over de droomkeuken in mijn droomhuis, ze weet niet hoezeer ik ernaar verlang het gezichtje van mijn eigen baby te kunnen bekijken, een baby die zijn handjes opheft om mijn gezicht aan te raken. Ze ziet alleen een recalcitrante meid die met citaten schermt uit boeken waar ze niks van moet hebben. Nou, dan niet. Als ze denkt dat haar zoon een betere vrouw kan krijgen, moet hij maar gauw gaan zoeken.

Waarom laat Arash eigenlijk berichten over Behnam voor me achter? Hij mag Behnam helemaal niet. Ze deden niets anders dan op elkaar afgeven als ik tegen de een iets over de ander zei. Behnam noemde Arash altijd een 'boer' – ik denk omdat Arash niet in Teheran is opgegroeid en de superintellectuele bewoners van de hoofdstad graag mogen doen alsof heel Iran, op Teheran na, een wildernis is die wordt bevolkt door holbewoners. Eén keer zijn ze zelfs bijna met elkaar op de vuist gegaan. Ik kan me niet eens herinneren waar het om ging. Arash zal wel iets gezegd hebben over het corrupte, leugenachtige gedrag van de regering, waarop Behnam met een sarcastische opmerking zal hebben gereageerd. Het gekke is dat Behnam op zijn manier juist respect heeft voor Arash. Hij weet dat Arash veel moediger is dan hij. Hij weet dat hij nooit de risico's zou nemen die Arash elke dag neemt.

Maar als Behnam me nog steeds wil, waarom zou ik dan voorgeven dat het me koud laat? Allemachtig, als hij me nog steeds wil, mag hij me hebben. Ik ben bereid met hem te trouwen. Als hij me hiervandaan weet te krijgen, zal ik hem elk jaar een kind schenken en een chador dragen met eronder kleding van Louis Vuitton en sexy ondergoed, net zoals de vrouwen van zijn vrienden. Ik zal naar zijn domme feestjes gaan, waar ik bij de vrouwen zal blijven staan en hun zal vertellen hoe geweldig ik het vind dat mijn kinderen hele verzen uit de Koran kunnen opzeggen. Ik zal in loftuitingen uitbarsten wanneer ik de andere vrouwen vertel dat Behnam een toegewijde volgeling van Mohammed is. Ik zal alles voor Behnam doen, álles, ik zal mijn leven lang geen woord meer zeggen over politieke onderwerpen, als hij me uit deze gevangenis haalt. En het kan me helemaal niet schelen dat ik dan van mezelf zal walgen. Al ga ik ervan kotsen! Het maakt me niets uit.

Alweer een dag zonder ondervraging. Niet dat ik ondervraagd wil worden, maar waarom ben ik zo rusteloos? Ik zou juist blij moeten zijn. Het probleem is dat mijn hele wezen doodmoe is van het wachten op wat er ook met me gaat gebeuren. Elk deel van me is moe op zijn eigen manier. Mijn armen en benen voelen aan alsof ze gemaakt zijn van zachte spaghetti; er zitten geen botten in en ook geen bloed. Mijn voeten zijn niet alleen moe, maar hebben door het gebrek aan lichaamsbeweging heel zachte zolen gekregen. IJsberen in mijn piepkleine cel is niet voldoende voor wat ze nodig hebben. De huid van mijn gezicht voelt aan als die van de oude opoetjes die je op straat ziet: bleek en verkreukeld.

Ik zit te zitten en kijk om me heen. Mijn blik dwaalt van de ene muur naar de andere, dan naar de deur, dan naar de vloer. Mijn ogen zijn uitgehongerd. Ze hunkeren naar iets om zich aan te laven. Ik wou dat er een insect bij me op bezoek kwam, een mier, een mug, een vlieg, een kakkerlak, het maakt niet uit wie of wat, zolang ik mijn ogen maar kan gebruiken om dingen te ontdekken over dat insect, zodat mijn hersenen iets te doen hebben. Het is vreemd, maar als je ergens zit waar je ogen of je hersenen nergens door gestimuleerd worden en je spieren niets te doen hebben, geeft je lichaam jou de schuld, alsof je er zelf voor hebt gekozen je zintuigen en spieren op non-actief te zetten. Als ik dus overeind kom en de drie stappen heen en weer loop, doe ik dat omdat een boos en ongeduldig wezen in me zegt: 'Hé, jij daar! Doe eens iets! Ga wandelen! Lees een boek! Ga naar de film! Waarom ben je zo sloom?'

Er verschijnt geen beestje om mijn zintuigen iets te doen te geven, dus sta ik mijn geest met tegenzin toe te zwelgen in mijn enige tijdverdrijf: moordfantasieën. Dit overkomt me dagelijks, en elke keer vecht ik er een poosje tegen en bezwijk ik uiteindelijk toch, als iemand die weet dat het een zonde is om in je eentje seksuele bevrediging te verkrijgen en belooft ermee op te houden, maar er niet mee kan ophouden, en het weer belooft, en de belofte opnieuw verbreekt. Mijn slachtoffer is altijd de dikke man. Soms komt hij in z'n eentje mijn cel in, grommend en snuivend, ervan overtuigd dat ik volkomen aan hem ben overgeleverd. Hij weet niet dat ik een manier heb weten te vinden om me te bewapenen met een grote hamer, zo een die stratenmakers gebruiken om straatstenen op hun plek te tikken. Ja, ik hou een levensgrote hamer achter mijn rug, en als ik de dikzak op me af zie komen (want ik heb geweigerd de blinddoek voor te doen), ben ik me bewust van het gewicht van mijn wapen, ben ik me er scherp bewust van hoe dodelijk het is. Maar laat ik op enigerlei wijze merken dat ik dit wapen met beide handen omklem, zonder dat het varken het kan zien? Nee. Ik kijk naar hem met in mijn ogen de kinderlijke angst waar hij zo opgewonden van wordt. Ik doe alsof ik op mijn benen sta te trillen. Ik zie eruit alsof ik wil zeggen: 'O nee, wat nu, wat nu? Ik ben verloren! O nee, o nee!' En dan, als hij zo dicht bij me is dat ik de misselijkmakende stank van zijn adem kan ruiken en de wellustige blik op zijn gezicht onverdraaglijk wordt, breng ik de hamer omhoog en laat ik hem met al mijn kracht neerkomen op zijn meloenachtige schedel. Een ogenblik lijkt hij ongedeerd en staart hij me alleen maar aan met een niet-begrijpende blik. Maar wacht, wacht! Nu komt het! Ziet u hoe zijn hoofd splijt en hoe de smerige smurrie vanuit de kloof over zijn borst en zijn dikke pens druipt?

O, wat mooi! Wat verschrikkelijk mooi!

Maar pervers.

Binnen een minuut na beleving van mijn fantasie walg ik van mezelf, ben ik misselijk van afkeer van mezelf.

Dat doe je niet weer, Zarah! Het moet nu maar eens afgelopen zijn!

Ik ben zojuist onder de douche geweest, voor de derde keer in de naar mijn schatting drie weken dat ik hier nu ben. Ik gilde het uit toen het water op mijn hoofd kletterde, want ik zit aldoor aan de stoppels te krabben, onbeheerst te krabben, waardoor het op mijn kop een bloederige troep is geworden.

En ik moet nodig mijn benen ontharen. Ik vind het afgrijselijk om harige benen te hebben. Ik bedenk opeens dat ze – de mensen die deze gevangenis runnen – waarschijnlijk precies weten hoelang het duurt voordat een meisje als ik lichamelijk zover is gedegenereerd dat ze instort. Misschien hebben ze ergens een schematische voorstelling aan de muur hangen waarop ze elk stadium aanvinken: wordt mager; krijgt een droge, jeukende huid; heeft bloedende schedel door het krabben; spieren zijn veranderd in gelatine; voetzolen worden zacht; menstruatie is gestopt; benen worden harig. Wat zou daarop nog volgen? Zullen al mijn tanden uitvallen?

Ik zit met mijn handen voor mijn gezicht geslagen en vraag me af of ik ooit weer mooi zal worden. Ik was eraan gewend mooi te zijn. Wat was dát fijn! Ik weet hoe oppervlakkig het is dat ik mijn mooie uiterlijk terug wil hebben, maar het was van mij en het was zo fijn, en ik ben nooit ijdel geweest; ik liep nooit te pronken en te pralen. Nou ja, soms, maar alleen omdat ik vond dat ik bofte, niet omdat ik dacht dat ik daardoor een beter mens was.

Waar is Sohrab? Waarom maakt hij geen enkel geluid daarboven? Hebben ze hem meegenomen om hem te ondervragen? Wat denken ze nog los te kunnen krijgen van iemand die hier al tien jaar of langer zit? Hij weet niets over de buitenwereld. Ik hoop dat ze hem niet hebben meegenomen om hem zomaar te martelen!

Waar is mijn dierbare gek?

Ik sluit mijn ogen en prevel een gebedje voor Sohrab. Ik verzoek God hem nog meer slaag, nog meer martelingen te besparen. Ik verzoek God me mijn arme, dierbare gek terug te geven.

Gebeden, gebeden, gebeden! Is er ergens in de hemel of in de hel een levensgroot archief waar alle gebeden van alle mensen die ooit ergens om hebben gesmeekt of gepleit zijn opgeslagen? Van alle mensen die smeekten zonder hoop? Vergeten gebeden in dossiermappen, bedekt met een dikke laag stof?

Ik beweeg mijn hoofd heen en weer met mijn handen voor mijn gezicht en mijn onderarmen op mijn opgetrokken knieën.

Hoofdstuk 20

Als je geboren bent in de provincie Kermansjah, in het westen van Iran, ben je uiteraard Iraniër maar naar alle waarschijnlijkheid een apart soort Iraniër. In Kermansjah en de twee aangrenzende provincies Koerdistan en Zanjan woont het overgrote deel van de vijf miljoen Iraanse Koerden. Dat het merendeel van de Iraanse Koerden in het westen op een kluitje woont is heel prettig voor de niet-Koerdische Iraniërs, want die vinden de Koerden in sommige opzichten eigenaardig en in andere opzichten lastig. Mijn vader en moeder zijn allebei Koerd, uit Kermansjah, en dus ben ik het ook. En ik vind het ergens wel leuk dat de mensen me in sommige opzichten eigenaardig en in andere opzichten lastig vinden.

De Koerden zijn de oudste etnische groepering in het deel van het Midden-Oosten dat Iran heet. Ze leven er al vierduizend jaar en hun wortels reiken tot aardlagen die zijn gecreëerd door goden die in vuur leefden en met magie regeerden. Zulke oorden bestaan nog; plaatsen waar nietsvermoedende bezoekers opeens een vreemd gevoel krijgen, alsof de lucht boven die oude aardlagen is gevuld met vluchtige fluisteringen. De magie van de goden van het vuur zit nog steeds in het bloed van de Koerden, en alhoewel ze nu vrijwel allemaal moslim zijn, vinden andere moslims het Koerdische islamisme primitief en te zeer doorspekt met heidense onzuiverheden. En alsof dat nog niet genoeg is, zijn de Koerden ook nog eens soennieten, reden voor de sjiitische meerderheid in Iran om hen met nog meer achterdocht te bejegenen. Je zou het kunnen vergelijken met een protestante minderheid die in een of ander land door de katholieke meerderheid argwanend wordt bekeken.

Het zijn de Koerden die me het hart en de ziel hebben gegeven waarop ik me al die jaren heb moeten verlaten; meer in het bijzonder is het mijn grootmoeder, de moeder van mijn vader, die me de Koerdische taal heeft bijgebracht en mijn bewustzijn heeft doordrenkt met de oeroude opvattingen en gebruiken van dat aparte volk. Ik geef onmiddellijk toe dat veel van de gebruiken en opvattingen niets anders zijn dan geritualiseerd bijgeloof (stiekem zout in de schoenen van een ongewenste bezoeker strooien, in de hoop dat hij niet meer zal terugkomen; de toekomst voorspellen door met je vingers het haar van een bezoeker te kammen; met een heilig boek onder je kussen slapen wanneer je zwanger bent; bruiloftsfestiviteiten zeven dagen laten duren, omdat zeven een heilig getal is), maar alles vond een weg naar mijn hart.

Toen ik klein was zocht ik altijd het gezelschap van mijn grootmoeder op, zowel in Teheran, waar ze een deel van het jaar bij ons woonde, als bij onze bezoeken aan Kermansjah, de hoofdstad van de provincie Kermansjah, wanneer ze daar bij het gezin van mijn oom verbleef. Ik was de enige van haar kleinkinderen die aan haar verhalen en taal het genoegen beleefde dat ze zo graag aan ons allemaal wilde doorgeven, en dat kwam vermoedelijk door het gevoel voor taal dat zich bij mijn geboorte in mijn genen moet hebben genesteld en geduldig heeft gewacht tot het een rol kon gaan spelen in mijn leven.

Ik ontdekte deze talenknobbel toen ik besefte dat je in verschillende talen uitdrukking kon geven aan dezelfde dingen. Ik kan niet zeggen dat ik me het exacte moment herinner waarop dit tot me doordrong, maar ik weet dat er een specifiek tijdstip op een specifieke dag moet zijn geweest waarop ik een zin construeerde in de taal van mijn grootmoeder en daardoor tot deze verbluffende ontdekking kwam. Granaatappel in het Farsi is ook granaatappel in het Koerdisch, maar opeens kwam dit woord op een speciaal voor mijn oma aangepaste manier uit mijn mond.

Alle jaren dat ik mijn oma bewust heb meegemaakt, was ze weduwe. Haar man was gestorven toen ze nog vrij jong was, en haar kinderen waren bij haar weggehaald en ondergebracht in het gezin van haar zwager. Dat moet in Iran volgens de wet, een bijzonder onmenselijke wet. Mijn arme oma moest een reis van drie uur heen en weer drie uur terug maken om haar kinderen te zien, en dat deed ze regelmatig, zonder dat er ooit een klacht over haar lippen kwam, omdat ze het met liefde deed. Ik denk dat de innige band die tussen haar en mij groeide, een invulling was van de hunkerende liefde voor haar eigen kinderen en haar de kans gaf een kind te verwennen, te betuttelen, lief te hebben en te onderwijzen op de manier die haar was ontzegd.

Als kind was ik onverzadigbaar wat liefde en verwennerij betrof, alsof de aanhoudende liefkozingen van mijn moeder alleen maar trek in meer opwekten. Ik vergezelde mijn oma overal naartoe – naar de markt, naar de bazaar, naar de huiselijke winkeltjes van haar Koerdische vriendinnen. Toen ik wat ouder werd, nam ik een voorbeeld aan de manier waarop mijn oma zich kleedde. Ze droeg altijd lange, kleurige jurken en liet haar haar op Koerdische wijze onbedekt, al bond ze het van achteren bijeen met een gedraaide sjaal of een haarband. We leken niet alleen uiterlijk op elkaar, maar ik maakte dezelfde gebaren als zij, hield net als zij mijn hoofd een beetje schuin wanneer iets me verbaasde, glimlachte op dezelfde manier. Ik heb al die dingen ongetwijfeld van haar afgekeken, al kun je je ook afvragen in hoeverre er sprake is van gelijke genen.

De Koerden zijn al heel lang een onfortuinlijk volk, dat nooit een gelegenheid heeft gekregen eigen grenzen vast te stellen en te zeggen: 'Dit is ons land, het land van de Koerden.' Ze leven als verpauperde achterneven op het land van familieleden die veel verder vooruit zijn gekomen in het leven. In het gunstigste geval zijn medelijden en hoon hun deel; in het ongunstigste geval worden ze door hun familieleden achtervolgd en vermoord omdat ze niet voldoende dankbaarheid tonen. Ze hebben zich verspreid over Turkije, Irak en Syrië, en overal zijn ze altijd een minderheid geweest. Degenen die over hen heersen, beschouwen hen als een last. Uit wat ik over de Koerden heb gelezen, heb ik begrepen dat ze altijd naar een eigen land hebben verlangd, maar dat het hun immer aan geluk of misschien aan talent heeft ontbroken om de grote, beslissende veldslagen te winnen waarmee ze een eigen staat hadden kunnen vestigen. Bereidheid tot vechten is nooit een handicap geweest; dapperheid is nooit het probleem geweest. Zoals de meeste volken in het Midden-Oosten zijn de Koerden zo nodig bereid op de eerste dag van de week bij dageraad op te staan en zeven dagen aan één stuk te vechten zonder zich te bekommeren om voedsel of rust. Maar een grote leider, een briljante strateeg, een hard-vochtige tiran die zijn invloed tot in de wijde omtrek laat gelden – nee, zo iemand is nooit uit de Koerden voort-gekomen. En dus nemen ze noodgedwongen genoegen met hun leven in de bergen, waar ze de heerschappij van de onderdrukkers soms accepteren en er soms tegen rebel-leren.

Ik ken de Koerden van Turkije en Irak niet goed genoeg om over hen iets te kunnen zeggen, maar ik weet wel dat de Koerden van Iran gedurende de duizenden jaren dat ze onder de heerschappij van andere volken hebben geleefd een soepelheid van geest hebben ontwikkeld – in elk geval een deel van hen. Deze plooibare Koerden streven niet meer naar een eigen staat, maar naar gelijkheid binnen de grenzen van Iran. Mijn vader is een Koerd van dit slag. Hij heeft zijn militaire en administratieve talenten eerst in dienst gesteld van de sjah, en toen de sjah werd afgezet, is hij het zakenleven ingegaan en heeft hij een manier gevon-den om met de moellahs te kunnen leven. Voor hem kwam het welzijn van zijn gezin altijd op de eerste plaats; niet op willekeurige voorwaarden, maar op voorwaarde van ge-lijkheid.

Mijn vader heeft altijd een pragmatische instelling ge-had, behalve inzake de vraag of we Iran niet beter konden verlaten toen de moellahs in 1979 aan de macht kwamen.

Hij had zijn hele hebben en houden kunnen verkopen en ervandoor kunnen gaan, maar is gebleven uit liefde voor zijn land en heeft alles wat hij bezat afgestaan aan het regime. Zijn soepelheid van geest uitte zich in de manier waarop hij erin slaagde zich erbij neer te leggen dat het bewind van de sjah voorbij was en hij meteen een manier zocht om zijn gezin te onderhouden. Mijn vader wil dat alles zo goed gaat als mogelijk is, niet zo goed als men zich kan indenken. Hij is geen idealist; hij is niet altruïstisch. Hij trekt strepen in het zand die aangeven tot hoever hij bereid is stappen terug te doen, maar hij zorgt er daarbij voor dat de strepen die hij trekt hem voldoende bewegingsruimte bieden. En dat hij voor pragmatisme heeft gekozen en niet voor hartstocht, is volgens mij typerend voor het soort Koerd dat hij is.

Ik ben net zo'n soort Koerd als mijn vader; een plooibare Koerd. Ik streef niet naar het allerhoogste. Ik wil gewoon dat alles redelijk gaat, alle menselijke beperkingen in aanmerking genomen. Wanneer ik de straat op ga om met mijn gebalde vuist opgeheven te protesteren, roep ik niet: 'Utopie of de dood!' Ik roep iets veel minder verhevens: 'Ik wil roze schoenen!' Dat zou genoeg zijn, want zodra de moellahs mijn recht om roze schoenen te dragen erkennen, zullen allerlei andere goede, leuke, verstandige en doodgewoon *menselijke* veranderingen vanzelf volgen. Ik heb geen probleem met de islam, zelfs niet met de loopbaan en de volgelingen van Ali, de neef van de Profeet, noch met bepaalde bewoordingen in de Koran; ik heb alleen een probleem met de moellahs.

Ik zou precies hetzelfde probleem hebben als ik joods was en gedwongen werd te leven volgens een onbuigzame orthodoxe heerschappij van joodse moellahs, of als ik katholiek was en moest luisteren naar een katholieke moellah die me vertelde dat mijn vlees alleen bestaat om getuchtigd te worden. Of als ik naar een boeddhistische moellah moest luisteren die me probeerde wijs te maken dat de vreugde en opwinding die de kus van mijn minnaar me bezorgt, slechts een illusie is. Op de hele wereld zijn de moellahs bang voor de gevoelens die vrouwen in hen opwekken – dát is wat ik op hen tegen heb. Dat ze veel van wat de natuur ons heeft gegeven lijken te verafschuwen. Ik weet zeker dat de mens in staat is zich te bezinnen op wat goddelijk is zonder zijn menselijke begeerten te onderdrukken. Ik kan dat en mijn vriendinnen ook, en wij zijn echt niets bijzonders.

Mijn vader is, zoals gezegd, een van de plooibare Koerden over wie ik heb verteld, maar eigenlijk is mijn Koerdische moeder nog veel beter in het roeien met de riemen die je hebt.

Westerse vrouwen denken dat Iraanse vrouwen als slavinnen leven, en ik begrijp wel waarom. Ik ken veel Iraanse vrouwen – zowel gehuwde als ongehuwde – die een beroerd leven hebben vanwege alle wetten die dag en nacht bepalen wat ze wel en niet mogen doen. Niets kan worden aangevoerd ter verdediging van wetten die mannelijke leden van een maatschappij het recht geven de geest van de vrouwen in gijzeling te houden. Dat zijn boosaardige wetten, ongeacht waar ze worden toegepast. Maar het leven van Iraanse vrouwen in een menselijker interpretatie van de Koran dan die momenteel in Iran geldt, heeft veel meer overeenkomsten met het leven van vrouwen in het

Westen, en met vrouwen overal ter wereld, dan men denkt. Mijn moeder gaat gebukt onder wetten die westerse vrouwen waarschijnlijk onverteerbaar zouden vinden, maar in haar hart en ziel is ze net zo vrij als alle mensen ter wereld.

Mijn moeder heeft haar weg naar de vrijheid gevonden via haar levensvisie, en datzelfde geldt voor mij; alleen is mijn weg geëindigd in een moeras. Voor haar, en voor veel andere vrouwen, is vrijheid liefde. Daarmee bedoel ik niet dat ze op een roze wolkje zit en droomt van eindeloos kussen in een met rozen begroeid prieel. Haar interpretatie van wat liefde is komt daar weliswaar wel bij in de buurt, maar ze is ook nuchter en streng. Mijn moeder vindt dat liefde iets is wat je meer met je handen dan met je hart moet uitdrukken. Praten over de liefde is gemakkelijk en veel mensen doen niets anders, maar totdat ze hun handen gebruiken, blijft het bij praatjes. Mijn moeders handen zijn niet meer zo mooi als ze vroeger waren. Wanneer ze mijn wangen streelt, haar handen om mijn gezicht legt en het omklemd houdt zodat ik word gedwongen haar in de ogen te kijken, voel ik hoe ruw haar handpalmen zijn geworden. Ik zou kunnen zeggen dat haar handen de slijtage van het vrouwzijn laten zien, maar ik zeg liever dat ze de handen heeft die ze heeft verdiend na jaren en jaren van mens-zijn; na jarenlange bemiddeling in het leven van je kinderen en je man; na jarenlang nederige taken te hebben verricht in afwachting van de verlossing.

De bemiddeling van mijn moeder beperkte zich niet tot haar eigen gezin. Dankzij haar talent om bruikbare compromissen te verzinnen, werd ze door tal van buren gevraagd een pad naar de vrede te effenen. In Teheran hadden we een buurman met twee vrouwen die hem allebei vijf kinderen hadden geschonken. De tien kinderen samen waren veel te veel voor de twee echtgenotes. Als de twee vrouwen goed met elkaar overweg hadden gekund, zou het nog wel zijn meegevallen, maar ze konden elkaar niet uitstaan, en dat terwijl ze onder één dak woonden. De hele buurt was op de hoogte van hun verbitterde meningsverschillen; bij elke ruzie schudden de buurvrouwen hun hoofd en klakten met hun tong. Moslims uit de gegoede middenklasse zijn tegen polygamie, dat in hun ogen een overblijfsel is uit een ver verleden. Ze vinden de sharia – de religieuze wetgeving die aan de ene kant het hebben van meerdere vrouwen en aan de andere kant een breed spectrum van afgrijselijke straffen voor bepaalde soorten misdaden toestaat – wreed en vernederend. Toen de twee vrouwen van onze buurman mijn moeder verzochten een vrede tussen hen te bewerkstelligen, zette ze haar gevoelens omtrent de sharia opzij en deed ze wat ze altijd deed: een manier zoeken waarop enige waardigheid kon worden hersteld. Dat was haar visie op het leven.

Zoals ik al heb verteld, kwam mijn moeder elke keer dat er bij ons thuis ruzie was, als een reddende engel over ons neergedaald. Dan dwong ze mijn broer me een kusje te geven, te zeggen dat het hem speet dat hij zo'n lelijke streek had uitgehaald, en me 'lief zusje' te noemen. Ze kon de twee vrouwen van de buurman natuurlijk niet dwingen elkaar om de hals te vallen, maar ze was bereid urenlang naar hun bittere klachten te luisteren, suggesties te doen en de nerveus bewegende handen van beide vrouwen sussend te strelen.

Wanneer ik nu denk aan mijn moeders verslaving om

vrede te stichten, krijg ik de neiging haar te hekelen; ik ben ertoe in staat. Maar op een dieper niveau zie ik iets wat tegen mijn gevoel voor wrange humor beschermd moet worden, iets wat al eeuwen in vrouwen leeft, te weten een intens wantrouwen tegen abstracties. Het is voor een vrouw altijd moeilijker dan voor een man om dingen te zeggen als: 'Alle bezittingen moeten worden gedeeld, en wie niet wil delen, moet ter dood gebracht worden'. Of: 'Het is Gods wil dat ieder die Gods wil betwist, in de vlammen wordt geworpen'. Of zelfs: 'De wereld bestaat niet, en wie denkt dat de wereld wel bestaat, moet uit die droom worden geholpen'. Vrouwen houden kinderen in hun armen; ze vegen de snotneus van hun kinderen af; ze zitten aan het bed van een kind dat uit een nachtmerrie is ontwaakt.

Mannen bekommeren zich ook om hun kinderen, vaak liefdevol, en ik wil het aandeel van de mannelijke ouder in de opvoeding beslist niet kleineren. Ik beweer evenmin dat vrouwen niet barbaars en meedogenloos kunnen zijn. Maar je kunt toch wel zeggen dat vrouwen zich door de eeuwen heen in een betere positie hebben bevonden dan mannen om te kunnen beoordelen hoeveel nauwlettende aandacht er vereist is om een kind groot te brengen, en ik denk dat je ook wel kunt zeggen dat vrouwen minder snel geneigd zijn dan mannen van een bepaald slag om hun kinderen aan gevaren bloot te stellen.

Vrouwen als mijn moeder weten dat abstracties nutteloos zijn in de dagelijkse strijd om kinderen in leven te houden, en ook nutteloos als basis voor geluk. Er kan natuurlijk weinig tegen onrecht worden gedaan als dociele aanvaarding van de status-quo schering en inslag is. Maar vrouwen als mijn moeder – die soepel van geest, praktisch ingesteld en doelbewust zijn – weten dat het onrecht dat wordt gebruikt om ongerechtigheid te bestrijden voorspelbaar is en dat elke eventuele overwinning daardoor een schijnsucces zal zijn. Mijn moeder herkent onrecht moeiteloos, maar het is de weg naar gerechtigheid die twijfel en onrust in haar opwekt.

Een van de tien kinderen van onze buurman was een meisje dat Azam heette. Ze bezat geen greintje zelfvertrouwen en had de grootste moeite zich staande te houden in het rumoerige gezin. Ze had moeite met praten, stotterde en hakkelde zelfs bij de eenvoudigste zinnetjes. Binnen en buiten het gezin stak iedereen de draak met haar, ook haar eigen vader, onze buurman Ahmad Agha. Ik kende Azam in de tijd dat de Iraakse bommen in Teheran ontploften. Alle kinderen in de delen van de stad die gebombardeerd werden, waaronder ook onze wijk, zagen dingen waaraan kinderen niet blootgesteld zouden moeten worden: bergen puin waaruit rookwolken opstegen, en onder de steenhopen voorwerpen die met knisperende geluiden verbrandden; handen, armen en benen die uit het puin staken – een hand met een trouwring nog aan de vinger, een voet waarvan de schoen was afgerukt en waarvan de tenen spastisch bewogen; mensen die als zombies over de open plekken tussen de bergen puin ronddwaalden in kleren die eruitzagen als vodden.

Na de eerste bombardementen had ik het gevoel dat iemand zich had vergist, dat de dingen die ik op het nieuws en op school had gehoord over de dood van de martelaren op het slagveld per abuis op een verkeerde plek waren terechtgekomen. Het leek me niet mogelijk dat de branden, het gegil en de bloedende mensen het gevolg waren van een opzettelijke daad, hier in de wijk waar ik woonde. Wat ik zag, zag Azam ook, en die hield toen helemaal op met praten – ze staakte haar onbeholpen, aarzelende pogingen om iets te zeggen – behalve tegen mij. Ik was haar steun en toeverlaat, dankzij de bemoeienissen van mijn moeder.

Vanwege haar geloofsovertuiging en vooral vanwege haar temperament was mijn moeder niet in staat bevelen te geven. Het zoroastrisme is geen onderwijzende religie. Bovendien zou mijn moeder ervoor gekozen hebben blootsvoets over gebroken glas te lopen als dat het enige alternatief was voor het houden van een preek. Haar strategie was zelf iets te ondernemen en mij zachtjes in een bepaalde richting te duwen, tot ik in de gaten kreeg wat ze me wilde laten zien. Als we gingen winkelen om een nieuwe jurk voor me te kopen (toen ik een jaar of vijf, zes was mocht ik nog in een jurk naar buiten, zonder chador eroverheen), kocht ze er ook altijd een voor Azam, die net zo oud en net zo groot was als ik. 'En deze is voor Azam,' zei ze dan. Als Azam tussen de middag of 's avonds bleef eten, drong mama niet aan op antwoorden op haar vragen. 'Azam, je houdt vast wel van bietjes, en zo niet, dan laat je ze gewoon liggen.' Als ze het antwoord op een vraag nodig had, gebruikte ze mij als tussenpersoon, om Azam de verschrikkingen van het moeten formuleren van een antwoord te besparen. En zo, zonder dat ik me ervan bewust was, nam ik de manier waarop mijn moeder Azam benaderde, van haar over.

Nu pas, nu ik dit schrijf, begrijp ik hoe ongelukkig mijn moeder zich gevoeld moet hebben toen ik de straat opging om mijn gebalde vuist op te heffen tegen onrecht. Het was in strijd met elke neiging die ze zelf had. Het was gevaarlijk, het getuigde van slechte manieren, het was onbescheiden, het was in strijd met onze religie. Het kalme advies dat ze me mijn hele leven had gegeven zonder het ooit met zoveel woorden te zeggen, was dat je onrecht moest aanpakken op een subtiele, bijna tersluikse manier. Toen ik ouder werd en beter begreep in hoeverre Azam door haar vader werd gefolterd, wilde ik naar hem toegaan om te zeggen dat hij naar de hel kon lopen, waar hij thuishoorde, maar dat mocht ik van mijn moeder niet doen. En toen ik sprak over de onrechtvaardigheid van de moellahs, keek mijn moeder naar me met de gepijnigde blik die je bij alle ouders ziet als ze merken dat het kind van wie ze zielsveel houden, iets in zich heeft dat ze in een vreemdeling streng zouden afkeuren.

In de ogen van mijn moeder was mijn politieke activisme een vorm van ijdelheid: ik wilde tegenover de buitenwereld pronken met mijn morele schoonheid. Dat is misschien niet zo, maar het is wel zo dat als mijn moeder alles voor elkaar zou kunnen krijgen op de manier waaraan zij de voorkeur geeft, en ik alles voor elkaar zou kunnen krijgen op de manier waaraan ik de voorkeur geef, de meeste mensen ervoor zouden kiezen onder mijn moeders heerschappij te leven.

Hoofdstuk 21

'Weet je hoe je klinkt?' zegt Sohrab. 'Als een oud wijf dat niks anders doet dan mopperen en zeuren.'

Het is waar dat ik aldoor iets te klagen heb – dat ik zit te mopperen en zeuren zoals mijn gek het noemt. Ik klaag over mijn bloedende schedel, mijn droge huid, en over dat ik helemaal geen kracht meer heb in mijn spieren. Maar wat ben ik blij dat hij er weer is! Hij heeft niet gezegd waar hij is geweest en wat ze met hem hebben gedaan, en ik vraag ook nergens naar. Ik ben bang voor wat ik te horen zal krijgen.

'Ik heb anders heel wat om over te mopperen,' klaag ik. 'Daarnet heb ik mezelf erop betrapt dat ik op mijn nagels zat te bijten.'

'En wat dan nog? Dat is een aardig tijdverdrijf.'

'Schei uit, zeg.'

'Ik meen het serieus. Nagelbijten kan geen kwaad, maar doe de andere dingen alsjeblieft niet. Doe jezelf geen pijn. Er zijn hier mensen die dat doen.'

'Wat doen ze dan?'

'Ze verwonden zichzelf met hun handen. Of ze bonken

met hun hoofd tegen de muur om hun eigen bloed te zien. Bijt niet al je nagels in één keer af. Bewaar er een paar voor later, dan heb je steeds wat te doen.'

'O, wat zijn we leuk.'

'Denk je dat ik je in de maling neem? Dat doe ik echt niet. En je hoeft me niet te vertellen hoe je eruitziet. Dat weet ik zo ook wel. Je huid is lelijk. Alles aan je is lelijk. Geen zuurstof, geen groenten, geen vocht, geen water. En je slaapt slecht. Je ziet er net zo uit als de meisjes die je 's nachts op straat ziet, meisjes die nooit een fatsoenlijke maaltijd krijgen en in portieken slapen.'

Ik zou me beledigd moeten voelen door wat Sohrab over me zegt, ook al is het waar. Maar ik voel me niet beledigd. Ik ben zo blij dat ik zijn stem weer hoor dat ik niet tegen hem durf te zeggen dat hij zijn mond moet houden. Bovendien maak ik me allang niet meer druk om mijn uiterlijk. Ik ben niet mooi meer en dat kan me niets schelen. Ik zal nooit meer mooi zijn. Die tijd heb ik gehad.

'En jij?' vraag ik. 'Ben jij nog net zo knap als vroeger?'

'Ik ben zelfs knapper dan toen ik hier pas zat. Ik word juist mooi van slecht voedsel.'

'Ik moet naar de wc,' zeg ik tegen hem. 'Zullen we straks verder praten?'

'Misschien.'

'Ja of nee?'

'Denk je dat je me ergens toe kunt dwingen door bazig te doen?'

'Ik hoop dat je weer met me wilt praten als ik terug ben van de wc. Alsjeblieft.'

'Misschien,' zegt hij.

Onderweg naar het toilet denk ik alleen maar aan Sohrab. Het is net alsof we getrouwd zijn. We zitten aldoor op elkaar te vitten, net als een getrouwd stel. We kibbelen om het kibbelen, net als man en vrouw. We willen de hele tijd weten wat de ander doet. We benijden elkaar het leven dat we buiten deze relatie hebben. Als Sohrab met een ander meisje zou praten, bijvoorbeeld met een meisje in de cel boven hem, zou ik stikjaloers zijn. Met me praten is hetzelfde als me trouw zijn. En we kennen ook de andere dingen die tussen man en vrouw bestaan, in elk geval soms: welwillendheid, genegenheid. Eerlijk gezegd is het wat mij betreft méér dan genegenheid. Het is bijna alsof ik van hem hou. Als ik vermoed dat hij door de bewakers wordt geslagen, voel ik me beroerd. En het vermoeden dat het nog erger is dan slaag – dat hij gemarteld wordt – maakt me zó wild dat ik de mensen die hem kwaad doen met mijn blote handen en met alles wat ik te pakken kan krijgen te lijf zou kunnen gaan. Hij is *mijn* gek. En als ik hier ooit vandaan kom, wat dan? Dan wil ik hem meenemen. Dan zou ik hem willen houden, als een huisdier.

Geen bericht van Arash op de deur van de wc. Ik sta mezelf niet toe na te denken over wat ze mogelijk met hem aan het doen zijn. De ondervragers scheppen er genoegen in om sterke mensen klein te krijgen. Ik denk dat ze sterke mensen heimelijk bewonderen, bewonderen en haten. De sterken onder ons zijn voor hen een uitdaging. Mensen als ik verachten ze. Geen weerstand.

Ik drink water uit de kraan boven het fonteintje. Dat heeft Sohrab me aangeraden. Volgens hem kun je het water wel drinken. Van Sohrab krijg ik het advies van een deskundige. Hij weet precies hoe alles in Evin in zijn werk gaat. Hij weet wanneer de ploegwisselingen zijn, welke bewakers op welke uren van de dag dienst hebben, wat hun zwakke punten zijn, hoe kortaangebonden ze zijn, en of ze lui of ijverig zijn. Bovendien heeft hij een goed verhaal te vertellen, een verhaal dat voor mij gelijkstaat aan een hoorspel op de radio, een vorm van entertainment, ook al is het nogal luguber. Het had een televisieserie kunnen zijn. Ik heb trouwens gemerkt dat hij voor mijn verhaal vrijwel geen belangstelling heeft. Hij heeft me wel gevraagd hoe ik hier terecht ben gekomen, maar voor zover ik het kan beoordelen, vindt hij mijn achtergrond erg banaal.

Heel even wou ik dat Arash in plaats van Sohrab in de cel boven me zat, omdat Arash me kent van voorheen. Arash weet hoe ik me in de buitenwereld gedraag; hij kent niet alleen de Zarah die zo vaak zit te huilen. Wat een genot zou het zijn als ik zijn stem uit het rooster hoorde komen, kalm en sussend, met zoals altijd een ondertoon van geamuseerde verachting voor zijn vijanden. Het is heel goed mogelijk dat hij op dit moment maar een klein stukje bij me vandaan zit; twee of drie cellen verderop. Ik beeld me in hoe de wilskracht en vastberadenheid waar hij nooit over opschept tot in mijn cel doordringen en me nieuwe kracht geven, zodat ik, wanneer de bewaker me komt halen voor een nieuwe ondervraging, sardonisch kan glimlachen, iets mompelen in de trant van 'Alweer zo'n prachtige dag in Evin!' en de cel verlaten met een rechte rug en opgeheven hoofd. Of is dit een te romantische afschildering van Arash? Misschien is hij net zo bang als ik. Misschien hunkert hij zelf naar een Arash.

Eigenlijk mag ik zulke dingen niet denken. Want wat zou ik moeten zonder Sohrab? Ik ben misschien niet sterk en dapper, maar ik kan in elk geval trouw zijn. Maar ik wil ook trouw zijn aan Arash.

Op de terugweg naar de cel verrast de nieuwe bewaakster me met een vraag.

'Hoe oud ben je?'

Ik draai mijn hoofd in de richting van de nieuwe vrouw, ook al kan ik haar vanwege de blinddoek niet zien. Ik weet dat het niet de vrouw is die tussenbeide is gekomen toen ik werd geslagen. Ze klinkt als een jaar of veertig, al is zoiets erg moeilijk te bepalen. Ze heeft de vraag niet op een dwingende toon gesteld; het klonk niet bars. Wat kan het haar schelen hoe oud ik ben? Zie ik er soms uit als tachtig en is ze nieuwsgierig hoe het komt dat mijn verblijf in de aangename omgeving waar ze werkt me zo'n ouwe kop heeft gegeven?

'Twintig,' antwoord ik.

Ze loopt veel dichter bij me dan de andere bewakers. Het bevalt me niets.

'Wil je een sigaret?' vraagt ze.

'Nee. Ik rook niet.'

'Iets anders dan? Wat zou je graag willen? Zeep? Zou je een lekker stukje zeep willen?'

'Nee, ik wil geen zeep. Dank u wel.'

'Wat dan? Zeg het maar.'

'Kunt u mijn moeder bellen?'

'Je moeder bellen? Nee. Iets anders.'

'Het enige wat ik echt graag zou willen, is dat u mijn moeder belt. Zou u dat alstublieft willen doen?'

Ik ben blijven staan en draai me naar haar toe.

'Nee, dat kan ik niet doen. Maar ik kan je iets geven waardoor je je moeder zult vergeten. Dat wel.'

'Ik heb niks nodig,' zeg ik, en ik draai me om en schuifel weer verder. De vrouw haalt me snel in en loopt weer naast me mee. Ze legt haar hand op mijn schouder. Niet om me tegen te houden, maar eerder als een vriendschappelijk gebaar.

'Denk erover na,' zegt ze. 'Ik heb morgen ook dienst.'

'Ik wil niks. Ik wil niks, nu niet en morgen niet.'

'Dat moet je niet zeggen, dat is niet aardig. Wacht tot morgen. Ik denk dat je wel van gedachten zult veranderen.'

Terug in mijn cel neem ik er een paar minuten de tijd voor om na te denken over wat de nieuwe bewaakster tegen me heeft gezegd. Ik vraag me af wat erachter kan zitten. Misschien probeert ze me in een val te lokken, zodat ze kan zeggen dat ik pogingen heb gedaan haar om te kopen. Misschien hebben de ondervragers haar opdracht gegeven te proberen me in die val te lokken. Of zou ze echt gewoon aardig zijn? Bestaan dergelijke mensen hier in Evin?

Ik roep naar Sohrab: 'Ben je er?'

Hij lacht kort. 'Nee,' zegt hij. 'Ik ben in de tuin aan het wandelen.'

Ik vertel Sohrab over de nieuwe bewaakster, en over wat ze me heeft aangeboden. Ik zeg hem dat ik er niets van begrijp. Weet hij wat het te betekenen heeft?

'Ben je erop ingegaan?' vraagt hij.

'Ik rook niet. Maar vind je het niet vreemd? Ik wist niet dat je hier aan zulke dingen kunt komen – sigaretten, zeep. Ze weet dat ik geen geld heb.'

'Ze wil ook geen geld.'

'Geen geld? Bedoel je dat ze het uit liefdadigheid doet? Leg eens uit.'

'Ze wil met je naar bed,' zegt hij kalmpjes.

'Nee!'

'Ja.'

'Maar ik ben hartstikke lelijk!' zeg ik. Ik verbaas mezelf met deze automatische reactie. IJdelheid is uitermate hardnekkig; ijdelheid blijft zelfs bestaan wanneer er niets meer is om ijdel over te zijn.

'Ze is zelf misschien nog lelijker.'

'Denk je dat ze me daarom heeft aangeraakt?'

'Heeft ze je aangeraakt?' Nu klinkt hij verbaasd.

'Niet op die manier. Ze heeft heel even haar hand op mijn schouder gelegd.'

'Wat ben je toch onnozel! Heb je ergens om gevraagd?'

'Ja, maar ze zei dat ze het niet kon doen.'

'Waar heb je dan om gevraagd?'

'Of ze mijn moeder wilde bellen. Ik wilde dat ze tegen mijn moeder zou zeggen dat alles in orde is met me. Maar ze zei dat ze dat niet kan doen.'

'Zarah, je hebt geen greintje verstand. Ze hebben groot gelijk dat ze je hier hebben opgesloten. Je bent te dom om los rond te lopen.'

Het gebeurt maar zelden dat hij me bij mijn naam noemt. Het ontroert me zo dat ik zijn gezicht zou willen strelen, het gezicht van mijn dierbare gek.

'Ze vroeg of ik iets wilde, en toen ik heb dit gezegd. Is dat zo erg?'

'Luister naar me. Je moet niet meer met hen praten. Je moet niks tegen hen zeggen. Als ze vragen of je iets wilt, hou je mond dan stijf dicht. Zeg helemaal niks; zeg ook geen beledigende dingen. Als je ergens om vraagt, komen ze je in je cel verkrachten. Ze willen dat je ergens om vraagt. Daar begint het mee. Luister je naar me, dom wicht?'

'Ja, ja.'

Plotseling voel ik me zo uitgeput dat ik er bijna misselijk van ben. Moet ik dan de godganse dag proberen te raden wat de beweegredenen van deze mensen zijn? Mijn verstand wilde geloven dat de nieuwe bewaakster anders was. Ik wilde voor de verandering een aardige bewaakster, iemand die lijkt op de mensen die ik mijn hele leven heb gekend. Maar het ziet ernaar uit dat de luxe van een sprankje hoop me niet is gegund. Eerst die stinkende, vette viezerik en nu de nieuwe bewaakster. Ik heb van de Stinkerd nooit iets verwacht, maar wilde dolgraag dat de nieuwe bewaakster een goed mens zou zijn. Ook al was die kans heel klein. Wat zou dat fijn zijn geweest.

Ik ga liggen met mijn deken over me heen en probeer te huilen, maar er komen geen tranen. Mijn traanbuisjes hebben blijkbaar geen medelijden met mijn domheid. Het is alsof ze willen zeggen: 'We sparen onze krachten voor minder domme dingen.' Ik maak huilgeluiden, maar het haalt niets uit.

'Sohrab,' roep ik zachtjes.

'Ja?'

'Dank je wel dat je het me hebt verteld. Daar ben ik blij om.'

Hij lacht zijn klokkende lach, maar voordat er tien seconden zijn verstreken, begint hij te kreunen.

'Jemig, begin je nou weer?' verzucht ik, en ik blijf naar zijn kreten liggen luisteren. 'Leila! Vuil kreng! Ik zweer je, als ik hier ooit vandaan kom, breek ik je nek!'

Vroeg in de ochtend. Het ochtendgebed is zojuist beëindigd. Het is koud. Ik heb mijn stinkende deken tot aan

mijn kin opgetrokken en strak om mijn lichaam gewikkeld. Ik luister naar de geluiden van de gevangenis. Eerst
de voetstappen van een bewaker die in z'n eentje door de
gang loopt; het is de manke bewaker – ik ken zijn onregel-
matige stap. Ik hoor dat hij blijft stilstaan en op heel zachte toon, bijna fluisterend, iets zegt. Ik weet niet of hij het
tegen zichzelf heeft of tegen een andere bewaker. Ik hoor
het verre, vage geluid van huilende mensen, een geluid dat
je hier onafgebroken hoort, en ik vraag me af of het echte
mensen zijn die huilen of dat het op een bandje staat dat
wordt afgespeeld om de gevangenen op hun zenuwen te
werken – de muzak van de ondervragers. Het gekke is dat,
ondanks dat het nooit ophoudt, het toch mogelijk is het
niet te horen en je in te beelden dat het volkomen stil is.
Maar net wanneer ik denk: *er gebeurt niets, er beweegt
niets*, realiseer ik me dat het geluid van de huilende mensen er nog altijd is en dat het er is geweest sinds ik bewust
ben gaan luisteren.

Ik hoor deuren open- en dichtgaan. Mijn gehoor is nu
zó scherp dat ik kan horen of die deuren open- en dichtgaan op mijn verdieping, op de verdieping boven me of
onder me, en of het aan het einde van een gang is of halverwege of boven aan een trap – in het laatste geval hoor
je een echo. Ik weet zelfs of het een deur is die ooit voor
mij is geopend. Ik heb in mijn hoofd een catalogus opgebouwd van piep-, kras- en schraapgeluiden. Je kunt dus
niet zeggen dat mijn verblijf in Evin volkomen zinloos is.
Ik heb er mijn gehoor aangescherpt.

Iemand duwt een karretje door de gang van de verdieping boven me – waar Sohrab zit. Als ik hem ernaar zou
vragen, weet ik al wat hij zou zeggen: 'Thee met gebak'.

Ik zal het bewaren om hem de gelegenheid te geven lollig te doen. Ah, dat is nóg iets wat ik op de universiteit van Evin heb geleerd: zuinig zijn.

Op het moment ben ik me niet bewust van pijn in mijn lichaam. Een soort verdoving heeft bezit van me genomen. Ik voel zelfs geen behoefte op mijn hoofd te krabben. Op zulke momenten, voordat mijn hersenen weer volledig tot bewustzijn komen, geef ik me over aan een fantasie die ik de afgelopen dagen heb ontwikkeld. Een ontsnappings-fantasie. Het is niet mogelijk uit Evin te ontsnappen – dat zegt iedereen buiten de gevangenis tenminste – en nu ik hier zit, weet ik dat het inderdaad niet kan. Evin is een fort, een immens fort, en men zegt dat het wordt bewaakt door middel van elektronische apparatuur, om nog maar te zwijgen over god-mag-weten-hoeveel soldaten, maar toch beleef ik een goedkoop soort genoegen aan mijn on-schuldige dagdromen.

Mijn ontsnappingsfantasie is iets heel anders dan mijn moordfantasie, waarvoor mijn geest volkomen wakker moet zijn. De ontsnappingsfantasie is een film die ik zelf heb geschreven. Na de moordfantasie zit ik altijd te trillen van zelfverachting, maar van de ontsnappingsfilm word ik blij en is er geen sprake van walging waartegen ik moet vechten. Ik denk dat de twee verschillende fantasieën be-antwoorden aan twee heel verschillende behoeften. Het is duidelijk dat het moord- en wraakscenario de ergste van de twee fantasieën is, en de belangrijkste. En ik geef eer-lijk toe dat de ziekelijke kant van mijn geest die erdoor wordt aangeboord, me dierbaar is.

Ik druk op de knop en laat in gedachten mijn vrolijke ontsnappingsfilm beginnen. In de openingsscène lig ik hier, precies zoals nu. Ik hoor geluiden: er wordt geschoten en geschreeuwd. Bewakers roepen in paniek naar elkaar. Dan... boem! – een explosie. Ik kom snel overeind en weet meteen dat er iets heel bijzonders aan de hand is. Ik hoor de staccatogeluiden van machinegeweren en nog meer geschreeuw. Boem! Onder de deur van mijn cel is zwakjes een oranje lichtflits te zien. Ik voeg aan mijn film indrukwekkende muziek toe die langzaam aanzwelt, muziek van Wagner, van Mahler, of van een componist die speciaal voor speelfilms muziek schrijft. Het klinkt schitterend! O god, de roepende stemmen klinken nu heel dicht bij mijn cel! Ze komen me redden! Ik roep: 'Hier ben ik!' Ik moet me wapenen, voor het geval ik aan het gevecht moet deelnemen. In een hoek van mijn cel vind ik twee pistolen. Die hebben daar al die tijd verborgen gelegen. Ik weet niet wie ze er heeft neergelegd, maar ze zijn er. En ook een grote hamer.

En nu – o god! – is het echt waar? Ik hoor de stem van Arash en ook die van mijn vader. Boem! De deur van mijn cel vliegt open. Daar staat Arash, in de spijkerbroek en het denimshirt die hem volgens mij zo goed staan. Hij klemt zijn armen om me heen. 'Kom mee!' zegt hij, en ik grijp de zoom van zijn shirt vast als hij door de gang holt en zijn geweren en pistolen afvuurt, en ik schiet ook, maar niet gericht. Aan het einde van de gang houdt mijn vader de deur voor me open. 'Wacht!' roep ik naar Arash. 'We moeten Sohrab ook meenemen!' Arash lacht alleen maar. 'Maak je geen zorgen, daar is al voor gezorgd,' zegt hij. En ja hoor, opeens staat Sohrab naast me. Hij lijkt op Charlie Chaplin.

Nu zijn we buiten en stappen snel in een auto die ons

naar het vliegveld zal brengen. O nee! De stinkende ondervrager komt achter ons aan met een levensgroot geweer, een soort kanon. Ik richt mijn pistool op hem, maar voordat ik de trekker kan overhalen, spat de Stinkerd uiteen. Een granaat moet vlak bij hem zijn ontploft. We rijden naar het vliegveld, papa en ik, Sohrab en Arash en mama. Dat is het einde van de film, dat we naar het vliegveld rijden.

Tijdens de film lever ik zelf voortdurend kritisch commentaar. 'Hoe is Arash uit zijn cel ontsnapt? Hoe komt hij aan die vuurwapens? En hoe kwamen die pistolen en de hamer opeens in mijn cel? Gaat dat niet een beetje te ver? En nog iets: waarom lijkt Sohrab op Charlie Chaplin? Dat slaat nergens op.' Als ik een film zou zien zoals de film die ik zelf heb bedacht, zou ik er de hele tijd minachtend om gnuiven. In de buitenwereld heb ik een kennis die films maakt, schitterende films, die in Iran niet vertoond mogen worden. Ik zou me doodschamen als hij zou weten wat voor soort filmscenario's ik schrijf. Maar wat ik eigenlijk het fijnste vind aan mijn scenario's, is dat ik de moeite neem ze te bedenken. Zolang ik fantasieën koester over mijn ontsnapping ben ik in elk geval nog geen zombie.

Een bord met olijven en brood wordt onder de deur door geschoven. Ik ga met gekruiste benen zitten en eet gulzig, als een hond die er angstvallig voor waakt dat andere honden er niet met zijn eten vandoor zullen gaan. Wanneer ik alles op heb, is mijn geest klaarwakker. Angst ontvouwt zich in me, van mijn borst tot aan mijn tenen. Het opgetogen gevoel dat de ontsnappingsfilm me gaf is nu heel diep weggezonken. Ik ben klaar voor wat de schoften hier nu weer voor me in petto hebben. Met 'klaar' bedoel ik niet dat ik gereed ben me te verzetten of al mijn moed bij elkaar te rapen. Ik bedoel dat ik ervoor klaar ben te gaan schreeuwen of te gaan smeken. Laatst heb ik Sohrab gevraagd naar de kamer binnen Evin waarover allerlei geruchten de ronde doen. In de buitenwereld wordt er slechts op een fluistertoon over gesproken, een onheilspellende fluistertoon, en het is soms het onderwerp van macabere grappen. Ze zeggen dat die kamer is ingericht door de SAVAK. In 1979 hebben de studenten die de revolutie van de ayatollah steunden Evin bestormd en de instrumenten en apparaten onthuld die in deze gruwelijke martelkamer door de SAVAKI werden gebruikt, en die zo verschrikkelijk waren dat men er niet over kan praten noch over kan schrijven. Volgens de verhalen is het echter ook zo dat de mannen van het nieuwe regime van de ayatollahs die de macht overnamen en de topfiguren van de SAVAK lieten doodschieten of ophangen, opdracht gaven de beulen, de mensen met de praktijkervaring, in leven te laten, omdat ze wisten dat hun vakkennis in de toekomst nog van pas zou kunnen komen. En volgens de geruchten is dat ook zo.

Sohrab zei: 'Ja, die bestaat.' En hij vertelde er iets over, zonder vrees, omdat hij krankzinnig is en geen angst meer kent.

De kamer bestaat.

Hoe kun je ooit iets goeds verwachten van mensen die een dergelijke kamer laten bestaan? Het lijkt alsof het altijd de eerste kamer is die tirannen laten inrichten zodra ze de macht in handen hebben; de tirannen van mijn eigen land, de tirannen van honderd andere landen. Een dergelijke plek is niet alleen een kamer binnen een gevangenis; het is een kamer binnen een natie.

Als ze mij naar die kamer brengen, zal ik bij elke stap op weg ernaartoe proberen het met hen op een akkoordje te gooien. 'Welke namen wilt u?' zal ik vragen. 'Wat wilt u van me weten?' Ook als ik daarmee alleen maar bereik dat het zal blijven bij een simpele kogel in mijn hoofd, zal ik dat gretig accepteren. En als dat niet mogelijk is – als het moment van de waarheid aanbreekt en er dingen zijn die ik niet kan doen, mensen die ik niet kan verraden, als ik ergens diep in mijn binnenste iets aantref wat ik nooit eerder heb gekend, waar ik geen weet van had, een laatste bron van kracht – moge dan het licht en de liefde van de God van mijn moeder zich bundelen met het licht en de liefde van de God van mijn vader, en moge het leven dan snel en voor altijd uit me wegvloeien.

Het is nog vroeg als de bewaker de blinddoek door de sleuf van de deur duwt. Ik ben nog nooit zo vroeg op de dag meegenomen voor een ondervraging.

'Ik word meegenomen,' fluister ik naar Sohrab. Ik heb hem horen bewegen en weet dat hij wakker is, maar hij zegt niets.

De bewaker doet de deur open en gooit een chador over me heen zonder dat hij iets tegen me zegt. Ik haat chadors. Ze herinneren me aan de rollenspellen die ik voor Behnam moest spelen. Waarom moet ik hem vandaag dragen? Wat is er zo bijzonder aan vandaag? Word ik vandaag soms ondervraagd door een hooggeplaatste persoon, een eerbiedwaardige geestelijke? Misschien door Khamenei zelf? Het zou me niet verbazen.

'Waar gaan we naartoe?' vraag ik aan de bewaker, al verwacht ik geen antwoord waar ik iets aan zal hebben.

'Lopen.'

We stoppen al na een paar seconden. Ik hoor het schrapende en suizende geluid van een lift. Ik herinner me dat geluid van toen ik net in Evin was aangekomen. Ik hoor 'ping, ping' als de lift op mijn verdieping aankomt, en het gesis en gekreun waarmee de deur opengaat.

De bewaker duwt me naar voren. Ik voel een ander soort vloer onder mijn blote voeten. Ik hoor het kreunen van de deur, die dichtgaat, en voel het schokje waarmee de lift in beweging komt. Het is me niet duidelijk of we naar boven of naar beneden gaan. Eerst denk ik naar boven; nee, ik weet zeker dat we naar beneden gaan; uiteindelijk weet ik het niet meer.

Ik kan mijn angst niet de baas. Door deze ene verandering in de routine ben ik al halfgek van angst.

'Vertel me alstublieft waar u me naartoe brengt. Alstublieft.'

'Ik weet het niet. Je moet niks vragen.'

Ik haal diep adem om te voorkomen dat ik van mijn stokje ga. Ik dacht dat ik inmiddels gewend was aan elke soort angst die je hier leert kennen, maar dit is toch weer een nieuwe soort. Ik wil gaan rennen en keihard tegen een hard oppervlak aanlopen. De bewaker ziet of voelt blijkbaar hoe de angst in me toeneemt, want hij grijpt mijn pols en houdt die stevig vast.

Weer hoor ik 'ping, ping'. We moeten zijn gedaald, want de lift heeft te lang bewogen om gestegen te kunnen zijn. Evin is groot, maar niet tien verdiepingen hoog. We moeten nu heel diep zitten.

De bewaker trekt aan mijn pols om me uit de lift te halen, maar ik blijf stokstijf staan. Gedeeltelijk uit wilskracht en gedeeltelijk uit doodsangst. Als ze hier iemand ophangen, doen ze dat altijd meteen na het ochtendgebed. En wanneer ze een vrouw ophangen, krijgt ze een chador over zich heen. Ik heb op tv vrouwen gezien die de strop hadden gekregen. Iedereen in Iran weet hoe ze het doen.

Met mijn vrije hand klamp ik me vast aan een houvast dat ik heb gevonden – de rand van de deur, neem ik aan. Ik hou me er uit alle macht aan vast en begin heel hard te gillen.

'Kom mee!' zegt de bewaker. 'Ik weet niet waar je naartoe gaat. Je wordt overgebracht naar een andere plaats. Vooruit!'

Misschien denkt de bewaker dat ik daardoor gerustgesteld ben, maar dat is niet zo.

'Ik wíl niet naar een andere plaats!' gil ik. 'Ik wil niet mee! Breng me terug naar mijn cel!'

De bewaker geeft een harde klap tegen mijn schouder, pakt dan mijn hoofd vast en begint me in mijn gezicht te slaan. Ik kan de deur niet langer vasthouden. Mijn vingers verliezen hun greep.

'Het is je eigen schuld!' schreeuwt de bewaker tegen me. 'Ik wilde je niet slaan. Stom kind!'

We lopen voor mijn gevoel meer dan een minuut, misschien zelfs twee. Dan stopt de bewaker en blijf ook ik staan. Hij legt zijn handen op mijn schouders en dwingt me rechtop te gaan staan. Het voelt aan alsof hij me in model brengt, alsof hij me meer presentabel maakt. Ik hoor een deur opengaan en voel opeens frisse lucht. Dit is een open terrein. Ik voel de ruimte van het terrein dat voor me ligt door de chador heen.

Waar zijn we? We zijn buiten, maar niet op straat, dat weet ik zeker. Dit moet de achterkant van Evin zijn, aan de voet van de bergen van Noord-Teheran. Ik hoor vogels fluiten. Ik hou mijn adem in om de vogels te kunnen horen.

Een autoportier wordt geopend. Het geluid is duidelijk herkenbaar. De bewaker zegt: 'Zak door je knieën', en ik doe het zonder me te verzetten. Hij duwt me de auto in en ik bots tegen iemand op die er al in zit. Dan zegt de bewaker dat ik moet opschuiven en stapt hij zelf ook in, waardoor ik tussen twee mensen in geklemd kom te zitten. Ik heb het idee dat de andere persoon een vrouw is. Ik heb geen stem gehoord, maar het voelt zo aan.

Een persoon voor me – de chauffeur, of iemand anders – begint te praten zodra de auto in beweging is gekomen. Hij reageert op de stem van een ander, maar de bewaker naast me en de persoon van wie ik denk dat het een vrouw is, zeggen geen van beiden iets. Het moet een telefoongesprek zijn via een mobiele telefoon. Ik begrijp niets van wat er wordt gezegd. Het klinkt als geheimtaal of als een verzonnen taal.

De auto is nu al meer dan vijf minuten in beweging. Ik weet hoeveel tijd er verstrijkt, omdat ik de seconden tel. Waarom ik dat doe, weet ik zelf niet. Probeer ik mezelf tot rust te brengen? Waarom denk ik dat ik mezelf tot rust zou kunnen brengen? Ik word woedend op het dwaze deel van mijn wezen dat probeert me tot rust te brengen! Maar ondanks mijn eigen bezwaren blijf ik tellen, en nu heb ik al vier keer tot zestig geteld. O nee, ik tel te snel! Ik begin langzamer te tellen, zeg in gedachten 'Eén sterretje, twee sterretje, drie sterretje...'

Ik hoor geen verkeersgeluiden. Is het mogelijk dat het verborgen deel van Evin zo groot is dat er een auto nodig is om mensen naar de verschillende delen van het complex te brengen? Degene van wie ik dacht dat het een vrouw is, laat merken dat ze dat inderdaad is, wanneer ze aan mijn chador begint te frunniken tot hij op de juiste manier op mijn haarloze schedel rust. Ik laat het toe. Waarom niet? Het is een taak waar ze van houdt. Ze is precies zoals de vrouwen die op straat meisjes tegenhouden omdat hun hoofddoek niet goed zit. 'God heeft afschuw van vrouwen die aan wildvreemde mensen hun haar laten zien,' zeggen ze dan. 'Ben je gereed voor de hel?' Ik ken de vrouwen van haar slag; ik weet hoe trots ze op hun werk zijn.

Hoofdstuk 22

Tegen het einde van de oorlog met Irak reageerden kinderen van mijn leeftijd met een schouderophalen op het loeien van de luchtalarmsirene, die waarschuwde voor een bombardement. Voor velen van ons was de oorlog inmiddels een normale gang van zaken geworden. Als de sirene begon te loeien, bleven veel kinderen gewoon op straat spelen, fietsen, stoeien. Als een bom dichtbij insloeg, grijnsden de jongens (en ook sommige meisjes) naar elkaar en riepen: 'Mis!' Ik was het liefst ook op straat gebleven wanneer het luchtalarm ging, maar uit consideratie voor mijn moeder, die een hartstilstand zou hebben gekregen, ging ik altijd braaf met haar en mijn broers en zussen mee naar de schuilkelder, met mijn tas in mijn hand. In die tas zaten mijn pyjama, kleurpotloden en een kleurboek.

Vanuit de hele wijk doken mensen de tunnels in om te schuilen voor de bommen. Het licht dat er brandde was zwak, maar je kon toch wel iets zien. Men spreidde beddengoed uit en de kleinste kinderen moesten onder de dekens kruipen en doen alsof ze sliepen, ongeacht hoe laat het was in de wereld boven onze hoofden. In de tunnels was het altijd erg lawaaierig, omdat de moeders voortdurend tegen de oudere, ondeugende kinderen tekeergingen, en de kinderen zelf erg baldadig deden, hard lachten en de spelletjes die ze op straat hadden gedaan, in de tunnels gewoon voortzetten. Er waren ook veel mensen die gingen bidden, en het rustige, ritmische gezang van dat bidden smolt dan samen met het kabaal van de schreeuwende en vloekende mensen, de schel lachende kinderen en de moeders die orde eisten: 'God is mijn getuige! Als ik je te pakken krijg, geef ik je een pak voor je broek!'

Ik zat altijd stilletjes te kleuren. Een kobold die het huis binnendrong waar een boerengezin zich verborgen hield – een bekend thema van Iraanse sprookjes. Een prinses die in de wei bloemen plukte. Rustam, die Sohrab verzocht zijn zwaard neer te leggen en in vrede te vertrekken. Een jager uit de tijd van Darius die zijn pijl op een brullende leeuw richtte. In andere kleurboeken – waar ik niet dol op was – moest je je best doen op ayatollah Khomeini, die glimlachend neerkeek op vrome kinderen die zich in gebed vooroverbogen.

Boven onze hoofden, wist ik, werden huizen en mensen door felle branden verkoold. Soldaten renden heen en weer om te proberen de straten vrij te houden voor de brandweerauto's. Ondeugende jongens holden door de stegen en tussen de bergen smeulend puin door, wild van alle opwinding. Honden blaften angstig terwijl ze de straten afzochten naar hun baasjes. Ziekenwagens repten zich met loeiende sirenes naar slachtoffers die om hulp schreeuwden. En er was altijd wel een oude man die vond dat hij gedurende zijn leven meer dan genoeg dood en vernietiging had gezien en zijn gebalde vuist schudde naar de lucht of naar het lot. En er was ook altijd wel een oude vrouw die niet meer helemaal helder van geest was en tussen de puinhopen scharrelde terwijl ze de naam van haar kat riep. Ik had dat allemaal meer dan eens gezien wanneer het luchtalarm te laat in werking werd gesteld. Ik trok me weinig aan van wat er boven mijn hoofd gebeurde. Ik deed mijn uiterste best om binnen te lijntjes te blijven toen ik de plaat inkleurde van de machtige Rustam, die met de jonge Sohrab sprak, van wie hij nooit zou weten dat het zijn geliefde zoon was. Rustam en Sohrab – dat was een tragedie. De chaos boven – dat was alleen maar hinderlijk.

Twaalf jaar later, tijdens mijn tweede studiejaar aan de universiteit, had ik opnieuw de keuze tussen op straat blijven waar mensenmenigten schreeuwden en gebalde vuisten schudden, of dekking zoeken in een schuilkelder. Ditmaal was mijn moeder niet in de buurt om te zeggen dat ik met haar mee moest gaan naar de tunnels, met mijn tasje met spulletjes tegen de verveling. Ditmaal deed ik wat ik twaalf jaar eerder had willen doen, toen ik voor het eerst blasé was geworden over het feit dat ik best wel eens zou kunnen omkomen: ik bleef op straat, zonder angst voor de vijand.

Ik was door het dolle heen; in mijn ogen waren de gebeurtenissen onstuitbaar. De protesten hadden weliswaar slechts een zeer plaatselijk doel – we eisten de terugkeer van een professor die was gearresteerd omdat zijn manier van lesgeven volgens het ministerie van Onderwijs in strijd was met de regels – maar we kregen veel steun van het volk en van een paar moedige uitgevers van kranten. Ik dacht, samen met het gros van de demonstranten, dat het feit dat onze eisen volkomen gerechtvaardigd waren, het regime in politiek opzicht de wapens uit handen had genomen; dat de machthebbers bang waren, niet in staat ons in de ogen te kijken en toe te geven dat ze fout zaten. Na twintig jaar aan de macht te zijn geweest was het regime moe, dachten we. Ik zou er echter snel achter komen dat deze gedachtegang erg dwaas was. De machthebbers wachtten alleen maar tot ze wisten hoeveel geweld er nodig was om ons de mond te snoeren – een klein beetje, of veel. Ze hadden het geprobeerd met een klein beetje, maar dat had niets uitgehaald, en nu maakten ze zich gereed om het te proberen met veel.

Maar ik keek om me heen en zag een heleboel jonge mannen en jonge vrouwen die net als ik om de vijand lachten – de vijand die nu bestond uit de politie, de agenten van de inlichtingendienst, de achterlijke jongens van de *Basij* met hun puistjes, slechte adem en stompzinnige fanatisme, de moellahs, de politici, de doortrapte, leugenachtige, hypocriete machthebbers van mijn land. Mij iets doen? Laat me niet lachen! Ze zouden mij niets doen en mijn vrienden ook niet. De zeilen van ons schip stonden bol dankzij de sterke wind van de hervormingen. Wee degene die het zou wagen ons te dwarsbomen! Daar stond ik, met mijn hoofddoek naar achteren geschoven en de wind in mijn haar, en naast me stond Rustam, de Leeuw, de man die de aarde deed beven als hij zijn voet optilde en met kracht weer liet neerkomen. En Rustams naam was Arash.

En toen, op een dag in de herfst, liep ik vanaf de universiteit naar huis met mijn boeken in mijn tas en mijn hoofddoek zodanig geknoopt dat er een paar rebelse centimeters van mijn donkere haar te zien waren. Ik had net afscheid genomen van twee vriendinnen die net zulke onverschrokken heethoofden waren als ik. We hadden het gehad over de recente arrestaties van een aantal studenten en over het plan om morgen op het terrein van de universiteit een protestbijeenkomst te organiseren tegen deze schandalige schending van ons recht op vrije meningsuiting. We hadden het ook over onze vriendjes gehad en een minuut of tien heerlijk staan giechelen en giebelen, zoals Iraanse meisjes doen wanneer de jongens in kwestie er niet bij zijn. Westerse meisjes zouden ons gegiechel en gegiebel misschien erg puberaal vinden, maar voor ons was het een erg serieuze zaak.

Ik dacht eigenlijk helemaal nergens aan, behalve aan hoe goed ik eruitzag toen ik over straat liep met mijn hoofd fier opgeheven en een deel van mijn haar brutaal zichtbaar, tot ik opschrok van een auto, een groene Peugeot, die dreigde me aan te rijden. Wat niet verwonderlijk zou zijn, omdat ik midden op de straat liep. Ik wilde al 'Hé, pas op!' of zoiets roepen, maar kreeg daar helemaal geen gelegenheid voor. Een vrouw in een politie-uniform stapte uit de auto en zei dat ze mijn papieren wilde zien. Een halve minuut later, nog voordat ze mijn identiteitspapieren naar behoren had bekeken, zat ik achter in de auto tussen de agente en haar mannelijke collega in. Een derde politieman chauffeerde. Ik keek snel achterom om te zien of mijn vriendinnen het hadden gezien. Ze holden achter de auto aan, maar binnen een paar seconden had de chauffeur hen ver achter zich gelaten.

Ik wist dat ik waarschijnlijk in grote moeilijkheden verkeerde; dat het slecht met je kon aflopen als je door de politie op straat werd opgepikt. Ik had verhalen gehoord over rebelse studenten die op deze manier waren meegenomen, toen eerst bont en blauw waren geslagen en daarna midden in de nacht in een afgelegen buitenwijk werden gedumpt. Maar dat kwam niet al te vaak voor en het was nog niemand overkomen die ik persoonlijk kende. Ik had gedacht dat als de politie belangstelling voor me had, ze me op het bureau zouden ontbieden; dat ze me een paar vragen zouden stellen waar ik korte antwoorden op zou geven en dat ik dan weer naar huis zou mogen. Ik had nooit gedacht dat mensen die ik totaal beneden mijn stand vond een dergelijke inbreuk op mijn leven konden maken. Nu werd me pas duidelijk dat ik had gedacht me met een mantel van snobisme te kunnen beschermen.

En het idiote was dat ik zelfs nu op dat snobisme bleef bouwen. 'Pardon,' zei ik. 'Waar brengt u me naartoe, en waarom?'

'Naar het politiebureau,' zei de vrouw zonder naar me te kijken. 'We hebben een paar vragen voor je.' Ze sprak niet op een barse toon; ze klonk eerder verveeld.

'Vragen? Waarover?'

'Dat hoor je straks wel.'

'Ik wil het nu graag weten.'

De vrouw negeerde me. De andere agent glimlachte. Hij wist volgens mij heel goed dat mijn zelfbeheersing geveinsd was.

Ik wilde net een nieuwe vraag stellen toen de chauffeur de auto tot stilstand bracht. De agente haalde een blinddoek tevoorschijn, schoof die over mijn hoofddoek heen voor mijn ogen en drukte hem aan met haar vingers. In het donker begon ik onmiddellijk aan het lange, pijnlijke proces van berouw voor alles waarmee ik mensen als de agenten die hier bij me in de auto zaten, mogelijk had beledigd. Het was een proces van berouw en herroeping. *O god, wat heb ik gedaan? Ik zal onmiddellijk mijn excuses aanbieden. Ik zal op mijn knieën voor hen neervallen. Ik zal beloven dat ik nooit meer slechte dingen zal doen. Maar wat denken ze eigenlijk wel niet? Hoe dúrven ze! Ik heb niets verkeerds gedaan. Ik zal eisen dat ze me onmiddellijk vrijlaten, en als dat niet gebeurt, zal ik ervoor zorgen dat dit in de krant komt. Denken ze soms dat ze een onnozele boerentrien voor zich hebben? O, mijn moeder. Mijn arme moeder. Dit zal haar dood zijn. Dit overleeft ze niet! Ik zal zeggen dat ik niet wist wat ik deed. Dat ik me door anderen heb laten meeslepen. Dat ik slechte vrienden heb, die me hebben misleid. Dat ik te jong was om te weten wat ik wilde. Maar wat zou Arash daarvan denken? Wat zou hij zich voor me schamen! Hij zal me niet meer willen kennen. Hij zal doen alsof hij er begrip voor heeft dat ik me voor de politie in het stof heb geworpen, maar in werkelijkheid zal hij teleurgesteld zijn. Goed, dan doe ik het niet! Ik ga me niet voor die lui vernederen! Ze overtreden zélf de wet! Allemachtig, worden ze bij de politie zó slecht betaald dat ze niet eens deodorant kunnen kopen? Wat een lucht! En zij stinkt al net zo erg als hij. Papa zal wel voor een advocaat zorgen. Het komt allemaal best in orde.*

Ik hoorde verkeersgeluiden toen we weer doorreden, maar ik herkende niets. Ik had geen idee waar ik naartoe werd gebracht. Vermoedelijk niet naar een politiebureau. Er zijn een heleboel politiebureaus in Teheran; we hadden in een mum van tijd bij een daarvan kunnen zijn. Als we niet naar een politiebureau gingen, waar brachten ze me dan naartoe?

De minuten verstreken en mijn mond werd zo langzamerhand kurkdroog. Ik zou niet genoeg speeksel hebben om mijn smeekbeden te laten horen, en al helemaal niet om woedend tegen hen uit te vallen. Na een poosje minderde de auto vaart, nam een scherpe bocht en stopte.

De agente stootte me aan. 'Uitstappen,' zei ze, ook nu niet op een barse toon.

Ze liep vlak achter me, met haar hand op mijn schouder. De laatste keer dat ik een blinddoek voor had gehad, was toen ik als kind blindemannetje speelde. Ik herinnerde me de verrukkelijke, angstaanjagende opwinding van die spelletjes, wanneer mijn vriendinnetjes riepen: 'Zarah! Zarah! Pas op! Je valt bijna in een ravijn!' Nu was het heel anders. Mijn angst bevatte geen verrukking. Ik kreeg visioenen van een knuppel of een vuist die werd opgeheven om me te slaan. Ik blies zoals katten doen wanneer ze bang zijn, en mijn hart klopte zó snel dat het leek alsof het in stukken zou breken. Ik hoorde een gekwetter als van vogels in een grote volière, alleen was het een menselijk gekwetter. De agente zei: 'Stop.' Ik bleef staan, zoals me was bevolen. Ik probeerde voorbeeldig stil te staan, alsof ik wilde laten zien dat ik een gehoorzaam meisje was dat bevelen wist op te volgen. Ik kon me met geen mogelijkheid voorstellen wat er rondom me gebeurde. Mensen liepen vlak langs me heen, alsof ze haast hadden om ergens te komen. Ik hoorde vrouwen lachen, en een bulderende mannenstem die zei dat het uit moest zijn met dat kabaal.

De agente trok de blinddoek van mijn hoofd. Het duurde een paar seconden voordat tot me doordrong dat ik me in een groot arrestantenlokaal bevond. Een paar politie-agenten stonden er met een verveeld gezicht bij, andere agenten zaten achter bureaus ijverig te schrijven, weer anderen vulden gegevens in over twee jonge vrouwen die bij de balie stonden. De eerste gedachte die in mijn hoofd opkwam, had helemaal niets te maken met mijn angst: *Waarom zien politieagenten er altijd zo ongezond uit? Eten ze nooit groenten en fruit?*

Een agente – niet de vrouw die mij bewaakte – begon te schreeuwen tegen de vrouwen en meisjes die nonchalant tegen de betonnen muren van de zaal geleund stonden. Ze maakte gebaren alsof ze probeerde een troep kippen voor zich uit te drijven. De vrouwen en meisjes kwamen om me heen staan. Ik bleef doodstil staan, als een standbeeld, durfde amper met mijn ogen te knipperen en realiseerde me toen dat het allemaal prostituees waren, zelfs de jongsten. Ze moesten zijn opgepakt bij de razzia's die de politie en de *Basij*-militie dag en nacht in de stad hielden en hierheen zijn gebracht om te worden beboet of opgesloten. Ik zei 'Goedemiddag' tegen degenen die het dichtst bij me stonden, maar ze keken alleen maar minachtend grinnikend naar me. 'Studentje,' zei een van hen tegen haar buurvrouw.

De vrouwen gedroegen zich erg twistziek. Eerlijk gezegd gedragen alle Iraniërs zich meestal twistziek, en deze vrouwen hadden die slechte gewoonte niet opgegeven nu ze in hechtenis waren genomen. Ze eisten brutaal antwoord op hun vragen waarom ze waren opgepakt, ook al was dat nogal duidelijk. 'En ik?' vroeg een meisje. 'Wat heb ik gedaan?' Ze droeg een heel kort broekje. Een ander meisje wees naar haar mond en zei: 'Dit is geen lippenstift. Ik heb van een lolly gelikt.' De anderen lachten daar hartelijk om en ze deed zelf mee. God, wat wilde ik graag bij die groep horen, bij die vrijpostige vrouwen! Ik zou met plezier hun straf hebben gedeeld; ik zou met plezier een cel met hen hebben gedeeld, desnoods een heel jaar. Zij wisten tenminste wat hun te wachten stond; ze hadden dit vermoedelijk allemaal al eens eerder meegemaakt. Ik wist alleen dat ik in grote problemen verkeerde en mogelijk in nog grotere problemen zou komen.

De agente die bij me in de Peugeot had gezeten, kreeg genoeg van het wachten en liep weg, sputterend dat ze wel iets beters te doen had dan hier de hele dag te staan niksen. Ik bleef volkomen stilstaan, durfde niet eens mijn gewicht van mijn ene been op het andere been over te brengen, uit angst dat het zou worden opgevat als een teken van brutaliteit. De vrouwen om me heen vonden me duidelijk een watje. Ze schudden hun hoofd en maakten minachtende, snuivende geluiden.

Uiteindelijk kwam de agent met de bulderende stem naar ons toe en gebaarde dat we moesten doorlopen. Achter in het arrestantenlokaal werd een hoog metalen hek opengeschoven. We dromden erdoorheen en achter ons ging het hek weer dicht en op slot. De andere vrouwen zochten, in de verwachting dat het wel even kon gaan duren, naar manieren om redelijk gemakkelijk te kunnen staan of te zitten door tegen de muur of met hun ruggen tegen elkaar te leunen, maar ik bleef braaf rechtop staan. Pas toen ik zag dat de agenten nauwelijks aandacht aan ons besteedden, waagde ik het een van de vrouwen aan te spreken.

'Zou u mijn moeder kunnen opbellen als u straks weer op vrije voeten bent?' fluisterde ik. 'Ik zou u heel dankbaar zijn. Zou u haar alstublieft kunnen bellen om te zeggen dat ik ben opgepakt?'

De vrouw, die allesbehalve jong bleek te zijn toen ik haar van dichtbij zag, schudde traag haar hoofd.

'Jij bent hier om politieke redenen,' zei ze. 'Als ik iets voor je doe, kom ik in de problemen.'

'Alstublieft. Ik heb een beetje geld. Dat mag u hebben.'

'Nee.'

Ze slenterde bij me vandaan, maar ik liep met haar mee, terwijl ik aldoor over mijn schouder keek.

'Weet u wat er gaat gebeuren?' vroeg ik haar. 'Kunt u me dat in elk geval vertellen?'

Eerst keek ze niet naar me, toen wierp ze een vluchtige blik op me. 'Evin,' zei ze.

'Weet u het zeker?'

'Je hebt een vraag gesteld, zus, en ik heb je antwoord gegeven.'

Ik wilde nog meer vragen, maar de vrouw liep weer weg.

Ik dacht: *God, beschermt u me alstublieft!*

Ik nam mijn standbeeldhouding weer aan en wachtte af. Mijn hartslag was gekalmeerd tijdens de twee uur dat ik had stilgestaan, maar begon nu weer te versnellen. Stilstaan hielp niet meer. Mijn hersenen voelden aan alsof de scheidingswanden die erin zaten verschrompelden als papier waar een vlam bij wordt gehouden. Gedachten die normaal gesproken gescheiden werden gehouden, liepen door elkaar heen. Maar één heldere gedachte, die alle chaos weerstond, was: *Hier heb ik de kracht niet voor.*

Hoofdstuk 23

Als ik ben uitgestapt, geeft de mannelijke agent aan waar ik naartoe moet door me om de twee stappen een duwtje in mijn rug te geven. Ik ben er nu zo aan gewend geblinddoekt te lopen dat ik een radarachtige manier heb ontwikkeld om te bepalen wat er om me heen gebeurt. Wat ik me inbeeld, kan weliswaar nergens door worden bevestigd, maar ik heb het gevoel dat ik gelijk zou krijgen als ik opeens zou kunnen zien. Op dit moment weet ik zeker dat er tegenover me een groot gebouw staat, en ja hoor, ik hoor het zachte zoeven van schuifdeuren en dan wordt mijn lichaam omgeven door de louterende koelte van airconditioning.

Binnen word ik over een vrij grote afstand verder vooruit geduwd. In mijn verbeelding zie ik een hal van zulke ruime afmetingen dat ik een dwerg lijk. Ik hoor echoënde voetstappen. De vloer onder mijn blote voeten voelt eigenaardig aan. Het is geen beton; het is harder dan beton, dat verrassend veerkrachtig lijkt wanneer je eraan gewend raakt er blind overheen te lopen. Nee, dit moeten tegels zijn, of een bepaald soort steen. Ik durf mijn angst niet te laten varen, maar het lijkt wel alsof ik in een groot kantoorgebouw ben, een ministerie misschien, en niet in een kerker diep onder de grond waar het schavot me wacht. Ze zullen me hier niet ophangen, maar misschien ben ik hier voor wat er aan ophanging voorafgaat. We slaan een hoek om en nog een. Iets strijkt langs mijn schouder; iets wat meegeeft. Gebladerte? Een kamerplant? Een deur gaat open en ik word weer vooruit geduwd. Het tempo ligt hoog, veel hoger dan door de gangen van Evin. Ik heb het gevoel dat hier een deal zal worden gesloten; de hele manier van doen voelt erg zakelijk aan.

De agent beveelt me halt te houden en blijft zelf ook staan. Heel even ben ik bang voor een list. Ik krijg de bittere smaak van gal in mijn mond. Heb ik mezelf voor de gek gehouden? Sta ik in werkelijkheid voor een vuurpeloton? Maar dan trekt de agent met een behendig gebaar de blinddoek van mijn hoofd, en nadat ik even heb moeten knipperen tegen het felle licht van de plafondlampen zie ik dat ik inderdaad in een kantoorgebouw ben en tegenover een deur sta met een bordje erop. Het bordje is slordig bevestigd: de ene kant zit hoger dan de andere. Wat erop staat, is me niet duidelijk; ik denk dat het 'Verboden toegang' is, maar dan met spelfouten. De agent stapt langs me heen om de deur open te doen en nu kan ik zien wie er in de auto naast me zat en me door de gangen duwde. Hij is niet groot en niet klein en ook in elk ander opzicht volkomen onopvallend; niet knap, niet lelijk. Een doodgewone man.

De deur gaat open en ik zie een kamer die veel lijkt op een directiekamer: er staat een tafel met een blad van namaakhout; plastic stoelen met metalen poten; aan de wand grote portretten van Khomeini en Khamenei, de vader van de natie en zijn opvolger, met de identieke tulbanden van de moellahs en de identieke witte baarden.

Een lange man in een donker pak met een overhemd met open kraag staat bij de tafel en kijkt naar me over de rand van zijn bril, die halverwege zijn neus staat. Hoewel hij nog jong is – misschien zeven- of achtentwintig – maakt hij de indruk een belangrijk personage te zijn, en dat is ook precies zijn bedoeling, daar twijfel ik geen moment aan.

Rechts van hem zit een jonge vrouw achter een bureau op het toetsenbord van een computer te typen. Ze kijkt zonder enige belangstelling een halve seconde naar me op. Links van meneer Belangrijk zit een andere man. Hij is ouder, van middelbare leeftijd, en ik heb het gevoel dat ik hem al eens heb gezien. Waar? Ik kan het me niet voor de geest halen. De oudere man kijkt niet eens naar me. Ik staar naar de nagels van mijn blote voeten, waarop een restant roze nagellak zit. Mijn neefje heeft dat gedaan, mijn nagels roze gelakt. Dat was een heel project voor hem; een vrolijk en een beetje gewaagd project.

'Ga zitten, zuster,' zegt meneer Belangrijk, die zelf op een stoel achter de gladde tafel gaat zitten en de agent met een gebaar wegstuurt. Ik leg de korte afstand naar een rij bruine plastic stoelen af en ga op de eerste de beste stoel zitten, met mijn handen gevouwen op mijn schoot. Meneer Belangrijk doet een map open, buigt zich eroverheen en begint te lezen. De vrouw achter de computer houdt haar handen boven het toetsenbord. De oudere man, die me bekend voorkomt, kijkt opzij zonder naar iets specifieks te kijken.

Deze mensen hebben geen haast. Van de kordate manier van doen van daarnet is niets over.

Na ongeveer tien minuten hoor ik achter me een klopje op de deur.

'Binnen,' zegt meneer Belangrijk, en hij kijkt op van de map.

De deur gaat open. Ik draai mijn hoofd een fractie. Het is mijn verhoorder, de Stinkerd. Mijn lichaam reageert met walging en afkeer. Ik hef onwillekeurig een hand op naar mijn gezicht, alsof ik verwacht dat hij me zal slaan.

'Goedemorgen, *haji*,' zegt hij tegen meneer Belangrijk. Hij brengt zijn handen bijeen alsof hij bidt en maakt een lichte buiging in de richting van de oudere man, zonder iets tegen hem te zeggen. 'Excuses voor de vertraging,' zegt de Stinkerd, en hij gaat twee stoelen bij me vandaan zitten. Een geur bereikt mijn neusgaten. De Stinkerd heeft zich opgefrist met aftershave! De geur die zijn stank verbloemt is equivalent aan de goede manieren die hij voorwendt te bezitten wanneer er andere mensen bij zijn.

De komst van de Stinkerd heeft een gevaarlijke reactie in me losgemaakt. Eerst voelde ik haat en walging, maar wat er nu gebeurt, is veel erger, want ik heb het gevoel dat ik in staat ben overeind te springen om hem in zijn gezicht te spugen. Ik schrik er zelf van en ben er allesbehalve zeker van dat ik in staat zal zijn mijn zelfbeheersing te bewaren. Ik laat mijn kin op mijn borst zakken, knijp mijn ogen stijf dicht en snauw in stilte tegen de duivel die mijn hersens is binnengedrongen: 'Ga weg! Ga weg!'

Ik word me bewust van een geluid vrij dicht bij me en doe mijn ogen open. De oudere man leunt naar voren en trommelt met zijn vingertoppen op de tafel.

'Til je hoofd op,' zegt hij. Ingehouden dreiging geeft zijn stem een scherp, krakend timbre. Ik gehoorzaam. De duivel in mijn hoofd verdwijnt.

Meneer Belangrijk schraapt zijn keel en begint te praten, op een zangerige toon, want hij spreekt in formeel Arabisch, zoals moellahs dat doen: 'In de naam van Allah, die ons al onze vergissingen zal vergeven, en zijn profeet Mohammed, en zijn boek, de Koran, dat ons zal leiden naar zijn beloofde hemel.'

Deze woorden worden in Iran bij veel formele gelegenheden uitgesproken, altijd als inleiding voor een officiële gebeurtenis. Meteen wordt het me duidelijk waarom ik hierheen ben gebracht. Dit is een rechtszaak. Ik heb deze woorden gehoord in reportages over revolutionaire processen die op tv zijn uitgezonden. Ken ik de oudere man daar soms van?

De vrouw achter de computer neemt het van meneer Belangrijk over. Ze leest een tekst voor vanaf haar computerscherm. Ze heeft een zangerige stem en de irritante gewoonte om de laatste lettergreep van iedere zin te rekken.

'Zarah Ghahramani, studente vertalen, faculteit der letteren, Allame Teheran, sinds het Jaar van de Profeet, 1377. Geboren in het Jaar van de Profeet,1360, op de eenendertigste dag van Shahrivar. Geboorteakte nummer 843. Bent u dat?'

Ik knik.

De vrouw, die meer gezag schijnt te hebben dan ik aanvankelijk dacht, herhaalt op schrille toon: 'Bent u dat?'

'Ja,' antwoord ik.

Ze kijkt weer naar het scherm van haar computer en leest verder.

'U wordt beschuldigd van een aantal overtredingen. Ik zal die overtredingen nu samenvatten. Eén, het verstoren van de orde op de universiteit en het daarmee veroorzaken van onbehaaglijkheid voor andere studenten en docenten. Twee, het meerdere malen aanmoedigen van medestudenten om lessen te annuleren. Drie, het schrijven van artikelen die kritiek leveren op de regering van de Islamitische Republiek van Iran en de beleidslijn van de regering aangaande diverse onderwerpen in twijfel trekken. Vier, het houden van redevoeringen op het terrein en in de gebouwen, klaslokalen en kantoren van de universiteit, waarin u protest hebt aangetekend tegen rechtsgeldige vonnissen van de Revolutionaire Hoge Raad, geveld in processen tegen aangeklaagde medestudenten. Vijf, het aanmoedigen van studenten van de universiteit om op straat sitdownacties te houden, wat spanningen heeft veroorzaakt tussen studenten en de politie. Zes, het hebben van een onwettige en immorele seksuele relatie met medeverdachte Arash Hazrati.'

Hier stopt ze en kijkt in de richting van meneer Belangrijk.

Niemand zegt iets. Ik zou graag willen reageren met: 'En wat dan nog?', maar dat doe ik natuurlijk niet. Opeens dringt tot me door dat ze allemaal zitten te wachten tot ik iets zal zeggen. Ik heb geen idee waarmee ik deze mensen een plezier zou kunnen doen. Misschien: 'Schuldig. Door en door schuldig. Zo schuldig als maar kan.'

Meneer Belangrijk zit naar me te kijken. 'Zarah Ghahramani, geeft u toe dat u deze overtredingen hebt begaan?' vraagt hij.

Ik zeg niks.

'Zarah Ghahramani, u bent al schuldig bevonden aan de aantijgingen die tegen u zijn ingebracht. Geeft u toe dat u deze overtredingen hebt begaan?'

'Bedoelt u dat ik al een rechtszaak heb gehad? Bedoelt u dat ik al ben berecht?' Ik probeer deze vragen op een nonchalante manier te stellen, maar de woede die ik voel sluipt in mijn stem.

'We delen u slechts mee wat de uitspraak in uw rechtszaak is,' zegt meneer Belangrijk. 'Dat u schuldig bent, staat vast.'

'Wie heeft me aangeklaagd? Wie zegt dat ik dit alles heb gedaan?'

Weer die woede.

Meneer Belangrijk lijkt zich te hebben voorgenomen geduldig te zijn. Hij krabt aan zijn slaap alvorens antwoord te geven.

'U bent aangeklaagd door het revolutionaire gerechtshof en de openbare aanklager. Alle wettelijke voorwaarden zijn strikt in acht genomen.'

'Had ik een advocaat?'

'Jazeker. U had een erg goede advocaat. Arash Hazrati. U zult moeten toegeven dat hij een uitstekende advocaat is.'

Hij kijkt naar me met een flauwe glimlach, en ik zie dat de oudere man het zich nu ook verwaardigt te glimlachen.

De duivel danst weer rond in mijn hoofd. 'Krijg de klere met jullie rechtszaak!' is wat ik zou zeggen als ik net zo gek en moedig was als Sohrab. Ik laat mijn kin weer op mijn borst zakken en prevel die woorden zachtjes, alsof ik aan het bidden ben.

'Ik heb niets te zeggen', is het enige wat ik als antwoord geef.

De vrouw met de irritante stem vat dit op als een teken om weer vanaf haar scherm te gaan voorlezen: 'In de naam van Allah is de beklaagde, Zarah Ghahramani, schuldig bevonden op grond van het bewijsmateriaal dat is vastgelegd tijdens de verhoren. De beklaagde wordt veroordeeld tot dertig dagen gevangenisstraf, met dien verstande dat de dagen die ze al in hechtenis heeft gezeten, daarvan zullen worden afgetrokken. Aan de beklaagde wordt het privilege ontnomen om aan een universiteit te mogen studeren. De beklaagde zal alle gelden terugbetalen die de staat heeft besteed aan haar scholing. De beklaagde heeft toegegeven dat ze misbruik heeft gemaakt van de welgezindheid van de regering en van het budget dat de regering heeft uitgetrokken voor onderwijs. De beklaagde krijgt geen toestemming haar studie aan haar universiteit voort te zetten. De beklaagde krijgt geen toestemming ooit nog aan een universiteit van de Islamitische Republiek te studeren. De beklaagde krijgt geen toestemming te werken voor een krant of tijdschrift. De beklaagde zal zich niet bezighouden met politieke opruiing in woord of geschrift. Wil de beklaagde iets tot haar verdediging aanvoeren?'

De vraag overrompelt me, maar dat duurt slechts een paar seconden. Ik besef dat het feit dat ik vandaag hiernaartoe ben gebracht slechts een groteske formaliteit is. Wil ik iets tot mijn verdediging aanvoeren? Dat vragen ze me nadat ze me hebben verteld dat de zaak al is beslist? Het is duidelijk dat je alleen kunt functioneren in dienst van een regering, zoals de regering die in mijn land de dienst uitmaakt, als je absoluut geen feeling hebt voor absurditeiten.

Neem mijn vrienden en mij – wij grijpen elke kans aan om absurditeiten aan de kaak te stellen – ook die van onszelf. We generen ons voor domme dingen. Maar deze mensen – mijn stinkende ondervrager, meneer Belangrijk, de oudere man met de dreigende klank in zijn stem, de irritante marionet achter het toetsenbord – generen zich er helemaal niet voor. Het laat hen volkomen koud. Ik weet dat men zegt dat macht corrumpeert, maar men zou erbij moeten vertellen dat de corruptie begint wanneer de machthebbers zich niet langer generen voor absurditeiten. Wat kan het hun schelen als je hen uitlacht? Ze weten dat ze je het lachen voor altijd kunnen doen vergaan, als ze dat willen. Ze hebben het alleenrecht op pijn. Pijn is hun knecht. En het is nu eenmaal zo, al zouden mijn vrienden en ik graag willen dat het anders was, dat je veel sneller je zin krijgt met pijn als wrede knecht dan met gelach als olijke knecht.

'Nee,' zeg ik, naar mijn handen op mijn schoot starend, en ik voeg er op een fluistertoon aan toe: 'Waarom maakt u me niet gewoon dood?' Ik schrik zelf van deze fluistering en hoop vurig dat mijn woorden de oren van de anderen niet hebben bereikt. Ik blijf naar mijn handen staren. Wanneer ik uiteindelijk opkijk, kan ik aan de uitdrukking op de gezichten van meneer Belangrijk en de oudere man niet zien of ze het gehoord hebben.

'Je bekentenis zal te zijner tijd openbaar gemaakt worden,' zegt meneer Belangrijk. 'Moge God ons allen zegenen.'

Blijkbaar hebben ze het niet gehoord, want meneer Belangrijk doet de map dicht en kijkt alsof hij klaar is om aan de volgende zaak te beginnen. De Stinkerd verlaat de kamer en komt terug met mijn blinddoek. Hij doet hem over mijn hoofd en beveelt me op te staan. Ik hoor de oudere man tegen hem zeggen: 'God zegene u, *haji*. Ik hoop het u ooit te kunnen vergoeden.' Waarop de Stinkerd antwoordt: 'Het is mijn plicht. Ik doe alleen maar mijn plicht, *haji*.'

Zodra ik terug ben in mijn cel in Evin voel ik hoe de bitterheid en woede die ik in de rechtszaal niet kon uiten in mijn hoofd en mijn hart bruisen. Ik krab aan mijn schedel uit wraak voor mijn lafhartige gedrag. Ik walg van mezelf. Ik had de Stinkerd in zijn gezicht moeten spugen. Ik had naar hen allemaal moeten spugen, vooral naar de vrouw aan het toetsenbord, die ik zelfs nog irritanter vind dan ze was nu ik op de gebeurtenissen terugkijk. Vind ik dat omdat ze een vrouw is en vermoedelijk wist wat me was aangedaan en desondanks rustig dat hele verhaal vanaf haar computerscherm kon voorlezen als de slaafse onderdaan die ze is? Misschien. Of misschien komt het gewoon omdat we ongeveer even groot zijn. Als ik haar had aangevallen, had ik met gemak haar tanden uit haar mond kunnen slaan.

Nu begin ik na te denken over wat er aan het einde van de 'rechtszaak' was gezegd. Ik denk aan de oudere man die 'Ik hoop het u ooit te kunnen vergoeden' zei tegen de Stinkerd. Wat bedoelde hij daarmee? Ik ijsbeer in mijn kleine cel en probeer het raadsel te ontwarren, maar dat lukt me niet. Net wanneer ik het wil opgeven, gaat me een licht op. Ik blijf staan en fluister: 'Vuile hufters!' Het was een deal. Mijn ondervrager, de Stinkerd, die officieel Gholam heet, heeft me levend uitgeleverd, en nu staat de oudere man bij hem in het krijt. Dit moet het resultaat zijn van Behnams inmenging. Deze deal is tot stand gekomen door middel van steekpenningen, beloften en vriendjespolitiek: Gholam, die in de gevangenis vermoedelijk heer en meester is, is zo goed geweest met mij niet zo ver te gaan als hij had gekund. Wat zouden ze tegen hem gezegd hebben, de mensen die de gunsten verlenen en de steekpenningen aannemen? 'Ga je gang, neem haar gerust te pakken, maar laat haar wel in leven als het even kan. En de kamer, Gholam... je weet welke ik bedoel? Breng haar daar maar niet naartoe.' En nu besef ik ook dat ik de oudere man daar waarschijnlijk van ken – van een van de bijeenkomsten van hooggeplaatste personen waar ik met Benham ben geweest.

Schoften!

En wat is het lot van degenen die geen hooggeplaatste vrienden hebben? Degenen die Gholam niet kunnen verzoeken zijn methoden te matigen? Degenen die het geld er niet voor hebben of niet de extraatjes kunnen leveren waar de mensen van dat slag zo naar hunkeren? De nieuwe koelkast, de vaatwasser, de grote televisie, de vliegtickets naar Parijs. Iran heeft blijkbaar een strafmarkt waar het martelen van een jonge vrouw kan worden verhandeld voor een wasmachine.

'Ik dacht dat je niet meer terug zou komen,' zegt Sohrab door het rooster.

'Ik ben berecht.'

'En mag je nu naar huis?'

'Ze zeggen van wel, maar ik geloof er niks van. Ze zeggen dat ik niet meer aan de universiteit mag studeren en niet meer mag schrijven.'

'Schrijf je dan?'

'Een beetje.'

'Ik zou het niet lezen. Het is vast rommel.'

'Waarom zeg je dat?'

'Ik ken de mensen van jouw slag. Jullie denken dat je alles mooi kunt maken. Jullie denken dat je van Gholam een rozenstruik kunt maken. Zonde van de inkt!'

'Hij geurde vandaag als een rozenstruik. Hij was erbij.'

'Jullie houden jezelf voor het lapje. Jullie vertellen jezelf sprookjes. Ik kots van mensen als jij.'

'Wat ben je in een rare bui.'

'Een knuppel komt op je hoofd neer en je barst in tranen uit. Maar jij bleef wel onder de knuppel staan. Ik veracht jullie. En jou in het bijzonder.'

'Krijg de klere.'

'Prinsesje! Ik heb je nog nooit eerder horen vloeken!'

'Raak er maar aan gewend.'

'Zeg het nog eens.'

'Nee.'

'Het lammetje is in een wolf aan het veranderen. Je hebt dus toch iets meegekregen van Evin.'

De rest van de dag weet ik niks te zeggen tegen Sohrab. Ik vind het vreselijk wanneer hij sarcastisch doet.

Ik zit op mijn deken en probeer me voor te stellen wat voor soort leven ik nu zal hebben. Ik mag niet meer studeren. Ik mag niet schrijven. Ik kan caissière worden. Zolang ik niet met de klanten praat. Zolang ik geen ondermijnend commentaar lever op de zeep die iemand koopt. Zolang ik niet zeg dat het ene merk tandpasta beter is dan het andere. Zolang ik gewoon ophoud met denken en alleen maar tegen iedereen 'Goedemorgen' zeg en verder niets. Zolang ik niets anders lees dan de geoorloofde kranten en tijdschriften, die bol staan van verhalen over de achterbakse vijanden van Iran en de achterbakse dingen die ze van plan zijn. Waarom, denkt u, worden er in al die achterbakse landen die willen dat de revolutie van het Iraanse volk mislukt, geen mensen gemarteld? Ja, gemarteld! Het moeten wel erg achterbakse mensen zijn als ze dat niet doen!

Ik probeer te vergeten dat mijn blaas vol is. Ik weet dat de nieuwe bewaakster dienst heeft, de vrouw die volgens Sohrab seks met me wil. Ik sluit mijn ogen en probeer me voor te stellen dat ik een droge spons ben, in staat vele liters water in me op te nemen. Maar het lukt niet. Ik schuif het groene strookje onder de deur door.

Ze komt meteen om me naar het toilet te brengen. Ze stond misschien wel achter de deur op het groene strookje te wachten. Toegewijd als ze is. Ze zal het ver schoppen in dit vak.

'Heb je nagedacht over wat ik heb gezegd?' vraagt ze zodra ze de deur heeft geopend.

'Ik gebruik geen drugs.'

'Doe niet zo achterlijk. Iedereen gebruikt drugs.'

'Ik niet.'

Ze pakt mijn hand en houdt die vast terwijl we door de gang naar de toiletruimte lopen. Ik doe er niet moeilijk over. Als ik niet snel bij de wc kom, doe ik het in mijn broek. Ze blijft voor de deur van het wc-hokje staan wachten. Ik heb mijn blinddoek afgedaan, wat mag zolang je hem maar weer voor doet voordat je naar buiten komt. Ik vind het een naar idee dat ze me kan horen plassen, maar ik kan haar moeilijk vragen weg te gaan. Over het algemeen blijven de bewakers bij de ingang van de toiletruimte staan om je deze gêne te besparen.

Zonder waarschuwing duwt de bewaakster de deur open en kijkt op me neer. Ik ben zó geschokt door haar verschijning dat ik niet eens ga gillen; ik staar alleen maar naar haar. Ze is veel jonger dan ik had gedacht, een jaar of dertig. Ze is mager en klein, veel kleiner dan ik, wat alweer een verrassing is; ik dacht dat ze lang was. Ze komt duidelijk uit het zuiden, want ze heeft een donkere huid, zoals veel mensen in het zuiden van Iran. Maar wat me nog het meest shockeert, heeft niets te maken met haar leeftijd of lengte, maar met haar afschuwelijk verminkte gezicht. Het is plat, alsof alle uitstekende delen zijn verbrand of weggesneden, waarna een armzalige reconstructiepoging is gedaan. Ze staat me toe naar haar te staren. Vanwege de verminking kun je niet zien of ze glimlacht of boos kijkt.

Ik ben overeind gekomen en sta nu tegenover haar, waarschijnlijk met een uitdrukking van pure afschuw op mijn gezicht. Ze steekt haar handen uit om mijn schouders vast te pakken of misschien om me te omhelzen. Zelfs op dit moment daag ik mezelf uit niets te laten blijken van de walging die haar misvormde gezicht in me opwekt, al heb ik geen enkele hoop dat het zal lukken. Met alle kracht die ik bezit, duw ik haar het hokje uit. Ze valt achterover op de grond. Ik hol de toiletruimte uit en de gang op.

En daar wacht me een nieuwe schok, want dit is de eerste keer dat ik de gang echt kan zien in plaats van in de verbeelding van mijn radar. De gang is veel ruimer dan ik had gedacht, helder verlicht en is uitgevoerd in zwart en wit. Aan de muren hangen overal camera's, die op je neerkijken als insecten. Hij strekt zich aan weerskanten uit tot in het oneindige en er komen honderden deuren op uit en hier en daar zijn links en rechts dwarsgangen. Ik blijf als aan de grond genageld staan, overdonderd door de enorme afmetingen van Evin. Dit is niet zomaar een gevangenis. Dit gigantische, wanstaltige fort waar moordenaars, dieven, prostituees, verduisteraars, dronkaards en rebelse studenten van de buitenwereld worden geïsoleerd, is een stad binnen een stad, een stad die mensen door haar hekken naar binnen zuigt vanuit de grotere stad, omdat de cellen gevuld moeten worden, alsof de stroom gevangenen het levensbloed van dit fort is. Mijn vrienden zitten hier ergens. Maar al zou ik een week lang zoeken, dan zou ik hen nog niet vinden. Ik weet niet eens hoe ik bij mijn eigen cel moet komen.

En dus blijf ik staan waar ik sta, niet in staat me te verroeren. Het is volkomen stil: geen gegil, geen gehuil, helemaal niets. Dan hoor ik de voetstappen van de bewaakster naar me toe komen. Ik draai me om en kijk naar haar, naar het gezicht dat amper bestaat, het gezicht dat niets onthult behalve hoe afzichtelijk het is. Ze komt op me af en doet de blinddoek over mijn hoofd. Dan geeft ze me een klap in mijn gezicht, een harde klap – zo hard dat mijn oren ervan tuiten. Ondanks dat hoor ik dat iemand naar ons toe rent.

'Wat is er, zuster?'

Het is de stem van een man.

'Ze heeft me in het toilet geduwd en probeerde te ontsnappen. Ze is gek geworden.'

De man grijpt mijn gezicht en houdt het vast, waarbij hij zijn vingers hard in mijn wangen drukt. 'Smerige teef,' zegt hij, en knijpt nog harder. Mijn lippen en neus worden tegen elkaar gedrukt. Hij trekt me mee door de gang met mijn gezicht in zijn hand, pakt dan in plaats van mijn gezicht mijn schouder beet en trekt me in zo'n snel tempo mee dat ik moeite heb niet te vallen. Ik hoor het geluid van mijn eigen celdeur die opengaat – ik ken het geluid – en dan word ik door de lucht gesmeten en kom ik half op de vloer en half tegen de muur terecht. In de val is mijn blinddoek van mijn hoofd gevlogen. De bewaker geeft me een schop. Hij had die op mijn buik gericht, maar mist zijn doel. Hij sleurt me overeind, houdt me rechtop en begint me te stompen. Mijn benen kunnen me niet dragen. De bewaker laat me weer vallen, buigt zich over me heen en begint me nu met beide vuisten te stompen. Hij raakt daarbij mijn gezicht, mijn schouders, mijn borst.

Ik bezit nog steeds een laatste restje ijdelheid en wring me in allerlei bochten om mijn gezicht, vooral mijn mond en tanden, tegen de aanval te beschermen. Ik wil in elk geval mijn tanden behouden. Ik kan echter niet lang tegen de man op en probeer daarom weg te kruipen, maar zit algauw tegen de muur en kan dan nergens meer naartoe. De bewaker blijft me stompen op elk deel van mijn lichaam dat hij kan raken. Mijn lichaam voelt aan als één grote, kloppende, blauwe plek waarop onophoudelijk slagen blijven neerkomen. Ik maak me zo klein mogelijk en zie dat de bewaakster bij de deur staat te kijken. Ik weet niet of ze hiervan geniet. Ik wil de man smeken op te houden, maar krijg geen gelegenheid iets te zeggen. Ik heb nog nooit zoveel pijn gehad.

Dan hoor ik een ander geluid, een rauwe stem die mijn naam brult en een lange reeks vloeken laat horen. Het is Sohrab, die uit alle macht zit te schreeuwen.

De bewaker komt zwaar hijgend overeind om op adem te komen. Ik probeer op mijn knieën te gaan zitten, misschien in de waan dat ik kan ontsnappen. De bewaker doet echter een grote stap naar voren en valt me weer aan. Met hernieuwde energie slaat hij erop los. Het laatste wat ik zie voordat ik het bewustzijn verlies, is de bewaakster bij de deur. Ze staat met haar voeten pal naast elkaar, alsof ze in de houding staat.

Ik kom bij met mijn wang plat op de vloer. Misschien is er maar een korte tijd verstreken sinds ik het bewustzijn heb verloren. De man die me sloeg is weg, geloof ik. Ik probeer mijn hoofd op te heffen, maar dat lukt me niet. Ik heb pijn in zoveel delen van mijn lichaam dat het me verwart; ik ben niet in staat mezelf met mijn vingers af te tasten om te zien of ik bloed of dat ik iets heb gebroken. Mijn ogen willen ook niet goed open, en wat ik zie is wazig omdat ik door mijn wimpers heen kijk. Ademhalen lijkt de pijn te verhevigen. Ik probeer mijn adem in te houden, maar dat maakt het nog erger. Er is iets heel erg mis met me.

'Word wakker! Zeg iets! Kun je me horen?'

Wie is dat?

'Zeg iets! Kun je me horen?'

Het is Sohrab. Ik doe niet eens een poging hem antwoord te geven. Hij blijft dezelfde zinnen herhalen. Ik wil dat hij ermee ophoudt.

Ik probeer me te bewegen, ik wil me alleen maar op mijn zij draaien om de pijn in mijn borst te verlichten. Ik bereid me voor op een pijnscheut, maar die komt niet – althans geen scheut. Ik blijf stil liggen en denk na over mijn volgende zet. Ik til één hand op omdat ik wil voelen of mijn tanden gebroken zijn, maar die beweging veroorzaakt de pijnscheut die ik daarnet had verwacht. Ik wacht even, zet dan door. Ik heb geprobeerd met mijn tong mijn tanden te betasten, maar dat lukte niet. Ik denk dat ik op mijn tong heb gebeten en nu doet het te veel pijn als ik hem beweeg. Ik slaag erin mijn vingers naar mijn mond te brengen. Ik open mijn lippen een beetje en tast naar mijn tanden. Ze zijn nog heel.

Met minieme bewegingen slaag ik erin mijn lichaam in een positie te manoeuvreren die het minst pijn doet van alle houdingen die ik uitprobeer. Ik krijg mijn ogen niet helemaal dicht, dus neem ik genoegen met een wazig, bijna-gesloten compromis.

Sohrab blijft naar me roepen.

'Ik leef nog,' probeer ik terug te zeggen, maar meteen moet ik mijn hoofd opzij draaien om bloed te laten wegvloeien. Langzaam hef ik mijn hand weer op naar mijn gezicht en veeg het bloed weg van mijn neus. Ik weet niet of mijn mond bloedt of dat het bloed uit mijn neus in mijn mond loopt. Waarschijnlijk allebei.

'Zeg eens iets! Kun je me horen?'

'Ik leef nog.'

'Kun je me horen?'

Ik probeer Sohrab keer op keer duidelijk te maken dat ik nog leef, maar mijn stem kan hem niet bereiken. Misschien klinken de woorden die ik zeg als kreunen of gegrom. En zo blijf ik een eeuwigheid lispelen 'Ik leef nog', en blijft Sohrab naar me roepen: 'Hoe is het met je? Kun je me horen?' Zijn pogingen tot communicatie worden voor mij een extra marteling. Dan hoor ik de deur van mijn cel opengaan en vind ik het opeens helemaal niet moeilijk meer om een geluid te maken. Ik begin te gillen. In de deuropening staat de bewaakster, precies zoals toen ik het bewustzijn verloor. Ik zie alleen haar silhouet. 'Zou je nee zeggen als ik mooi was?' vraagt ze. Ik heb absoluut geen kracht om zelfs maar een poging te doen haar antwoord te geven.

'Ik zei: zou je nee zeggen als ik mooi was?'

Er ligt een dreigende klank in haar stem. Ik doe mijn uiterste best 'Nee' te zeggen, omdat ik geloof dat dat het juiste antwoord is.

'Ik was mooier dan jij voordat onze straat werd gebombardeerd. Ik ben toen verbrand. Mijn ouders zijn omgekomen. Ik heb geen vrienden of vriendinnen.'

Waarom vertelt ze me dit in godsnaam? Is ze krankzinnig?

'Je had iets fijns van me kunnen krijgen. Maar je zegt alleen maar "Nee". Het enige wat je zegt, is: "Blijf van me af!"'

Ze verwacht toch niet écht dat ik hier antwoord op zal geven? Daarnet stond ze doodgemoedereerd te kijken terwijl de bewaker me bont en blauw sloeg, en nu moet ik haar levensverhaal aanhoren?

'Jij denkt dat je kunt kiezen wie en wat je wilt. Nou, in Evin is dat niet zo. Je bent niet mooi meer. Je ziet er nog erger uit dan ik. Nu wil niemand je meer. Nu wil zelfs Gholam je niet meer.'

Ik geloof dat ze huilt. Haar stem trilt.

'Ik hoop dat ze je hier eeuwig laten zitten,' zegt ze. 'Als

je me zult smeken je iets te geven waarmee je jezelf van kant kunt maken, krijg je van mij niks. Je bent net als alle anderen. Ik haat jullie allemaal.'

Ze staat daar maar te huilen. Of misschien huilt ze niet, maar staat ze te beven van woede. Ik zie haar silhouet schokken. Ik heb geen medelijden met haar, als ze daar soms op had gehoopt. Van mij kan ze doodvallen.

Ze doet de deur dicht en is verdwenen.

'Zeg eens iets!' roept Sohrab.

Wanneer ik 's ochtends wakker word, staat het dienblad met mijn ontbijt op de vloer. Ik heb niet gehoord dat ze het naar binnen hebben geschoven. Ik kom op mijn handen en knieën overeind en dwing mezelf over de vloer te kruipen, maar bij elke beweging die ik maak schieten pijnscheuten door mijn lichaam. Ik vind het verbazingwekkend dat mijn lichaam vanuit zoveel duidelijk herkenbare plaatsen melding kan maken van pijn. Vannacht was de pijn één grote homp, nu stuurt elk gewricht een andere pijnboodschap uit; mijn vingers, knieën, enkels, heupen, schouders en nek, mijn ruggengraat. Alles aan me is opgezwollen – ik heb een dikke tong, dikke ogen, een dik gezicht, mijn ledematen voelen gezwollen aan en ik voel mijn hart erin kloppen, en ook mijn lippen zijn zo gezwollen dat ik ze kan zien wanneer ik naar beneden kijk.

Ik slik het ontbijt door zonder te kauwen en buig mijn hoofd achterover, zodat ik het water regelrecht in mijn keel kan gieten.

'Zeg toch eens iets!' roept Sohrab.

'Ik leef nog.'

'Hoe is het met je?'

'Het gaat.'

'Praat met me!'

Ik laat hem roepen, maar doe geen pogingen meer iets terug te zeggen, want door al die vragen is het net alsof hij probeert mijn misère nog groter te maken. Dat is niet zo, en dat weet ik ook wel. Hij is gewoon bezorgd, maar ik kan hem op dit moment niet uitstaan.

Ik lig op mijn rug op de stinkende deken en sluit millimeter voor millimeter mijn ogen.

Ik denk: *Als ze echt van plan waren me vrij te laten, zullen ze nu wel van gedachten veranderen.*

Ik denk: *Wat ontzettend veel cellen!*

Het water dat ik in mijn keel heb gegoten is regelrecht naar mijn blaas gestroomd. Ik zal het groene strookje onder de deur door moeten schuiven. Ik snik van de pijn en ellende, maar er komen geen tranen. Mijn ogen brandden alleen maar verschrikkelijk. Genoeg! Kan ik niet eens water drinken zonder daardoor nog meer pijn te moeten lijden?

Ik duw het groene strookje met mijn voet naar buiten en wacht op de blinddoek. Ik zou kunnen zeggen dat ik hem niet nodig heb, omdat ik toch niks kan zien.

De blinddoek wordt door de sleuf naar binnen geduwd en ik doe hem met veel moeite over mijn hoofd en voor mijn ogen. Ik moet daarbij de buitenzijde van mijn polsen gebruiken, omdat er niet voldoende beweging zit in de gewrichten van mijn vingers.

De deur gaat open, iemand grijpt mijn arm en sleurt me overeind. Het is niet de vrouw. Misschien is het de bewaker die me gisteren in elkaar heeft geslagen. De man ondersteunt me als we door de gang lopen.

'Ik heb geen medelijden met je,' zegt hij. 'Je hebt het zelf uitgelokt.'

Terug in mijn cel, nadat ik mijn arme blaas heb geleegd, ga ik weer op mijn deken liggen en probeer te verzinnen hoe ik mezelf van kant zou kunnen maken als er nog meer afstraffingen komen. Het is een belangrijk mentaal project, het zoeken naar een manier om een einde aan mijn leven te maken, ook al is het een futiele bezigheid. Het is namelijk onmogelijk, tenzij ik erin slaag zó hard met mijn hoofd tegen de muur te beuken dat ik mijn schedel verpletter, en dat is niet erg waarschijnlijk. Ik kan me in deze cel nergens aan ophangen. Ik kan mezelf niet doodsteken met een lepel. Als ik een reep van mijn deken zou scheuren en die in mijn keel zou proppen, zou ik dan stikken? Maar hoe moet ik die reep afscheuren? Daar heb je handen en vingers en kracht in je spieren voor nodig.

Het enige voordeel van mijn huidige situatie is dat ik door de pijn af en toe het bewustzijn verlies.

Sohrab roept in elk geval niet meer naar me. Hij schreeuwt nu weer tegen Leila – hoe hij haar met zijn blote handen zal wurgen zodra hij op vrije voeten is.

Avond. Het avondgebed. In vele cellen van Evin knielen mensen voor het gebed. De bewakers knielen ook. Ze bidden allemaal tot dezelfde god.

De hele nacht leef ik met mijn pijn. Ik raak nu niet meer buiten westen. Dat is voorbij.

's Ochtends, na Azan, gooit iemand de deur van mijn cel open. Het is de bewaakster, samen met een bewaker, maar niet de man die me in elkaar heeft geslagen. De bewaker knielt naast me neer en begint me zo hard als hij kan met zijn vuisten te bewerken. Hij trekt mijn handen bij mijn gezicht vandaan en richt zijn stompen op mijn mond. Met zijn elleboog port hij me heel hard in mijn maag en borst. Ik gil niet. Ik doe mijn uiterste best om mijn gezicht te beschermen. Ik hoor Sohrab tegen de bewakers schreeuwen: 'Laat haar met rust, klootzakken!'

'Genoeg,' zegt de bewaakster. 'Kom mee.'

De bewaker houdt onmiddellijk op. Hij is minder gemotiveerd dan de eerste bewaker.

Ik lig zó stil dat ik niet zeker weet of ik nog leef of dat ik dood ben. Dit is misschien hoe mensen zich voelen wanneer het leven hun lichaam verlaat. Volkomen stil. Maar de pijn dan? De doden zouden geen pijn hoeven lijden, want wat is anders het voordeel van de dood?

Sohrab roept naar beneden: 'Hoe gaat het met de kleine kampioen?' Het is een woordspeling op mijn naam, Ghahramani, die 'kampioen' betekent. Het is vreemd, maar de nieuwe stompen in mijn gezicht hebben mijn kaak een beetje losgemaakt. Je hebt kans dat het over een paar minuten nog erger wordt dan voorheen, maar op dit moment kan ik mijn kaak op en neer bewegen. Komt dat soms door de adrenaline?

Ik wurm me overeind tot ik met mijn rug tegen de muur zit.

'Sohrab?'

'Je leeft nog!'

'Nee.'

'Dus je bent dood?'

'Ja. Ik ben dood.'

Sohrab lacht verrukt. Hij houdt van dit soort praatjes.

'Kleine kampioen!' zegt hij.

'Niks kampioen. Dit is geen eerlijk gevecht. Ik kan dit nooit winnen.'

Hij lacht weer, bijzonder ingenomen met dit antwoord.

Hij zegt nog iets, iets ingewikkelds, maar de pijnpauze is voorbij. Nieuwe pijn verspreidt zich met zo'n snelheid en kracht door mijn gezicht en ribbenkast dat het lijkt alsof ik zal opensplijten.

Ik verlies het bewustzijn.

De rest van de dag kom ik af en toe bij bewustzijn, probeer me dan te bewegen en val weer flauw. Dat gebeurt zo'n vier of vijf keer. Wanneer er een dienblad met voedsel in mijn cel op me wacht, kruip ik ernaartoe, prop het eten in mijn mond en drink het water, ongeacht hoe beroerd ik me voel. Ik begrijp niet helemaal waarom ik het doe, tenzij de primitieve behoefte van het lichaam om zich te herstellen bóven het gebrek aan belangstelling voor voedsel uit stijgt.

Ik hoef niet meer te zoeken naar manieren om mezelf van kant te maken. Als ze me nog een keer komen mishandelen, zal het mijn dood zijn. Als ik iets kon doen om aan nog zo'n mishandeling te ontkomen, zou ik het doen zonder ook maar een seconde te aarzelen. De bewaakster met het verbrande gezicht uit het zuiden mag met me doen wat ze wil.

Op de derde dag na de eerste mishandeling merk ik dat ik tegen de muur geleund kan zitten zonder van mijn stokje te gaan. Ik zit altijd met mijn gezicht naar de deur. Ik heb me voorgenomen om, als de deur opengaat, een gebed te zeggen voor mijn vader en moeder en voor mijn broers en zussen, en me dan over te geven. Dan ben ik ervan af.

De laatste twee keer dat ik naar de wc ben geweest, heb ik de bewaakster nergens gezien. Wel de twee bewakers die me hebben mishandeld. Ze zeggen er niks over. Het zou me niets verbazen als ze het al vergeten zijn.

Mijn lippen beginnen te genezen en ik kan iets beter zien. Mijn tong voelt branderig aan, maar ik kan hem in mijn mond bewegen. Mijn vingers zijn bijna zo goed als nieuw. Ik raak aldoor met mijn vingertoppen mijn tanden aan, om mezelf ervan te verzekeren dat ze er nog zijn. Als ik hier toch nog vandaan mocht komen en helemaal beter word, wil ik naar mensen kunnen glimlachen en hen horen zeggen: 'Je stralende lach heb je in elk geval behouden!'

'Wanneer ga je naar huis?' vraagt Sohrab.

'Dat weet ik niet.'

'Wat ga je doen als je hier moet blijven?'

'Dan ga ik dood.'

'Denk je?'

'Dat weet ik zeker.'

'Veel mensen geloven dat, Zarah. Er zijn hier mensen die vijf jaar geleden wilden sterven.'

'Wat dacht jij toen je wist dat je hier voor altijd zou blijven?' vraag ik aan Sohrab. Het kan me niet echt iets schelen wat hij dacht, maar de klank van zijn stem helpt me om tijdelijk afstand te nemen van de duisternis en wanhoop in mijn binnenste.

'Ik wou dat ik er een paar had vermoord voordat ik hier terechtkwam. De wetenschap dat ze dood waren, dankzij mij, zou me veel plezier hebben gedaan.'

'Is dat alles?'

'Dat is veel.'

'Ik zou me zorgen maken over mijn familie. Mijn moeder zou het niet overleven.'

'De mensen vergeten je na de eerste zonsondergang.'

'Zulke dingen mag je niet zeggen!'

'Het is raar maar waar.'

Hij maakt me boos. Als ik bij hem kon komen, zou ik hem een klap in zijn gezicht geven.

'Misschien zijn de mensen *jou* vergeten omdat je niet goed bij je hoofd bent. Mijn vader en moeder zullen mij nooit vergeten. Nooit. Jij weet niet hoe het is om een kind te hebben van wie je houdt. Niemand kan zijn dochter of zoon vergeten.'

'Dan niet.'

Ik zeg een poosje niets meer. Ik kan het niet uitstaan dat Sohrab zulke dingen denkt over mijn vader en moeder. Als ik niet aan hen kon denken, had ik niets meer. Ook al zijn ze hier niet, ze houden me net zo goed in leven als wanneer ze me met een lepel hadden gevoerd en met warm water hadden gewassen.

'Dat is iets wat ze me niet hebben afgenomen,' zeg ik tegen Sohrab wanneer ik er gereed voor ben. 'Ik geloof in mijn vader en moeder. En daar zal niks aan veranderen.'

'Prinsesje,' zegt hij, 'die lui hier geven geen klap om je vader en moeder. Ze geven nergens om. Nergens.'

'Ze geven om mijn ideeën. Daarom ben ik hier. Ze geven om wat ik zeg en wat ik schrijf.'

'Nee, Zarah. Jouw ideeën interesseren hen ook niet. Je bent hierheen gebracht omdat je ongehoorzaam was. Wie weet veranderen ze over een week weer van gedachten over wat het volk wel en niet mag doen. Ze willen alleen maar dat je doet wat ze zeggen, wat dat ook is. Dat is voor hen genoeg.'

'Mensen zijn hier vermoord om hun ideeën,' zeg ik verhit tegen Sohrab. 'Hoe kun je zeggen dat ideeën hen niet interesseren?'

'Niemand wordt vermoord om ideeën,' zegt hij. 'Mensen worden vermoord omdat men vindt dat die persoon niet langer hoeft te leven. Dat is alles.'

Ik weiger dit gesprek nog langer voort te zetten. Sohrab biedt zijn verontschuldigingen aan, maar daar reageer ik niet op. Ik weet niets te verzinnen waarmee ik zijn cynische woorden kan pareren, maar ik weet wél dat hij het mis heeft. En als hetgeen hij zegt waar is, dan zij het zo... maar andere dingen zijn ook waar. Ik blijf stil liggen met één oog op de deur gericht en denk na over dingen die de afgelopen twee jaar zijn gebeurd. Een herinnering die me erg veel goed doet is die aan de dag waarop ik een lezing heb bijgewoond van een beroemde Iraanse cineast die op de universiteit een van zijn films had vertoond aan studenten als ik die op straat hadden geprotesteerd. Na de film – die *Deep Breath* heette – zei iemand tegen de cineast dat er niets zou veranderen door films te maken over onze problemen, maar dat daar veel meer voor nodig was.

De cineast antwoordde dat er een tijd was geweest, toen hij cinematografie studeerde, dat het verboden was een videorecorder te bezitten en dat hij er een had moeten kopen op dezelfde manier als mensen vandaag de dag drugs kopen. Hij moest films uit de hele wereld kunnen bekijken als hij zelf ooit films wilde maken, maar toen hebben zijn ouders aan de *Basij* verklikt dat hun zoon videoapparatuur had. In die tijd, zei hij (hij had het over de jaren kort na de Revolutie van 1979), konden de mensen maar op één wijze denken. Dus kwamen filmmakers als hij – en ook schrijvers en artiesten, zakenlieden en geleerden – in de gevangenis terecht. Wanneer ze werden vrijgelaten, gingen ze op de oude voet verder. Ze maakten hun films, schreven hun boeken, hielden hun redevoeringen, openden winkels waar spullen als videoapparatuur werden verkocht. Daardoor kwam er een kleine verandering in de stand van zaken, vertelde de cineast. Er was niet meer slechts één manier van denken; er was anderhalve manier van denken, en op een dag zouden er twee manieren zijn, en daarna tweeënhalve manier. De jongen die tegen de cineast had gezegd dat het zonde van de tijd was om te proberen via films iets te veranderen, zei: 'Of misschien is er straks nog minder dan één manier van denken.' De cineast zei: 'Misschien. Maar doe het evengoed. Maak de films, schrijf de boeken.'

's Nachts hoor ik Sohrab tegen de bewakers roepen dat hij naar de wc moet. Hij steekt geen groen strookje naar buiten; hij roept. Ik hoor hem lachen en tegen de bewaker vloeken als hij terugkomt. Hij scheldt de bewaker uit voor klootzak. En ik denk: O *god, nee!* Ik weet dat ze terug zullen komen om hem af te ranselen, en dat gebeurt ook. Hij wordt door minstens twee bewakers onder handen genomen, maar gilt de hele tijd van het lachen en vloekt hen stijf. 'Klootzakken! Domme lullen!' Ik druk mijn handen tegen mijn oren en maak zelf allerlei geluiden om de klappen en het gevloek niet te hoeven horen; tegen de tijd dat ze klaar zijn met Sohrab beef ik over mijn hele lichaam.

'Niet gek,' zegt Sohrab, nahijgend. 'Ik heb hen ditmaal flink afgemat. Heb je het gehoord?'

'Natuurlijk heb ik het gehoord, imbeciel! Ik haat je! Je bent niet goed bij je hoofd!'

'Denk je?'

'Ik hoop dat het een keer je dood zal zijn wanneer ze je slaan!'

'Dat zou best eens kunnen gebeuren.'

'Ze zouden je naar een gesticht moeten brengen.'

'Een gesticht? Is dit dan geen gesticht?'

Ik kan hem niet uitstaan wanneer hij in zo'n stemming is. Soms hou ik van hem en wil ik voor hem zorgen en hem verhalen vertellen. En soms, zoals nu, wil ik hem uit zijn cel halen en doodschieten.

Hoofdstuk 24

Ik slaap onrustig omdat ik weet dat morgen de dag is waarop ik word vrijgelaten. De afgelopen weken heb ik langzaam maar zeker geleerd hoe je de tijd kunt bijhouden. Morgen dus. Maar zullen ze zich aan hun belofte houden? Zullen ze me inderdaad vrijlaten? Ik mag niet de fout maken te gaan geloven dat eergevoel iets te maken heeft met hun manier van denken. Ik moet van de afgelopen negenentwintig dagen méér geleerd hebben dan wat pijn en vernedering zijn.

Ik heb mijn vijanden van dichtbij gezien en weet nu dingen over hen die ik voorheen niet wist. Wat ik over mijn vijanden weet, mag ik nooit vergeten. Ik hecht veel waarde aan mijn leven, maar zij doen dat niet. De hele wereld is me dierbaar, maar dat geldt niet voor hen. Wanneer ik op een mooie lentedag wakker word, me aankleed, een wandeling maak onder de bomen en de wisselende patronen van het zonlicht op de grond zie, voel ik me zó goed dat ik tegen wildvreemden zou kunnen glimlachen. Maar deze mensen zien de zonneschijn niet, en de lente is voor hen alleen maar een nieuw seizoen waarin ze aan anderen hun wil kunnen opleggen, een nieuw seizoen om gehoorzame gevangenen te belonen en ongehoorzame gevangenen te straffen. Ze hebben geen enkele behoefte om naar wildvreemde mensen te glimlachen. Een wildvreemde is voor hen alleen maar iemand wiens trouw nog niet is getest en gecatalogiseerd. Ze bewaren hun glimlach voor degenen die geen vragen stellen; voor degenen die denken wanneer ze langs Evin lopen: *God keurt dit goed.*

Ik lig op de grond met mijn stinkende deken om me heen gewikkeld en tast de pijnlijke delen van mijn lichaam af om vast te kunnen stellen of het genezingsproces al op gang komt. Ik strijk met mijn vingertoppen over mijn lippen, raak voorzichtig mijn oogleden en de zwellingen onder mijn ogen aan, beweeg mijn tong in mijn mond om te testen of het branderige gevoel al afneemt, laat mijn hand dan weer zakken en strijk zachtjes over mijn ribbenkast, span de spieren van mijn benen en beoordeel de protesten van de blauwe plekken met de donkerpaarse afdrukken van de knokkels van de bewakers. Vijf dagen zijn verstreken sinds de mishandelingen, en ik kan lopen, praten, zien, en er is niets gebroken. 'Het valt nog mee,' zeg ik, en ondanks alles grijns ik. Ik begin te klinken als de gek boven, die een expert is in mishandelingen.

Heel vroeg, vlak na het ochtendgebed, hoor ik een geluid achter mijn deur. Ik krimp ineen en wacht af. Ik heb de belofte die ik mezelf heb gedaan niet vergeten – dat, als ze me weer komen mishandelen, ik snel zal bidden voor mijn vader, moeder, broers en zussen, en dan zal sterven. Maar de deur gaat niet open. In plaats daarvan wordt een bundel door de sleuf gepropt. Hij valt op de grond. Ik blijf doodstil liggen. Ik verwacht nog steeds iets anders, iets veel ergers, maar nadat ik tot honderd heb geteld, is de deur nog steeds dicht. Ik loop naar de bundel en doe hem open. Ze hebben me de jurk teruggegeven die ik droeg toen ik hierheen ben gebracht: een eenvoudige, zwarte, katoenen jurk tot vlak boven mijn enkels.

Ik zit geknield op de vloer met de jurk tegen mijn gezicht gedrukt. Nu komen de tranen los. Ik snuif de geur van de stof op. Ik ruik het meisje dat ik eens was. Dit is als een dolk in mijn hart. Het is Zarah, het malle, domme meisje dat zich een leven voorstelde vol vrolijkheid, liefde, dagdromen en hoopvolle petities! O god, wanneer ik aan haar terugdenk, wil ik haar door elkaar schudden en roepen dat ze wakker moet worden. *Ach, Zarah, wat was je een domme, dwaze schat van een meid!*

Mijn gezicht is nat van de tranen wanneer ik de jurk aantrek en de kreukels gladstrijk. Ik ga tegen de achtermuur geleund staan wachten, met de blinddoek om mijn voorhoofd, zodat ik hem snel voor mijn ogen kan doen.

Een bewaker geeft met zijn vuist een klap tegen de deur, het teken dat ik mijn ogen moet bedekken. Hij zal twee minuten wachten en dan de deur opendoen. Ik roep naar Sohrab: 'Ben je wakker? Ik ga naar huis.' Hij geeft onmiddellijk antwoord; ik denk dat hij hierop had gewacht.

'Goede reis,' zegt hij.

'Ik zal bloemen op het graf van je moeder leggen. Margrieten, zoals je graag wilde.'

'Dat zou fijn zijn. Dank je wel.'

'Ik zal aan je denken!'

'Tot zonsondergang,' zegt hij, en hij lacht erbij.

De bewaker doet de deur open. Hij pakt me bij mijn arm en zegt: 'Kom mee.' Bij de lift draagt hij me over aan iemand anders. Ik weet niet aan wie; de stem komt me niet bekend voor. Maar de andere man, wie dat ook is, heeft me misschien eerder gezien, want hij zegt tegen de bewaker: 'Hebben jullie haar zó weinig te eten gegeven?' en grinnikt erbij. Hij draait me om en bindt mijn polsen snel op mijn rug aan elkaar met iets wat aanvoelt als een plastic strip.

We dalen met de lift af naar een auto, net als zes dagen geleden, toen ik naar de rechtszaal werd gebracht. Als ik ben ingestapt, zegt de man die me begeleidt: 'Ga liggen,' en dat doe ik. Ik lig op de achterbank met mijn kruin tegen het portier. Er zit nog een man in de auto, vermoedelijk de bestuurder. Hij begroet de man die me begeleidt en dan lig ik in mijn eentje op de achterbank en zitten zij beiden voorin.

Algauw wordt me duidelijk dat we niet dezelfde route rijden als naar de rechtszaal. Ik hoor meer verkeersgeluiden, veel meer, en de ochtendgeluiden van mensen op straat. De stemmen klinken als die van doodgewone mensen. Ik hoor een man de prijs roepen van zijn broodjes, en een andere man die roept: 'Achteruit! Nee, niet zo!' Ik hoor de stem van een moeder die een kind bestraffend toespreekt, het vloeken van automobilisten, ongedurig claxonneren. Het is alsof de wereld langzaam naar me terugsijpelt, als water dat zijn weg vindt naar plekken in mijn lichaam die een hele maand droog hebben gestaan.

Lange tijd rijdt de auto erg langzaam, zigzaggend door het verkeer, terwijl we steeds stoppen en weer optrekken. Ik word heen en weer geslingerd op de achterbank omdat ik me met mijn gebonden handen niet in evenwicht kan houden. Mijn neus zit tegen de kunstleren bekleding gedrukt.

Na ongeveer een uur, lijkt me, komt de auto los uit de verkeersdrukte en gaan we sneller rijden. Een van de mannen voorin, de bestuurder, zegt: 'Godzijdank!' En de andere man, mijn begeleider, zegt: 'Het wordt elk jaar erger. Ze moeten er iets aan doen.' En de bestuurder zegt: 'Dat zal nog wel even duren, *haji*!'

Nu rijdt de auto met hoge snelheid, vermoedelijk over een snelweg, te oordelen naar het gemak waarmee we vooruitkomen. Ik weet niet waar ze me naartoe brengen, maar in elk geval niet naar mijn ouderlijk huis. Vanaf de poort van Evin hadden we daar binnen twintig minuten kunnen zijn. Van alle mogelijke bestemmingen voor deze reis lijkt een graf in het braakliggende land rondom Teheran me het meest aannemelijk. Voordat ik in de gevangenis terechtkwam, had ik geruchten gehoord over auto's en vrachtwagens die daar gesignaleerd werden, zonder aanwijsbare reden, en over gebieden waar je niet mag komen, mogelijk terreinen die gebruikt worden om geëxecuteerde onruststokers te dumpen. Ik vond het nogal sterke verhalen, maar dat vind ik nu niet meer. Hoe dan ook, als ze van plan zijn me dood te schieten, is dat vermoedelijk het beste voor me. Het ergste zou zijn als ik naar een andere gevangenis werd gebracht.

Als ik naar een andere gevangenis word gebracht, zal ik een manier zoeken om zelfmoord te plegen. En daar zal ik niet dagen en dagen mee wachten – ik zal het zo snel mogelijk doen. In gedachten schrijf ik een brief aan mijn vader en moeder, voor het geval dit mijn einde is. Ik zeg in die brief hoezeer ik hen heb gemist en ik dank hen voor mijn leven. Omdat mijn moeder gelooft in wedergeboorte en dergelijke zaken, zeg ik dat ik ergens zal wachten, al geneer ik me een beetje dat ik in deze trant doorga. Maar ik doe het voor haar, en heb ik niet altijd mooie dingen weten te zeggen omdat ze dat zo fijn vindt?

Na een lange tijd zonder verkeersgeluiden en zonder conversatie tussen de bestuurder en mijn begeleider minderen we vaart. De bestuurder vraagt: 'Hier?' en de andere man gromt iets. De auto stopt en beide portieren gaan open. Ik hoor een geluid dat ik eerst niet kan thuisbrengen, tot ik begrijp dat een van de twee mannen vlak naast het achterportier van de auto staat te plassen. Hij heeft waarschijnlijk problemen met zijn blaas, want het gaat met horten en stoten en hij kreunt erbij.

Het portier waar ik met mijn kruin tegenaan zit, wordt opeens opengetrokken waardoor mijn hoofd half buiten de auto komt te hangen. Mijn begeleider zegt: 'Uitstappen.' Ik wurm me overeind en tast dan met mijn voet naar de opening van het portier. Nu sta ik rechtop, wankelend, en voel ik de pijn in al mijn gekneusde ledematen kloppen door de lange tijd dat ik op de achterbank heb gelegen. Ik voel de buitenlucht op mijn gezicht. Het plastic stripje rond mijn polsen wordt doorgesneden en mijn handen zakken langs mijn lichaam. Ik hoor de twee portieren dichtslaan, waarna er een motor wordt gestart. Ik ben volslagen verbijsterd – meer verbijsterd dan bang. Wat heeft dit te betekenen?

De auto begint op te trekken, met een knerpend geluid, vermoedelijk vanwege steentjes langs de kant van de weg. Dan stopt hij weer en gaat er een portier open. Weer hoor ik het geluid van urine die op de grond klettert. Misschien heeft de man die daarnet niet heeft geplast, besloten dat alsnog te doen, of had de man die er zo bij kreunde, nog een restje dat hij kwijt moet. Ik hoor hetzelfde gekreun als daarnet. Een stem roept: 'Zal ik soms rijden, *haji*?' Geen antwoord. Het portier slaat dicht en de auto rijdt weg. Ik blijf bewegingloos staan en wacht af. Ik wacht tot ik er volkomen zeker van ben dat de auto weg is. Ik hoor geen andere auto's. Ik hoor niets anders dan het suizen van de koude wind, waarna ik mijn handen ophef naar de blinddoek en trek hem van mijn hoofd. Mijn adem stokt wanneer ik het uitgestrekte landschap zie. Ik ben nergens. Een geasfalteerde snelweg strekt zich uit tot in de verte. Ik draai me om en zie heel vaag een grauwe streep boven de horizon. Dat moet de smog van Teheran zijn. Nergens is er een huis of gebouw te zien; zelfs geen hut. De lichtblauwe hemel is waanzinnig weids – hij strekt zich veel verder uit dan ik me kan herinneren. Droge heuvels met de kleur van botten rijzen op in het westen. Ik hou mijn hand beschermend boven mijn ogen, kijk knipperend naar de zon en draai me dan langzaam helemaal in de rondte. Niets dan leegte.

Ik begin in de richting van Teheran te lopen. Het is ver en het zal lang duren voordat ik er ben. Als ik een auto hoor, zal ik me verstoppen, al weet ik eigenlijk niet waar ik me zou moeten verstoppen. Nu ik mijn vrijheid terug heb, voelt het helemaal niet zoals ik had gedacht. Ik had gedacht dat ik rare sprongen zou maken, als een lammetje in de wei, en luidkeels vreugdekreten zou laten horen. Maar ik voel geen behoefte om rare sprongen te maken en ook niet om vreugdekreten te laten horen. Ik voel me kwetsbaar en wou dat er bomen langs de weg stonden, zodat ik daarachter dekking zou kunnen zoeken. Ik heb mijn blinddoek nog in mijn hand. Ik ben niet in staat hem weg te gooien, ook al haat ik hem nog zo. Ik hou hem in mijn vuist geklemd en loop tegen de wind in, terwijl ik met mijn andere hand mijn hoofddoek op zijn plek hou.

Wanneer ik de eerste auto achter me hoor aankomen, staat mijn hart stil en spannen al mijn spieren zich. De auto zoeft langs me heen zonder enig blijk dat de inzittenden me hebben opgemerkt; het is een knalrode auto, gloednieuw. In een flits zie ik een vrouw met onbedekt haar die naast de bestuurder zit; de jonge tweede of derde echtgenote, of het vriendinnetje van de bestuurder die ver van de *Basij* en politie van haar vrijheid geniet. Ook uit de tegenovergestelde richting komen auto's, uit Teheran, en iedere keer blijf ik angstig en gespannen staan. De mensen in de auto's denken vast dat ik een ondervoed boerenmeisje ben, waarschijnlijk met een hoofd vol luizen en rotte tanden achter de korstige lippen. Ik heb vaak genoeg meisjes gezien die er net zo uitzien als ik nu, toen ik met Behnam ritjes maakte. Ik dacht altijd: 'Arme meid!' en hield mezelf voor: 'Alleen bij Gods gratie ben je niet zo als zij.'

Ik loop stug door tot ik bij het eerste gebouw aan de weg kom. Ik blijf staan en staar naar het rijtje armoedige winkels en goedkope, uit kale bouwstenen opgetrokken huizen. Ik weet waar ik ben. Dit is Ekbatan, de buitenste buitenwijk van Teheran. Voor het eerst in een maand weet ik waar ik ben. De kaart van mijn leven begint op te stijgen uit de grauwheid in mijn binnenste. Kleuren worden helderder; wazige lijnen worden scherp. Ik ben hier met mijn vader wel eens doorheen gereden, en met Behnam, wanneer we ritjes maakten buiten de stad. Dan keek ik meewarig naar de saaie straat, die nu in mijn ogen juist prachtig is, even mooi als de beroemde straten van de grote steden die ik nog wil bezoeken.

Ik loop door tot ik een telefooncel aan de rand van de stoep zie. Ik heb geen geld en zal voorbijgangers om een muntje moeten vragen om mijn vader te bellen. Ik blijf staan en oefen in glimlachen, opdat mijn afzichtelijke uiterlijk de mensen die langskomen niet al te erg zal afschrikken. Ik zie een eindje verderop een oude man die langzaam naderbij komt met twee broden onder zijn arm en een krant in zijn hand. Hij kijkt naar me en ik beantwoord zijn blik met mijn groteske glimlach. Hij blijft staan en bekijkt me met een vragende blik in zijn ogen. Ik kan me goed voorstellen dat hij schrikt van mijn uiterlijk. Tijdens de autorit schuurde mijn hoofd aldoor tegen het portier, waardoor een deel van de korsten is losgeraakt. Dunne stroompjes bloed zijn opgedroogd op mijn voorhoofd en wangen. De oude man bekijkt mijn dikke ogen, mijn gebarsten lippen, mijn broodmagere polsen en vuile handen.

'Wat is er met je gebeurd? Hoe ben je hier terechtgekomen?'

'Hebt u misschien wat kleingeld voor me? Ik moet iemand opbellen.'

'Iemand opbellen?'

'Ja. Het is belangrijk.'

Hij klemt de krant onder zijn arm bij de broden en steekt zijn hand in zijn zak. Hij haalt er een leren zakje uit, grabbelt er op zijn dooie gemak in en geeft me een muntje. Ik sta nog steeds als een idioot te glimlachen.

'Ben je ziek?' vraagt hij me.

'Nee,' zeg ik, maar ik zie het ongeloof in zijn ogen en voeg eraan toe: 'Ik ben gevallen.'

Hij knikt, maar het is duidelijk dat hij me niet gelooft.

'Je kunt misschien beter even gaan zitten. Daar, in het park.'

Ik volg zijn blik en zie een klein stukje gras met een armetierige boom aan de overkant van de straat, tussen een half afgebouwd huis en een kaal terrein waar betonnen buizen opgestapeld liggen.

'Dat zal ik doen,' zeg ik.

'Wil je wat brood?' vraagt hij.

'Als u het niet erg vindt.'

'Waarom zou ik dat erg vinden?'

Hij breekt een van de broden in tweeën en geeft mij een deel. Het is brood van het soort waar ik dol op ben, met een luchtige korst die is besprenkeld met sesamzaad. De geur is altijd al voldoende om me het water in de mond te laten lopen.

'Ga wel even zitten, hoor,' zegt de oude man, en hij knikt erbij alsof hij zijn advies wil benadrukken.

'Dat zal ik doen,' antwoord ik.

Terwijl de oude man zijn weg vervolgt, loop ik snel naar de telefooncel, hopend en biddend dat de telefoon het doet. Ik stop het muntje erin en hoor tot mijn grote opluchting een duidelijke kiestoon. Ik draai ons nummer. Uit het daglicht maak ik op dat het ongeveer acht uur 's ochtends is. Mijn vader zal nog niet vertrokken zijn naar zijn winkel in de bazaar.

Zijn stem loeit mijn oor binnen. 'Met Ghahramani,' zegt hij.

'Agha Jun?' zeg ik – zo spreek ik mijn vader altijd aan. 'Ik ben het. Zarah.'

Ik hoor een kreet, bijna een kreet van pijn. 'Lieverd,

waar ben je?' Hij praat in het Koerdisch, de taal die hem het beste ligt en waar hij het meeste van houdt. 'Ik kom meteen. Ik kom je halen. Waar ben je?'

'Ekbatan, blok 31. In een telefooncel. Er is daar een klein park en er ligt een stapel grote betonnen buizen. Daar zal ik wachten.'

Mijn vader moet me verzoeken te herhalen wat ik heb gezegd. Hij huilt heel hard en lijkt niet in staat ermee op te houden. Ik zeg het nog een keer en nog een derde keer. Op de achtergrond hoor ik mijn moeder keer op keer vragen: 'Is het Zarah? O god, is ze het echt?'

'Blijf zitten waar je zit,' zegt mijn vader. 'Ik kom meteen. Ga nergens naartoe. Blijf daar zitten, lieverd.'

'Ja, dat zal ik doen.'

Nu komt mijn moeder aan de lijn, maar bijna meteen is mijn tijd op en wordt de verbinding verbroken. Ik hoor alleen maar 'Lieverd...' in het Koerdisch.

Ik hang op en steek de straat over naar het parkje.

Het geluid van mijn vaders stem, en dat ene woordje van mijn moeder, hebben me vervuld met blijdschap. Ik ga op het bankje zitten en begin hard te huilen. Ik veeg de tranen van mijn gezicht. Dan zie ik het brood op mijn schoot, hou op met huilen en scheur er stukken af die ik in mijn mond stop. Tussen de happen door begin ik toch steeds weer te snikken. Als ik in het paradijs was, zou ik het precies zo willen hebben: vers brood, tranen van vreugde, en mijn vader en moeder die zich naar me toe haasten.

De blinddoek houd ik in mijn vrije hand geklemd.

Dankbetuiging

De auteurs willen graag hun dank betuigen aan Ann Dillon voor haar hulp en suggesties bij het schrijven van het manuscript, en voor haar waardevolle research.

Erkentelijkheid gaat uit naar alle leden van Zarah Ghahramani's familie voor hun geduld en liefhebbende steun; verder wordt de leraressen van haar middelbare school en de docenten van de universiteit verzocht haar dankbaarheid te aanvaarden, om redenen die duidelijk zullen zijn voor iedereen die dit boek leest.

Over Robert Hillman

Robert Hillman is geboren in 1948 en opgegroeid in het landelijke Victoria. Zijn eerste roman, *A Life of Days*, is verschenen in 1988, gevolgd door *The Hour of Disguise* (1990), *Writing Sparrow Hill* (1996) en *The Deepest Part of the Lake* (2001). Zijn autobiografie uit 2004, *The Boy in the Green Suit*, is onderscheiden met de National Biography Award van Australië. Robert Hillman heeft jarenlang les gegeven op middelbare scholen en universiteiten, maar werkt nu fulltime als schrijver. Hij heeft drie kinderen en woont in Warburton, in de Yarra Valley in Victoria.